中文參考資料

鄭恆雄著

臺灣 學生書局 印行

王　序

　　我國歷史悠久，典籍富麗。歷代修纂的史志、書目、字書、辭典、類書、叢書、韻編、年表等參考書，數量繁多，對於我國文獻的整理、學術的研究、及資料的查考均有積極的貢獻。晚近，由於知識與資料的快速成長，更有索引、年鑑、指南、手冊等新式參考書產生。各種各樣的參考書日漸增加。加以現代圖書館事業發達，圖書館經營的方式，由傳統重視庋藏與鑒賞的藏書樓，轉變爲重視讀者服務的教育資料機構。現代化的圖書館紛紛設立「參考部」，提供參考諮詢服務，指導讀者利用參考資料，善加利用館藏資源。「中文參考資料」的價值及重要性日益增加。

　　爲了便於參考利用，民國以來有彙錄各種各類參考書及有關資料的專著，如汪辟疆的工具書的類別及其解題，何多源的中文參考書指南，鄧嗣禹及 Knight Biggerstaff 合編的 An Annotated Bibliography of Selected Chinese Reference Works，鄧衍林的中文參考書舉要等。近年來，又有李志鍾、汪引蘭合編的中文參考書指南，應裕康、謝雲飛合編的中文工具書指引，及張錦郎編撰的中文參考用書指引等書。另有專門學科的參考書書目，如吳文津及 Peter Berton 的現代中國研究指南，曾影靖的中國歷史研究工具

書敍錄， 胡歐蘭的教育參考資料選粹等書。 另有彙錄某類型參考書的書目，如錢存訓及鄭烱文合編的中國書目解題彙編， 鄧嗣禹的燕京大學圖書館目錄初稿類書之部等書。這些參考書的編纂，都經過仔細的調查與蒐集，方便讀者按圖索驥，卽類求書。其性質與功用與英人 Arthur John Walford 的 Guide to Reference Materials 及美人 Constance M. Winchell 的 Guide to Reference Books 等類書籍相同。這類書目指南因體例的限制，對於各型參考書的意義、沿革、 種類、 功用、 體制等基本背景， 往往不能盡述，且同類或相關資料不易集中評述，是其缺點。

　　鄭君此書，共分十一章。首為導論，綜述中文參考資料的意義、 範圍、 排檢法、 及利用選擇方法。 其次， 分為書目、索引、字典與辭典、類書（政書、百科全書）、傳記參考資料、地理參考資料、年鑑（ 年表、曆譜 ）、名錄（指南）、 手冊（ 便覽 ）、 統計資料、法規等章，詳述各型參考書的意義、 種類、 沿革、 功用、 與體制， 並選錄重要參考書，綜合比較評述， 讀之， 脈絡一貫，易獲取完整的認識，這是本書的特色。此外，首章闡述參考書的特質及排檢利用的方法，亦有獨到之處。

　　本書不僅是參考書的指南，更是一部指導如何使用中文參考資料的專著，其功用有四： 一、提供各級圖書館員有關中文參考資料必備的基本知識， 二、提供圖書館參考諮詢工作者專業的知識，三、指導大專學生及學術研究者利用參考

資料，四、可供編製各種參考工具書的參考。目前，我國大專院校圖書館學系（科）、敎育資料科學系都開設「中文參考資料」課程，若干大學中國文學系亦有「研究方法指導」等有關課程。本書可作爲敎學之用。

　　鄭君畢業於國立臺灣師範大學及中國文化大學史學研究所，主修圖書館學及目錄學，受業於余。近年來除在大學授課外，並致力於文史參考工具書的編纂，甚有心得，此書爲其新著，玆値脫稿付梓，特爲推薦，是爲序。

王　振　鵠

七十一年五月

藍　序

　　我國圖書館專業人才的培育，六十年來一貫是採取中西並顧的原則，因此在課程設計上，「參考諮詢」一科，係將中文參考資料和西文參考資料，分別於大學部二年級和三年級講授。如此安排，我國的學生在修習這門功課時，課業的負擔就要比外國圖書館學系的學生繁重。益有進者，六十年來，撰寫中文參考資料的圖書館學專家，都是着重在指南（Guide）的型式。此種撰寫方式的宗旨在訓練學生熟悉各種參考工具書的內容與其使用，以便擔任參考諮詢服務時，駕輕就熟，應付自如，立意至善。以之比擬於美國的圖書館學界，彼邦人氏之從事此類著述者，始自 Kroeger，嗣後繼承者有 Mudge, Winchell 和 Sheehy 等人，可謂一脈相傳，師承有自，惟我國歷來諸家所述，不僅未脫「指南」的窠臼，而且各立門戶，遂至衆說紛紜，不若美國之師徒相傳，建立學術系統與權威，學生研習，亦有門徑可尋，自易登堂入室也。

　　復自美國另一派撰寫參考資料之情形視之，始有 Shores，繼如 Cheney, Katz 諸氏，均一反「指南」式做法，而係以優美文字娓娓描述各類參考資料之來龍去脈，並於利用方法中予以評估。至其評述册籍，每類祇詳述最重要而應

常加利用者，次要者則僅列書目，備供參考。似此撰寫方式，讀者——包括學生和圖書館員——翻閱書冊，如誦散文，清麗可喜，固不似「指南」式之枯燥乏味也。

鄭恒雄君先後自臺灣師範學院及中國文化學院研究所畢業，專攻圖書館學。十餘年來，嚴守崗位，現任國立中央圖書館臺灣分館採編組主任，公餘潛心著述，尤着力於索引理論之闡述及文獻之紹介與控制。六十二年秋來輔大圖書館學系任教，主講「中文參考資料」，十年來鄭君諄諄善誘，深究斯學，極具心得，青年學子得聆教誨，所獲至豐。本年復以其多年教書歷練，發為文章，公諸同好。觀其編撰體例，首述參考資料之意義及範圍，次述排檢法，實為研讀此類資料之鎖鑰，初學者憑此關鍵，當可窺斯學之堂奧，信不誣矣。再觀其每章之子目，述及各該類資料之意義、種類及功用，全書結構整齊劃一，使習者得以按圖索驥，至為便捷。

玆值本書刊行，乾章先讀為快，君所論列深獲我心，感佩之餘，聊綴數語，並冀我圖書館學界能如鄭君者，多方從事撰述，以利我青年學子之習讀，藉資提高我國圖書館學水準，願相共勉。

藍乾章　中華民國七十一年五月

謹序於輔大文友樓

方　序

　　參考服務 (Reference Service) 是現代圖書館從事讀者服務工作的主要業務。其宗旨在揭示圖書館的館藏資源，指導讀者善予利用。圖書館的職掌，不僅限於圖書文獻的徵集、選購、保存、管理，尤其要協助讀者充分利用資料。圖書館員並負有灌輸知識與傳播文化的責任。早在西元一八七六年，美國教育局出版的「美國之公共圖書館」(Public Libraries in the United States of America) 一書中指出：「公共圖書館館員，必須了解其負有傳播知識之主要責任，並須認知其具有教師之權義」。圖書館員不僅是圖書文獻的典守者，更是知識傳播的教育工作者。「保存」與「利用」是現代圖書館的兩大課題，而後者尤為重要。一八九一年，美國圖書館專業雜誌 Library Journal 首先揭示「Reference Work」一詞，開創現代各國圖書館參考服務工作的先河。以後經過 John Cotton Dana、William Learned、Alvin Johnson 諸氏的提倡及闡揚，圖書館名符其實地成為「民眾的大學」。

　　演變到今日，圖書館大都設有「參考部」專司參考業務。一九六一年 Samuel Rothstein 和 Henry Dubster 為美國圖書館協會擬定一份圖書館對讀者提供參考服務的大

綱，其中指出參考服務有「直接的」及「間接的」兩種方式。直接的方式是由館員親身協助讀者尋找資料或答案，有「敎導性」（Instruction）及「問訊性」（Information）兩種作用，「敎導性」是指導讀者找尋資料，指示一種方向或方法而非逕予資料；「問訊性」則是直接答覆讀者諮詢的問題。間接的方式則包括利用各種書目、編製各種參考工具書，指導讀者更有效地利用資源。爲了貫徹這些任務，首要的因素就是「參考資料」。因爲利用「它」才能夠使讀者很快地找到許多可用的文獻。因此，「參考資料」實在是讀者與資料間的橋樑，是圖書館員應善加利用的一把鎖鑰。一般人通稱爲「工具書」。

歐美各國，這些「工具書」幾乎俯拾皆是，各種書目、索引、字典、百科全書、年鑑、手册，琳瑯滿目，美不勝收。因此，又有彙集這些參考工具書的參考書問世。這類「西文參考資料」大別之有兩類，一類是「書目解題式」的，如 Guide to Reference Books. Guide to Reference Materials. American Reference Books Annual. Reference Service Review 等等；一類是「導論式」的，如 Basic Reference Sources. Introduction to Reference Work. Introduction to Bibliography and Reference Work 等等是也。兩者各有用途，相輔相成。

我國的歷史悠久，文物之盛，遠非外邦可比。歷代修纂的參考資料自然可觀。然而，無可諱言的，圖書館參考服務

工作，乃受晚近歐美的影響，「參考服務」的觀念與作法仍待加強與努力。而「中文參考資料」是從事「參考服務」工作必不可少的工具。民國以來，先後已有何多源、鄧嗣禹、鄧衍林、李志鍾等人的努力，坊間出版參考書指南多種。考其內容，多半是「資料性」、「書目解題式」的指南，重在「卽目求書」。

余近閱鄭君「中文參考資料」一書，認爲有下列幾項特性：

一、導論性：　本書分述各型中文參考資料的意義、種類、功用、體例等，並選介論述，引導初學者認識中文參考資料，易獲致整體的概念。

二、綜合性：本書選介的參考資料，相關者合併綜述，無分類書目的支離感，讀之，易觸類旁通。

三、評論性：本書選介的參考資料，不僅摘述其要，且大都能品評其優劣，使讀者知所去取。

四、方法性：　本書着重使用方法的闡述，間有舉例，使讀者明了查索利用的方法。

五、資料性：本書介紹中文參考資料頗多，重要的多半有解題。附及的也不少。就檢索文獻資料言，不失爲一工具。

本書是由使用的觀點，有系統地闡述中文參考資料，使讀者熟悉運用我國的文獻。不僅適於專業的圖書館從業人員及圖書館系科學生研閱，亦可供一般大專學生及社會人士閱

讀，熟悉利用各種參考工具書，養成治學研究的能力。因此，本書一方面可作爲圖書館從業人員業務「工作」上的參考，一方面可作爲治學研究者「進修」之用。

　　鄭君受業於余，近年來余長淡江大學教育資料科學系主任期間，曾命來校爲諸生講解中文參考資料，並協助教育資料科學月刊之編務，鄭君均能盡責，亦受學子愛戴。此書實爲其平日教學研究心得。今日書成付梓，或有助於圖書館及文史學界。是爲序。

方同生　序於六月十五日

劉　序

　　從事學術研究的目的，就是要能提出新理論或新見解，也就是要能創新。想要有所創新，先要熟知過去的成就。因爲任何知識的創新，都是奠立在過去的經驗上的。因此，廣泛的閱讀研究範疇中的相關資料，是學術研究工作者所必須從事的。

　　但是，隨著歷史的縣延與人類知識的累積，文獻日益增多，學者每爲數量龐大的資料所苦，於是各種的參考資料，如書目、索引等，不斷問世。於是，撰寫出版指引檢索參考資料的圖書，就成了學術界的迫切需要。

　　在我國，此類專書的出版，較早的有鄧衍林的「中文參考書舉要」及何多源的「中文參考書指南」等；晚近的有應裕康、謝雲飛合著的「中文工具書指引」及張錦郎兄的「中文參考用書指引」等。鄭恒雄先生，目前擔任國立中央圖書館臺灣分館採編組主任，平日很注重各種參考書的蒐採；近年來也在各大學講授「中文參考書」及「研究方法」等課程，具有很多獨特的見解。現在，他把多年來的講稿整理印行，對學術界，必然有一定的貢獻。

　　本書的特色很多，這裏舉出幾點，供讀者參考：一是蒐羅的資料豐富。作者把參考資料分爲書目、索引、字典與辭

典、類書、傳記參考資料、地理參考資料、年鑑、年表、曆
譜、名錄、統計資料、法規等類，每類又分子目。中文的重
要參考資料，大致都已著錄。二是分類非常實用。譬如類
書，作者把它分爲檢查事物掌故事實的類書、檢查事物起源
的類書、檢查文章辭藻的類書、政書及百科全書等五類；又
如字典和辭典類中的特殊字典及辭典部份，分爲字源及書法
形體字典、音韻字典、虛字字典、歧字字典、成語、諺語、
格言、俗語、歇後語等特殊語類辭典等。這種分類，確實掌
握參考資料的特性，能引導讀者迅速的檢索所需的資料。三
是體例完善：作者在每一章，除了標舉各類重要的參考書
外，並詳述每類參考書的意義、內容、功用、體制等，並且
評騭各書的優點和缺失，能幫助讀者在選擇及使用參考資料
時，注意到各書的特性。

從民國六十七年起，本系就敦聘鄭先生講授「研究方
法與指導」，由於資料豐富，講解詳細，諸生獲益很多。現
在，鄭先生把他的講稿印出來，要我寫序，趁這個機會，向
他多年來指導本系學生的辛勞，表示謝忱。

劉兆祐　民國七十一年五月廿二日序於
東吳大學中國文學系

自　序

　　我於民國五十二年入臺灣師範大學求學，從業師楊家駱教授研習中文參考資料，五十九年再入中國文化學院史學研究所，復從楊師研究中國學術史，在師長指導下，探索四庫之門。這段期間，較有系統地涉獵四部典籍，對於歷代修纂的參考工具書尤有興趣。私心仰慕清季四庫開館的盛況，以及明世永樂大典的規模。常癡心妄想以科學方法整理史籍、編纂工具書，使古書合於今用。

　　師大畢業後，我一直在國立中央圖書館工作。得有機會滿足我從事參考工具書編纂的願望。十幾年來，參加不少專題書目及索引的編纂工作，例如：「中華民國期刊論文索引」、「中國近二十年文史哲論文分類索引」、「中華民國出版期刊指南」、「國立中央圖書館臺灣分館館藏期刊報紙目錄」、「國立中央圖書館臺灣分館館藏中文期刊人文社會科學論文分類索引」等書的編輯工作，以後並以一己之力編輯「全國雜誌指南」（六十一年及六十七年分別出版兩次）、「漢學索引總目」、「中文資料索引及索引法」三部小書。

　　六十二年，奉藍師乾章及方師同生之命，承乏輔仁大學及淡江大學教席，講授「中文參考資料」。先一年，我已將鄧嗣禹及美人Knight Biggerstaff 合編的 An Annotated

Bibliography of Selected Chinese Reference Works
全書譯爲中文，另參考何多源、鄧衍林之專著，撰爲文稿，
翌年卽以此爲兩校講稿。這些年來，我蒐集了不少有關「中
文參考資料」的文獻，作爲敎學的參考，因爲工作的關係，
只能斷斷續續的整理和寫作，有幾篇文章先後在「圖書館學
與資訊科學」季刊、「敎育資料科學月刊」（後改爲季刊）、
「中國圖書館學會會報」及「輔仁學誌」等刊物上發表，最
近，才增補了一些資料，纂輯成書。

目前，坊間也有數種「參考書指南」，大都是解題式的
參考書書目，着重在便於「卽目求書」，有其一定的功用。
但是，此種體例，往往不易將各類參考工具書彼此的關係貫
穿起來，讀之，對於參考工具書的功用、特色，往往不易獲
得通盤的了解。尤其，當前我國的敎育環境，一般學生對於
我國故有的四部典籍，所知有限。因爲基本的知識不足，利
用此類「參考書指南」往往遭遇困難。我寫本書的目的，試
圖做到兩點：㈠介紹與參考資料有關的基本（背景）學科，
不僅介紹參考書，同時亦簡要地說明與此有關的學科知識；
㈡類聚相關的參考資料，綜合的闡述其體例、功用與特色，
使原本分離的，能貫穿起來。故，首章爲導論，敍述中文參
考資料的意義、範圍、排檢法、及其利用的原則。因爲四部
典籍及排檢法爲中文參考資料的基礎，故於首章中講述。以
後各章卽分述各型參考工具書的意義、沿革、種類、功用、
和體例等，並選介重要的參考資料、以爲說明。本書選介的

參考資料，均冠以「△」，並列記其完備的書目資料，以資利用。

　　書末附有參考書目，是我寫本書所徵引及參閱的書籍和論文。在本文中已論及的，不再在參考書目中贅述。最後，有總索引，將全書中提及的書名，著作者及標題混合編排，按筆畫寡多及筆順次序定先後，有助於檢索。

　　本書如果能有一點心得的話，首要感謝師長的教誨。藍師乾章、方師同生、以及東吳大學中文研究所劉所長兆祐教授等，多年來予我的指導及提攜，使我在八、九年來的大學教學生涯中，略有長進。業師，國立中央圖書館王館長，更是時時予我督促，垂詢工作及寫作情形，使我不敢稍有怠心。書成，尚蒙師長賜序，使這本小書增色不少，尤為感激。

　　本書付梓之際，我要向多年來幫助我的師友們致謝。像吳瑠璃老師、喬衍琯教授、胡歐蘭教授、宋主任建成先生、蘇精先生、薛吉雄先生、周雅君小姐、簡家幸小姐等。同事許璧珍、羅淑婉小姐還為本書精心編製總索引。沒有他們的幫助，這本小書仍難寫成。當然，還有內子，為我做最後清稿校對工作。更重要的是給我寧靜舒適的環境，安心寫作。多年來，我把事奉父母親大人及教育子女的重責都交賦予她，辛勞的痕迹，隨著歲月刻劃在她身上。本書寫成之日，我與內子還有一共同願望，就是將這本書獻給為我辛苦一生的父母親。

鄭恒雄　識於士林外雙溪

民國七十一年五月

中文參考資料

目　次

第一章　導　論

壹、中文參考資料的意義與範圍

　　中文大辭典「參考」條：「參合他說或他事而考覈之也，與參校、參勘、參稽同」。漢書息夫躬傳云：「唯陛下觀覽古戒，反覆參考。無以先入之語爲主」。循吏黃霸傳：「吏民見者，語次尋繹，問它陰伏，以相參考」。黃瓊傳亦云：「使近臣，儒者參考行事」。足見「參考」兩字漢代已有，且連用表示查考有關事項，而加以研究考訂之意。

　　李鍾履在圖書館參考論序中說：「圖書典籍，浩如淹海、知識學術、漫若霧雲，縱使才高八斗，學富五車，亦難徧讀備知。然於研究一學一科之時，查尋一事一物之際，勢必願求其全，而求全之道，則舍博蒐詳輯參稽互考不爲功，由是可見，參考之用尙矣」①。研究學術或查考一事一物，皆需「參考」。李氏並將一切典籍區分爲三：一曰普通圖書，專以供給閱者全部閱讀的書，如小說、文學概論、各科教本等是也。二曰參考材料，「卽供人閱讀之普通書籍之變象，此種書籍初爲供人閱讀之用，但其內容及編制與參考書

顛有相似之處， 或因其他特別情形， 如該書之用途廣大，
或閱者對於該書之需要頻繁等，此種書籍卽難以普通書籍視
之， 然如以參考書籍名之， 則未免與純粹參考書籍名實相
混，且頗牽強，故名之曰參考材料，雜誌，新聞紙，官書，
社會刊物， 機關報告， 學位論文， 服務團體刊物， 考察刊
物，單行篇等屬之」②。三曰參考圖書，專備人檢閱以解答
其問題者，如字典、辭典、百科全書、年鑑、書目等是也。
此三者關係密切，參考材料介於普通圖書與參考圖書之間。
雖非純粹之參考工具書，但往往需要利用。參考過程中有時
僅用參考工具書，尚不敷應用，需再次查考參考材料與普通
圖書。參考工具書往往是依據普通圖書及參考材料而編纂成
書的。 因此， 就中文參考資料而言， 可分爲廣義、 狹義兩
種。

一、就廣義言: 包括參考工具書及參考材料。參考材料
或可稱爲「資料書」， 往往以叢書或叢集的形式出現，部頭
甚大，材料豐富，許多的參考工具書是以此爲基礎編纂的，
或爲查閱此類資料書而編纂的，在經、史、子、集四部中皆
有之。玆分四部簡述如次:

㈠經書: 「經」是儒家所奉的經典，古人認爲應當經
常誦讀的書籍。十三經是由詩、書、禮、樂、易、春秋六經
發展而來的，漢書藝文志稱爲「六藝」。其中樂經已佚，故
稱「 五經 」。而禮經又分爲周禮，儀禮，禮記，合之稱爲

「七經」。到了戰國，學者把春秋的內容加以闡述說明，此種釋經的著作稱爲「傳」，流傳至今的有春秋公羊傳、春秋穀梁傳、春秋左氏傳，並稱春秋「三傳」，合之七經，稱爲「九經」。唐代又將論語、孝經、爾雅列入，成爲「十二經」。宋代加入孟子、即現稱之「十三經」。清人阮元曾彙刻十三經成十三經注疏，集錄唐以前之注文，以及唐宋人所作之疏。

㈡史書：二十四史是記載黃帝以來我國史實的書，玆誌各史名稱卷數及作者如下：

1. 史記一三〇卷　　（西漢）司馬遷
2. 漢書一二〇卷　　（東漢）班固
3. 後漢書一三〇卷　（南朝，宋）范曄
4. 三國志六五卷　　（西晉）陳壽
5. 晉書一三〇卷　　（唐）房玄齡等
6. 宋書一〇〇卷　　（南朝，梁）沈約
7. 南齊書五九卷　　（南朝，梁）蕭子顯
8. 梁書五六卷　　（唐）姚思廉
9. 陳書三六卷　　（唐）姚思廉
10. 魏書一三〇卷　　（北齊）魏收
11. 北齊書五〇卷　　（唐）李百藥
12. 周書五〇卷　　（唐）令狐德棻等
13. 隋書八五卷　　（唐）魏徵等

14.南史八〇卷　（唐）李延壽

15.北史一〇〇卷　（唐）李延壽

16.舊唐書二〇〇卷　（五代，後晉）劉昫等

17.新唐書二二五卷　（宋）歐陽修等

18.舊五代史一五〇卷　（宋）薛居正等

19.新五代史七四卷　（宋）歐陽修　原名五代史記

20.宋史四九六卷　（元）脫脫等

21.遼史一一六卷　（元）脫脫等

22.金史一三五卷　（元）脫脫等

23.元史二一〇卷　（明）宋濂等

24.明史三三二卷　（清）張廷玉等

　　前四史，爲私家著述，習稱「四史」，其他諸史均爲官修。至隋書，唐人稱爲「十三史」，宋代加南史、北史、新唐書，新五代史爲「十七史」。元修宋、遼、金史，並稱「二十史」。明代加入元史，成爲「二十一史」，清修明史，併稱「二十二史」。乾隆年間，才把舊唐書、舊五代史列入，即爲現稱之「二十四史」。辛亥革命以後，清史館趙爾巽等主持編了清史稿五三六卷、目錄五卷。開明書店於民國二十三年出版二十五史，據殿版二十四史影印，並仿前例加柯劭忞新元史，而未列清史稿。二十五年又出版二十五史補編，蒐錄歷代史書所缺之表志，及史書表志之校正與考證。六十年成文出版社出版仁壽本二十六史，加入國防研究院據清

史稿增補刪正之清史五五○卷。六十四年鼎文書局出版
點校本二十四史，有標點分段及校勘，另附楊家駱撰述
識語及述要。

殿本初刊於乾隆四年，後有清末同文書局本，後據
殿本縮印。另有「百衲本」係由多種版本拼湊而成，由
商務印書館出版。

此外，詔令、奏議、實錄以及晚近的檔案等，都可
以視爲資料書看待。

㈢子書：指我國歷代哲學著作，小說家亦屬之。漢書
藝文志區之爲九流十家，包括儒、道、陰陽、法、名、墨、
縱橫、雜、農、小說。四庫提要更把類書、釋道經藏列入。
彙刻之子書，如光緒元年湖北崇文書局之百子全書，抗戰前
世界書局出版的諸子集成，六十七年蕭天石主編之中國子學
名著集成，嚴靈峯的無求備齋墨子集成及韓非子集成等書。

㈣集書：爲歷代作家詩文詞曲的總集。如文苑英華、
漢魏六朝百三名家集、全上古三代秦漢三國六朝文、全唐
文、全漢三國晉南北朝詩、全唐詩、全宋詞、金元散曲、歷
代詩話、元曲選、六十種曲等。

四部之外，有叢書部。宋時已有叢書，以後各代刊刻
頗多，大部頭的叢書本身往往收錄許多參考書，常需查閱參
考。如四部叢刊、四庫全書、四部備要、國學基本叢書、叢

書集成、萬有文庫、中國學術名著、中國方志叢書等。此外，現代的大眾傳播媒介——雜誌和報紙，定期出刊，日積月累，資料豐富，亦可作為資料書看待。

　　二、就狹義言：卽指參考圖書而言，一般稱為工具書。劉國鈞在圖書館要旨一書中說：「參考書是蒐集若干事實或議論，依某種方法排比編纂，以便人易於尋檢為目的的圖書」③。此類圖書蒐採內容廣博，且有一定之編排體例，或用檢字法排列，作為讀者解答疑難問題及蒐集資料之用，不需要如普通圖書一樣從頭至尾閱讀。它是讀者與圖書館間的橋樑，利用此種工具可以很快的查尋到許多需用的資料。可以說是開啓知識寶庫的鎖鑰。一般言之有書目、索引、摘要、字典、辭典、類書、百科全書、年鑑、年表、曆譜、輿圖、名錄（指南）、手册（便覽）、表譜、統計資料、法規彙編等類型。

特　質

　　若以三個同心圓來表示所有的圖書資料。最內圈的應該是參考工具書，亦卽是狹義的、純粹的參考書。第二圈則是參考材料，第三圈則是普通圖書。參考材料及參考工具書是查尋普通圖書的有效工具。普通圖書不斷的增加也帶動了參考材料及參考工具書的編纂出版。三者實有密切關聯而互為因果。參考材料與參考工具書實具有書目控制及整理的功能。他有下述六種特質：

　　一、蒐集資料：參考資料是蒐集普通圖書文獻的工具。尤其書目、索引、摘要，是「指引」型的工具書，協助人們便捷地尋獲多量可用的文獻。

　　二、解答疑難：我們日常生活或讀書治學遭遇疑難問題，雖可藉普通圖書獲得解決，然而圖書資料何止萬千，查尋問題往往有似大海撈針，耗費時日而不可得。有了參考工具書及參考材料，查尋疑難問題，事半功倍，尤其辭典、字典、地圖、年表、手冊等十分有用。例如，欲知「考」字的形、音、義，或白居易的生平事蹟，只要翻閱字典及辭典就可明白。

　　三、體例不同：參考資料的編製往往有一定的體例，有別於普通的書籍。普通圖書是按著作者的思想分章(節次等)敍述，前後一貫，行文周密。絕大多數的參考工具書則按排檢法，（如部首法、四角號碼法等。）條列式編排。例如辭典、年表，都是條款清晰，款款並列，而非長篇大論的敍述式文章。參考材料則往往是「叢書式」或「彙編式」具「資料」性質。體例雖不若參考工具書嚴謹，卻與普通書籍有別。

　　四、部份閱讀：參考工具書與參考材料是供稽查檢閱用的書，因此往往不必從頭至尾閱讀，只需翻檢自己要用的部份即可。例如：小說、教科書等書籍，一般說來是需自始至終閱讀的，字典、類書、年表、名錄等書，則無需逐字閱讀。

五、內容廣闊：參考工具書與參考材料內容涉及的知識十分廣泛，記載的主題很多，字典、辭典、百科全書、名錄、手冊等，不論類型內容往往包羅萬象，一本普通書討論的「主題」有限，一本辭典收錄的「主題」則十分繁富。

六、持續修纂：參考資料有「持續性」。需要經常增修，方能保持資料內容的新穎與實用。因此，參考工具書及參考材料是講究「售後服務」的。一部辭書出版後，如未能經常修訂，則隨著時光的推進，其價值亦相對的減退。所以，參考工具書需要持續地修纂。參考資料往往受到體例上的限制，此種限制不外「時間」、「空間」、「類別」、「名數」四項，因此，每次增修均應顧及此「時」、「空」、「類」、「名」四個因素。

貳、排 檢 法

排檢法是參考工具書的基礎。

排檢法是文字序列的方法。我國漢字由象形至表意，每一字都有獨立的形體，與拼音文字迥異，排檢法自然不同。

一、形音義的排檢法：漢字爲方塊字，具有形音義三個要素，反映在排檢法上也有形檢、音檢、義檢三種。

㈠義檢：依據字義或辭義歸類。我國古字書，如爾雅、方言、釋名等都是以義排比、粗爲分類。後世書目、索

引、字典、辭書亦有以義歸類者。萬國鼎以爲：「以義爲部者，即部以求同類諸字，便矣。但一字動函數義，益以例有通假，誼有新增，字義之變，眞可窮詰，欲執一以分之，勢有不能」④。 以義排檢之最大缺點，在於一字有數義，歸類困難，不易尋檢。

㈡形檢：漢許愼說文解字爲吾國字典之鼻祖。其書以偏旁部居，始一終亥，爲部五百四十，是部首法之始，晉呂忱字林、梁顧野王玉篇、唐林罕字原偏旁小說、宋釋夢英的字原均仿許部體制。鄭樵六書略、象類書是據許部更張。遼僧行均龍龕手鑑、金韓孝彥四聲篇海、明梅膺祚字彙均由許書而來。字彙一書分部少於許書三百二十六部，而總字多於許書二萬三千八百三十六字，以少馭繁，較爲進步。此書之優點爲：㈠徹底省併部首，㈡發明畫數列字法，使部首序列有定，且部中屬字也有一定次序。㈢發明畫數索引。明代正字通、清修康熙字典，以及民元以來新編的辭源、辭海、中華大字典、中文大辭典一脈相承，此法歷史悠久，深入人心，實有其優點。然其缺點，張義德中文檢字法漫談⑤評論有云：㈠部首變形，㈡部首位置不一定，㈢同一筆劃部首先後次序並無規則可循。㈣每一部首的字分配很不平均，㈤部首數嫌多，㈥同一部首又同一筆劃的字先後次序也無規則可尋。而畫數計算，也有些字不易確定。

　　㈢音檢：魏晉南北朝受了佛教的影響建立了我國文字的韻部，周顒著有四聲切韻，李登有聲類，隋代陸法言有切韻，宋代有廣韻、集韻，明有洪武正韻，清有佩文韻府，民國有中華新韻。音檢法是依字的字音排列的，其形成的原因有二：㈠科舉時代，詩賦取士，需依韻作詩，故人多知韻，由音檢字，十分方便。㈡字體時有變遷，由象形篆隸草楷，殊難據以排檢，字音較字義易於通曉，由音檢字，頗為便捷。韻部劃分的主要依據是廣韻與詩韻。廣韻由隋代陸法言切韻及唐代孫愐的唐韻發展而來，其韻目有二〇六個。因韻目太多，分韻煩瑣，較少數應用於文字之排檢上。詩韻源於宋丁度等奉敕撰的禮部韻略，禮部韻略併廣韻的二〇六目為一〇七韻。到南宋末年平水人劉淵又把此書增修刊印。惟今已失傳，現存者僅有金人王文郁的平水新刊禮部韻略行世，此書刪去一個韻目，所以現行之詩韻韻目共一〇六個。詩韻又稱平水韻。元代陰時夫作韻府羣玉，仍沿用一〇六韻。清修佩文韻府、韻府拾遺亦用此韻並作為科舉考試帖詩的準繩，因此廣泛通行。詩韻分平、上、去、入，平聲字多，再分上、下。共計五部。上下平聲各十五部、上聲二十九部，去聲三十部，入聲十七部，合共一〇六部。使用韻書應知某字所屬之韻目，才能檢字，不然就得先由辭書中查尋。不過，現在坊間出版的韻書大都附編索引，由索引的排檢法中去尋找要便捷得多。

　　除了韻目外，尚有聲部。唐末僧人守溫根據發聲部

位歸納爲三十個字母，宋人增爲三十六個字母，此即今
人所稱守溫三十六字母。此古聲母也可用來排檢。茲列
述之：

　　見溪羣疑：牙音

　　端透定泥：舌頭音

　　知徹澄娘：舌上音

　　幫滂並明：重脣音

　　非敷奉微：輕脣音

　　精清從心斜：齒頭音

　　照穿牀審禪：正齒音

　　影曉匣喻：喉音

　　來：半舌音

　　日：半齒音

　　古代有些工具書，即按聲部歸類排檢，如清人王引
之的經傳釋詞，就是採用這種方法。

　　民國以後政府制定國音，亦有聲韻，用於工具書的
排檢也十分方便。

二、常用的排檢法：除了上述三大排檢法外，清末民初
以來由於時代的需要，孳生了許多新的方法。萬國鼎先生
「各家新檢字法述評」列有四十種。蔣一前先生「漢字檢字法
沿革史略及近代七十七種新法表」中列有七十七種新法表。
大方先生「半世紀來漢字排檢方法總檢討」列有八十四種。
民國三十七年姜建邦氏將新法區分爲七大類，即：音韻檢字

類，部首檢字類、畫數檢字類、母筆檢字類、首尾檢字類、析形檢字類、號碼檢字類。政府遷臺以來，新法輩出，如陳舜齊的首尾號碼檢字法、杜學知的漢字首尾二部排檢法、周俊良的先形後聲編碼法、劉達人的部首檢字法、丘斌存的二三速檢法、中國圖書館學會的中文資訊交換碼以及胡立人、張源謂、黃克東合著的三角編號數字化中文字彙等。這些方法都試圖改良我國漢字的檢索系統。綜合我國新舊排檢法，就中文參考書中常用者有下述幾種：

㈠部首法：此法歷史最久，應用最廣，中文字典應用最多。其原則為先尋部首，次計餘部筆畫。使用時需注意幾點：

1.查部首檢字：字典的書前、封面及封底裏往往列有部首，部首按筆畫數排列，同筆畫者列於一處。其次序源自說文，目前坊間編印之字典多本康熙字典之部首。首應分辨字之部首，再於部首表中尋找。如部首不易辨認可查難檢字表或其他助檢。舊式字典常用十二地支分集，將部首按筆畫數分入子、丑、寅、卯、辰、巳、午、未、申、酉、戌、亥。有「檢尋部首歌訣」一首輔助記憶：一二子中尋、三畫問丑寅、四在卯辰巳、五午六未申、七酉八九戌、其餘亥部存。現今出版的字典多半以連編號碼取代分集。

2.注意部首的變形：部首與原來形體不同則不易辨

認。此類部首主要有：亻同人、刂同刀、ル兀同尢、忄
⺗同心、扌同手、犭同犬、阝（在右）同邑、阝（在左）
同阜、攵同攴、灬同火、爫同爪、王同玉、罒⺲冈同
网、月同肉、艹卄同艸、辶同辵、皿同目、水氵同水、
歹同歺、礻同示、衤同衣、镸同長。字形不同，筆畫數
往往不同，宜注意之。

　　3.計餘部筆畫數：部首確定後，需計數部首外餘部
之筆畫數，在本文中尋字。本文各頁書上邊往往註明部
首及餘部畫數，以利查尋。如笠在竹部，其餘部筆畫數
爲五。

　　此法之主要缺點是部首不易辨認。林語堂在論部首
的改良」文中提到：「康熙字典，豈有此理：知字矢
部，而和字口部，蜜字虫部，而密字宀部，粵字米部，
而奧字大部，鳳字鳥部，而凰字儿部，穎字水部，而穎
字頁部，卒字十部，而率字玄部…」⑥。可見欲檢字得
心應手只有一途——勤檢。

　　㈡筆畫法：此法是先按字的筆畫多少分，同筆畫再按
部首順序排。我國舊字典的「檢字」就是這種方法。即以筆
畫爲主，部首爲輔。古今同姓名大辭典、中文大辭典的索引就
用此法，例如亞、依、制、味、忽等字均屬八畫，再依部首
順序分隸於二、亻、刂、口、心等部首內。此法之弊有二：㈠
有些筆畫數不易確定，如亞爲八畫，考是六畫、計算不易準

確。㈡部首次序不易記: 部首數量多, 何者在前、 何者在後, 不易熟記。萬國鼎和蔣一前說日本字典多用此法。

㈢筆順法: 依漢字書寫次序排列的方法。先分筆形, 再定筆順。 民國十七年陳立夫氏創五筆檢字法爲此法之代表。陳氏分析我國楷書筆畫得基本筆畫八種, 卽: 點(丶)、橫 (一)、直 (|)、趯 (〳)、鈎 (乀)、撇 (丿)、捺(乀)、弧 ( ))、 再據此併爲: 點 (丶)、橫 (一)、直 (|)、撇 (丿)、屈 ( ))五種。先比第一筆, 第一筆相同再比第二筆, 第二筆相同再比第三筆, 逐筆相比、依次類推, 以至分辨爲止。此法簡單易學, 原理與英文字母排列相同。惟此法需逐筆比對, 十分繁瑣, 遇到異體字、或筆順次序習慣不同時, 就有困難了。變通的辦法主要有兩種:

1.先筆畫次筆順: 先計筆劃數, 同筆畫者再按筆順爲序。民國二十四年國立北平圖書館編中文目錄檢字表卽是此法。如五、四、中、正、立、禾等字的次序是: 五、中、立、正、四、禾。此法簡單易學, 筆形不多, 筆畫分配尚爲均匀。然而漢字筆形頗多, 僅分點、橫、直、撇、捺統攝各變形, 排檢仍有不便。例如橫筆有九形, 直筆有八形, 有時不易辨認次序。輔助的辦法只有查表了。目前大多數圖書館和出版的書目索引都用此法。

2.先筆順次筆畫: 先按筆順排, 再按筆畫順序排列。清末胥吏整理檔案創立「江山千古」法, 就是按字

的起筆分爲點、直、撇、橫四類。 又有「元亨利貞」法，其次序則爲橫、 點、 撇、 直。 如果筆順定爲點、橫、直、撇、捺五類，則前述五、四、中、正、立、禾等字之次序就變爲: 立、五、正、中、四、禾。此法用來排比數量不多的字，尙可運用，若文字數量多，就需再以其他排檢法補助，否則查起來就十分不方便了。

㈣四角號碼檢字法: 四角號碼檢字法是王雲五先生發明的，首在民國十五年三月發表於東方雜誌二十三卷三期，同年有中英文單行本刊印。十七年五月作第二次改訂，變革甚大，以後仍續有小幅度改訂。五十六年二月在臺重印列入人人文庫二五三號。此法應用極廣，大凡採用此法編纂的工具書或工具書附編四角號碼檢字法索引，於各書內均附第二次改訂四角號碼檢字法的規則。 此法的主要規則有下列幾點:

　　1.筆畫分爲十種，各賦予號碼如下:

　　筆形　亠一丨丶十キ口フ八小
　　號碼　0 1 2 3 4 5 6 7 8 9

　　爲便於記憶，胡適之先生有首歌訣:一橫二垂三點捺，點下帶橫變零頭;叉四插五方塊六，七角八八小是九。

　　2.筆形有單筆及複筆，並列時不得分開計數。例如「一」爲複筆作0，不作3，「八」作8，不作23。

3.按楷書字體取角。

4.每字取四角之筆，依次爲左上、右上、左下、右下得四碼。如「頑」爲0128，「截」爲4325，「睬」爲6789。

5.字之上部或下部，只有一筆或一複筆時，無論其在何地位，均作左角，其右爲零。例如：「宣」爲3010，「直」爲4010。

6.由整個「口」、「門」、「鬥」、「行」組成的字，其下角取內部之筆，但其外附有他筆時，不在此限。例如：「因」爲6043，「閉」爲7724，「鬪」爲7712，「衡」爲2143，但「茵」爲4460，「瀾」爲3712。

7.撇爲他筆所承時，取他筆爲下角：例如「春」爲5060，「奎」爲4010，「衣」爲0073。

8.四角同碼字較多時，以右下角上方最貼近而露鋒芒之一筆爲附角，如該筆等已用過，則作零。如「芒」爲4471_0，「是」爲6080_1，「仁」爲2121_0，附角仍同時，得按該字所含橫筆形數目之寡多爲序，如市帝二字均作0022_7，附角同爲7，但市有二橫筆，帝有三橫筆，故市在先。

此法的優點是無揣摸部首、計數筆畫，排比筆順之煩。檢字較他法快捷，因此應用極廣。然而此法筆形雖大別之爲十，但各筆形仍有變形，補充的規定也不少，短期內雖可知其梗概，但要完全運用自如，則需熟記附則，經常翻檢。卽使常用此法，往往也會誤取號碼。此

法需轉換爲數字，用數字排列雖然明確科學，但旣需轉換，即多一手續，仍爲其缺點。

㈤注音符號檢字法：注音符號原名「注音字母」。是用來表示國語的語音和國字的讀音的一種符號。教育部於民國二年在北京召開讀音統一會，費時三個月，製定了三十九個注音字母。民國七年十一月正式公布。民國九年又公布增加「ㄜ」母以與「ㄛ」母分開。十九年四月政府明令改爲「注音符號」，並去除北平音中所無之万、兀、广三個符號，選用三十七個字母和四個聲調。這是以北平音系爲依據的國音符號，可以用來排檢文字。其順序爲：ㄅㄆㄇㄈㄉㄊㄋㄌㄍㄎㄏㄐㄑㄒㄓㄔㄕㄖㄗㄘㄙㄚㄛㄜㄝㄞㄟㄠㄡㄢㄣㄤㄥㄦㄧㄨㄩ。其中ㄙ以前爲聲母，計二十一個。ㄚ以後爲韻母，計十六個。應用此法，由音檢字，也無揣摩部首、計數筆畫及排比筆順之煩，只要知音即可檢字，方便快捷。但是漢字同音字頗多，排比時尚需仰賴其他方法補助之。國音又有第二式，是民國十七年九月大學院公布之羅馬字拼音法式，與注音字母並行，稱爲「國音字母第二式」或「譯音符號」。羅馬拼音也有用於編製參考工具書的。國外方面尚有採用韋翟拼音法（Wade-Giles System）、漢語拼音法（Pinyin System）、耶魯大學拼音式（Yale-System）等法。

　　㈥四部分類法：我國圖書分類法最早可上溯漢代向歆父子的七略，分圖書爲七類。以後魏秘書郎鄭默作中經，晉秘書監荀勗因中經更著新簿，分羣經爲四部，甲經、乙子、丙史、丁集。東晉李充之晉元帝四部書目，仍分甲乙丙丁，爲甲經、乙史、丙子、丁集。至隋書經籍志始確立經、史、子、集四部之名，惟集部末附道經、佛經兩部。直到唐朝，四部法才漸成爲一尊之局。唐馬懷素等之開元四部書目，分經、史、子、集四部，劉昫等舊唐書經籍志則立甲部經錄、乙部史錄、丙部子錄、丁部集錄。以後歷代官私書目類目雖有增減，但仍以四部爲綱。清修四庫全書時，四部法達於頂峯。此法歷史悠久，應用頗廣，利用歷代書目，對此法不可不熟悉。坊間刊印的書目很多都是以此來編排的。亦爲常用之排檢法之一。茲據四庫提要誌其類目如下：

　　　　經部：易、書、詩、禮（周禮、儀禮、禮記、三禮通義、通禮、雜禮書）、春秋、孝經、五經總義、四書、樂、小學（訓詁、字書、韻書）。

　　　　史部：正史、編年、紀事本末、別史、雜史、詔令奏議（詔令、奏議）傳記（聖賢、名人、總錄、雜錄、別錄）、史鈔、載記、時令、地理（總志、都會郡縣、河渠、邊防、山川、古蹟、雜記、遊記、外記）、職官（官制、官箴）、政書（通制、典禮、邦計、軍政、法令、考工）、目錄（經籍、金石）、史評。

　　　　子部：儒家、兵家、法家、農家、醫家、天文算法

（推步、算書）、術數（數學、占候、相宅相墓、占
卜、命書相書、陰陽五行、雜技術）、藝術類（書畫、
琴譜、篆刻、雜技）、譜錄（器用、食譜、草木鳥獸蟲
魚）、雜家（雜學、雜考、雜說、雜品、雜纂、雜編）、
類書、小說（雜事、異聞、瑣語）、釋家、道家。

　　集部：楚辭、別集、總集、詩文評、詞曲（詞集、
詞選、詞話、詞譜詞韻、南北曲）。

　　四部之下計經部分十類、史部十五類、子部十四
類、集部五類，計四十四類。類下分屬，例如禮類有屬
六、目錄類有屬二，藝術類有屬四，分部分類別屬，層
序井然。至張之洞書目答問始，又於集部後，另立叢書
部，合為五部。目前國內外編印之我國善本書，普通本
線裝書書目大多依據此法編排的。利用書目應熟識此法
的部類名稱及體制。

　　㈦中國圖書分類法：清末以還，西風東漸，各類新書
迭出，四部法的類目日漸不敷使用，新法之創立勢在必行。
仿效美國杜威十進分類法新訂的我國分類法頗多，其中以民
國十八年劉國鈞編著的中國圖書分類法應用較廣。此法根據
金陵大學藏書，參照各家方法編訂而成，有關中國固有之子
目，大率採自漢書藝文志、通志藝文略、文獻通考經籍考及
四庫提要、書目答問等書，有關新近學科之子目則參考美國
國會圖書館分類法、杜威十進分類法、布朗氏學科分類法、

克特氏展開分類法等。標記法亦仿杜威法，用三個阿拉伯數字表示十大類別。且用層累之原則。類目與杜威法不盡相同。尤其史地部占兩大類，即600及700兩大類。政府遷臺以來，有熊逸民、賴永祥爲之編訂。賴氏編訂中國圖書分類法已增訂至六版。六十八年十二月國立中央圖書館亦予增訂，出版中國圖書分類法試用本。此法分十大類，其類目依次爲：0總類、1哲學類、2宗敎類、3自然科學類、4應用科學類、5社會科學類、6—7史地類、8語文類、9美術類。各大類下再詳分子目。國內各圖書館目前大都採用此法處理圖書，坊間新編的書目、索引摘要也都參照此法編排。對於此法應有了解，才能運用這些參考工具書。

叁、參考書的利用與選擇

我國編纂出版的參考書，數量繁多，良莠不齊，欲有效地運用，應遵循下述幾項原則與方法。

一、利用的原則：

㈠瞭解參考書的類型、意義與功用：參考書的種類頗多，有書目、索引、字典、辭典、類書、年鑑等十餘種。每種又可區分不同類型而各有其意義與功用。運用參考書首應對此有所認識，當遇到某類問題時，才能知道查尋那一類型的參考書獲取答案。玆就一般問題的類型與可用的參考資料，列舉如下：⑦

1.語文問題（定義、拼音、縮寫、用法等）：可用字典及辭典。

2.基本及歷史問題（關於某事、一般的資料等）：可用百科全書。

3.趨勢（最新的事件，去年全年發展概況，新發生的事情）：可用年鑑、叢刊。

4.人物（名人、專家等）：可用傳記辭典。

5.地名（位置、概況、距離）：可用地名辭典、地圖集。

6.機構（地址、成立宗旨）：可用名錄指南。

7.事實（奇特事物、統計資料、事件、規則、典故等）：可用手冊。

8.工作（如何做）：可用便覽。

9.書目（書評、優良書刊、各科文獻）：可用國家書目、營業書目、各科書目。

10.圖畫（圖片、卡通、幻燈片、影片等）；視聽資料。

㈡查尋適用的參考書：除了請教圖書館參考員，或至參考室查尋適用的參考書之外，最主要的方法就是翻閱已出版的參考書書目，尤其有解題的書目最為實用。例如欲查尋孟子的話：「君子有三樂」之出處及內函為何？在一般參考書指南中均收錄有孟子引得或十三經索引，利用此書即可獲取答案。目前坊間出版的此類參考書提要頗多，玆羅列重要

者如下，以供參考：

1.中文參考書指南　　何多源編著　民國25年　上海　商務印書館　〔26〕,961面　（嶺南大學圖書館叢書）27年出版修訂版。臺北進學、古亭、文史哲出版社有影印本。

2. An Annotated Bibliography of Selected Chinese Reference Works. 鄧嗣禹及 Knight Biggerstaff 合編　民國25年　北平　哈佛燕京學社。　39年在美國增訂再版,60年三版由美國麻州哈佛大學出版。

3.中文參考書舉要　　鄧衍林編　民國25年6月北平　國立北平圖書館　143面　58年臺北古亭書屋有影印本。

4.現代中國研究指南 (Contemporary China: A Research Guide)　　吳文津、Peter Berton 合編民國56年　美國加州　胡佛研究所　29,695面

5.中國歷史研究工具書敍錄（稿本）　　曾影靖編民國57年　香港　龍門書店　324面　油印本

6.中文參考用書指南　　李志鍾、汪引蘭編著　民國61年　臺北市　正中書局　〔5〕,647面

7.中文工具書指引　　應裕康、謝雲飛合編撰　民國64年　臺北市　蘭臺書局　442面

8.中文參考用書講義　　張錦郎編撰　民國65年臺北市　文史哲出版社　717面　69年增訂再版

9.中文參考書選介　　國立臺灣師範大學圖書館編　民國65年　臺北市　該館　100面　67年有增訂本

10.讀書指導　　王熙元等撰　民國66年　臺北市　南嶽出版社　〔11〕,215面

11.學科工具參考書　　陳正治等編撰　民國67年至68年　臺北市　臺北市立女子師專　7輯　（教學研究叢書之9）

12.國立中央圖書館臺灣分館館藏中外文參考工具書選介　　國立中央圖書館臺灣分館編　民國68年　臺北市　該館　8,296面

以上為一般性之參考書指南，各類型參考書專目如中國歷代書目總錄、漢學索引總目、燕京大學圖書館目錄初稿類書之部等都可參考。此外，尚有各學科之參考書指南，例如：二十三年汪辟疆工具書的類別及其解題（刊讀書顧問創刊號）、六十五年沈曾圻編譯的科技參考文獻、六十八年陳善捷編撰的科技資料指引、六十九年胡歐蘭的教育參考資料選粹等。此類為參考書的參考書，讀者多加瀏覽必有所獲。

㈢熟悉排檢法：排檢法為參考書編纂的基礎，利用參考書必然涉及排檢法，常用的排檢法如部首法，五筆檢字法，四角號碼法等需熟悉其法則，才能按「圖」索驥，查到所需的資料。

㈣瞭解參考書收編的範圍：參考書在主題、資料、時

間和地域方面有一定的限度，查閱時應加注意。例如中國近
二十年文史哲論文分類索引，收錄的主題以文學、歷史、哲
學爲範圍，科技論文則不收錄。資料方面以國內出版期刊中
的「論文」爲主，小品、散文不錄。論文集的學術論文亦在
採錄之列。載錄資料以民國三十七年至五十七年止，大部份
爲臺灣出版刊物，兼及少許星馬港澳期刊。不在一定範圍之
內的，自然無法查到。參考書出版以後仍需不斷續修補輯，
以保持其新穎完備。因此，參考書是講求「售後服務」的。
參考書的書名卽使不同，若其範圍是前後連貫的，仍可視爲
一部書看待。

　　㈤瞭解參考書的編排體例：參考書的編排體例有兩個
要項：一爲條目之組織，以書目爲例，每一條目，一般而言
著錄其書名、卷數、著作者、出版年、出版地、出版者等
項。並有一定次序，條理井然。以字典而論，每條記各字之
形音義及用法。凡此均爲條目內部之編排法。二爲條目間組
織的方法，一般言之，遵循排檢法。例如書目的條目採用分
類法區分編排，字典採用部首法編排。

　　㈥利用助檢及補助索引：漢字的排檢法的種類已如前
述，爲了便利查尋，參考書的編者通常考慮到讀者的需要而
加編助檢或輔助索引。例如佩文韻府係按韻編排，今人加編
四角號碼索引附於卷末，可由新檢字法查檢；辭源的本文按
部首法編排，書末亦附加四角號碼索引，書前有部首檢字，

協助讀者由不同的方向查尋需要的資料。利用助檢及輔助索引往往較由本文中查檢更方便。

二、選擇法：

參考書數量繁多，良莠不齊，檢索利用不可不慎。鑑別參考書之優劣有下述幾種途徑：

㈠查閱有解題之參考書目及選目：

1.參考書指南：係彙集各種參考書，著錄其書目資料及內容大要，品評其優劣得失，指引讀者使用之參考書。審閱其提要文字，可窺一書之良窳。有普通及專門兩類，坊間印行的不下二十種，已於前節中述及。

2.有解題之書目：普通及專題的書目中亦往往收錄參考書，例如四庫全書總目史部目錄類、子部類書類收錄之圖書均爲參考書。由其提要文字，亦可辨別各書之優劣。

3.圖書選目：此類書目係由專家評選審定。有參考書選目，如藍乾章編著圖書館經營法一書第五章附有中文參考書選目，李志鍾編有中小型圖書館中文參考基本書目二百種。

㈡查閱書評：書評是專家學者對書刊的品評。因此，閱讀書評，可知一書之好壞。我國缺乏專門性之書評定期刊物，書評的風氣不夠普遍、嚴謹。但是各類報刊上亦常見專家學者們對新出版書刊之評介。鄭慧英編有書評索引初編，

李秀娥、吳碧娟有書評索引（刊書評書目月刊）可資檢索。
此類書評之中亦含有參考書的書評。

㈢請教學者專家：學者專家對於其所專研學科之文獻
知之甚詳。因此，品評各類參考書之優劣，可向各科學者專
家請益，以補書評及參考書目之不足。優秀的圖書館參考員
對於參考書十分熟稔，亦是叩門問津的對象。

㈣審查書籍內容：上述三種途徑有時而窮。如能評審
一書之內容，亦可知其優劣梗概。此種「自助」方式，往往
較上述「人助」式實際而有效。茲依據美國圖書館學家薛爾
斯（Louis Shores）所論⑧，分述於次：

1.權威性（Authority）
　⑴著者的身份： 編撰人的履歷及其著述聲譽如
何？知名度如何？ 編撰之文字是否與其專長吻合。
　⑵主辦機構（Auspices）： 出版或負責之機構
是否知名？
　⑶系統性（Genealogy）：文字是否新穎？是否
以舊版翻新，修訂範圍如何？
2.範圍（Scope）
　⑴目的（Purpose）： 序言中所述宗旨是否與本
文相符？

(2)涵蓋面(Coverage)：主題限度如何？ 與同類性書籍有何不同？

(3)新穎性（Recency）： 資料的新穎性如何？論文及書目的新穎性是否與其版權最近年代相符？

(4)書目（Bibliographies）： 書目所示知識的範圍如何？有否提供進一步之資料？

3.論述（Treatment）：

(1)正確性（Accuracy）： 資料是否正確、可信而完整。

(2)客觀性（Objectivity）： 對於爭論的問題是否有偏見？各論題之比例是否均衡？有無偏頗？

(3)風格（Style)：適合一般人或專家學者閱讀？適合成人或兒童閱讀？可讀性如何？

4.編排（Arrangement）：

(1)序列法（Sequence)： 內容的排列遵循分類、年代、區域、表格式，或字順序列？

(2)索引法（Indexing)： 正文是否有完整而合宜的索引及互見？

5.外形（Format）：

(1)結構（Physical Make-up)： 裝訂、紙張、設計是否合宜。

(2)插圖（Illustrations)： 插圖是否精良？是否重要？是否與本文有關。

6.特點 (Special Features)：

和其他參考書有何不同之處？特性何在？

此種方法在西文參考書中應用頗廣，用來品評中文參考書雖未必完全妥切，然而，如能逐一審閱，亦可知其優劣之一般。

附　註

① 李鍾履，圖書館參考論（臺北：德浩書局，民國63年）：序頁1。

② 何多源，中文參考書指南（臺北：進學書局，民國59年），頁1。

③ 劉國鈞，圖書館學要旨（臺北：中華書局，民國52年）

④ 萬國鼎，「漢字母筆排列法」，東方雜誌23卷2期（民國15年1月）

⑤ 張義德，「中文檢字法漫談」，廣文月刊1卷8，9合刊（民國58年7月）：頁27至28。

⑥ 曹樹鈞，「中文字典分部查字法之新研究」，國立編譯館刊第一卷三期（民國61年6月）：頁221。

⑦ Louis Shores, Basic Reference Sources (Chicago: A.L.A. 1954): p.9

⑧ 同上註　頁18—19。

第二章　書　目

壹、意　義

「目」字本意指人眼外匡內臚的象形，後來由象形變爲指事，方由眉目之意產生「節目」、「條目」、「篇目」、「書目」等名。「錄」字本意表示用刀錐在木版或銅片上刻字的形式，其動作，或叫「書」或叫「錄」。合目錄以成詞，大約起於西漢。「文選任昉爲范始興求立太宰碑表注：引七略：『尙書有靑絲編目錄』可見劉向以前已有一書的目錄了。……漢書敍傳：『劉向司籍，九流以別。爰著目錄，略序洪烈』。可見東漢班固時已把劉向那些『條其篇目，撮其旨意』的文章叫做目錄了」① 余嘉錫目錄學發微：「實則錄當兼包敍目，班固言之甚明，其後相襲用，以錄之名來源於目，於是有篇目而無敍者亦稱之目錄。又久之而但記書名不載篇目者，並冒目錄之名矣」② 。可知，「錄」字原已眹「目」，而後不論敍之有無，均稱「目錄」。

盧震京圖書學大辭典：「敍述書籍之內容及其歷史，並論及此書之著者、主題、印刷、材料、版本等事，此種科學

曰書目學。 關於書籍或各種著作品之表目， 謂之書目。 例
如： 圖書館學書目，係專屬圖書館學書籍之目錄； 又其他特
種著作， 特種印刷， 特種時期等之書籍目錄，均爲書目。書
目之編， 以書爲目， 其學不限於一科。 其書不限於一時一
地，此書目學與目錄學之大別也。而吾國目錄學者，向不深
辨， 故今欲以古來流傳之書目， 一一判別之， 何者爲書目，
何者爲目錄，其又頗難」③。 盧氏之意， 目錄與書目有別，
專指一處之藏書者爲目錄，非指一處之藏書者爲書目。

美國圖書館協會 (American Library Association,
簡稱A.L.A.） 出版之圖書館學術語辭典 (A.L.A. Glossary
of Library Terms) , 書目 (Bibliography) 條之解釋有
四， 歸納之， 有二層意義，一爲研究書籍之材料、外形、版
本，以明其歷史及內容之遞變。另一爲圖書、地圖等資料之
清單，其與目錄之不同點，在於書目載錄範圍廣泛不限於一
處之藏書。前者爲書目學之意義，後者爲書目之意義。美國
圖書館學家薛爾斯 (Louis Shores) 認爲「書目」是書
寫、 印刷、 或人類種種文化記錄的清單。 這些記錄包括書
籍、 叢刊、 圖片、 地圖、 影片、 唱片、 博物館實物、 手稿，
及其他媒體。

總之， 所謂書目， 就是記載各書書名、 著者、 版本、 出
版年、出版地、出版者、圖書內容、授受源流、收藏處所等
之表目。其範圍包括圖書及非書資料。若簡略記載各書之書
名、著作等書目資料， 而無內容、版本等之介紹者， 亦稱書

目。故，不論有目有錄，或有目無錄，均稱書目。書目之原意可賅目錄，而不限一處之藏書，惟歷代修撰、坊間出版極夥，二者名稱混用，已不易分辨。

貳、種　　類

書目的種類，各家說法亦不一，玆舉其要者如次：

一、周貞亮、李之鼎書目舉要：彙集一切目錄別之為，部錄、編目、補志、題跋、考訂、校補、引書、版刻、未刊書、藏書、釋道，計十一類。後陳鐘凡氏加「自著書」為十二類。

二、蕭璋國立北平圖書館書目目錄類：此目錄之分類為，

㈠圖書學：通論、目錄學、版刻、校讎、考證、書影。

㈡圖書目錄：有二，

　1.著錄：

　　⑴書錄。

　　⑵叢書目錄：總目、子目、附叢刻。

　　⑶藝文志。

　　　①史志：通記、斷代。

　　　②邑志：中國、外國。

　　　(4)著述考：族姓、學派、個人。

　　　(5)學術總目。

　　　(6)學科專目：經學、小學、歷史、地理、金
石、傳記、哲學、宗教、科學、藝術、文學。

　　　(7)存燬書目：徵存、知見、引用、禁燬、闕
存、未刊。

　　　(8)刊行書目。

　　　(9)題跋及讀書記。

　　2.收藏

　　　(1)公藏：漢、宋、明、清、民國、外國。

　　　(2)圖書館書目。

　　　　①公藏：獨立、學校附屬、外國。

　　　　②私人。

　　　(3)私藏：宋、明、清、民國、外國。

三、何多源：中文參考書指南，分書目爲以下各種：

　　㈠書本之書目：國家書目、普通書目、專科書目、
選書書目、營業書目、書目之書目、版刻書目、善本書
目、譯書書目、聯合書目、圖書館書目、兒童書目、禁
僞書目，計十三類。

　　㈡書目期刊：月刊、周刊、日報。

四、余嘉錫目錄學發微：以體例之有無小序解題分之。

㈠部類之後有小序、書名之下有解題者，如郡齋讀書志、直齋書錄解題。

㈡有小序無解題者，如漢書藝文志、隋書經籍志。

㈢無小序無解題者，如宋史藝文志、明史藝文志。

五、姚名達目錄學：分，一書的目錄、羣書的目錄、私人藏書家的目錄、公共圖書館的目錄、史書的目錄、方志的目錄、考訂家的目錄、彙刻本書目、爲特種人編的目錄、鑒賞家的書目，計十種。

六、國立清華大學圖書館中文書目：民國二十年十月，清華大學圖書館編印此書，其類目區分如下：

㈠圖書學：因圖書目錄源於圖書，故先以圖書學列首，其下分：書史、編纂、索引法（附檢字法）、版本、書式、考訂、校勘、敍錄及索引。

㈡圖書目錄：含有總集羣書之目者入此。以下分：書目叢刻、書目之書目、圖書總目、叢書總目、叢書子目、聯合書目、展覽書目、翻譯書目、圖書館標準書目。

㈢藝文志著述考：史志及著述考，蓋所以徵文考獻，以覘一代學術之興衰。先以史志，次邑志、次團體、次學派、次族姓、次個人，循序列之。

　㈣存燬書目：記存佚。包括：引用書目、知見書目、徵存徵闕書目、禁燬書目。

　㈤學術專目：記學科著述。

　㈥收藏書目：記公藏、私藏、及晚近圖書館藏書。

　㈦羣書題記：記一書大旨、論版本異同。分為題跋及讀書志二種。

　㈧刊行書目：記歷來印行之書、晚近出版界之書目。

　㈨各國藏書目：記外國所藏吾國典籍。

七、梁子涵中國歷代書目總錄：梁氏參照上書並以現存目錄析類凡五。

　㈠國書總目：書目總錄、叢書總目、叢書子目、聯合書目、展覽書目。

　㈡史乘目錄：歷史藝文志、郡邑藝文志、著述考。

　㈢學科書目：經典書目、小學書目、歷史書目、地理書目、金石書目、傳記書目、哲理書目、宗教書目、藝術書目、技藝法制書目、文學書目。

　㈣特種書目：舉要解題書目、羣書題記、敍錄、翻譯書目、辨偽書目、引用書目、知見書目、徵存徵闕書目、禁燬書目、刊行書目（附版本學及書式）、燉煌書目。

　㈤藏書目錄：清代以前公家藏書目錄、私家藏書目

錄、圖書館藏書目錄、各國收藏漢籍目錄。

八、錢存訓及鄭炯文合編之中國書目解題彙編 (China: An Annotated Bibliography of Bibliographies) 收錄古今中外人士纂輯之書目達二六一六種④。其類目如下:

㈠參考書書目及書目總錄: 分為參考書指南、書目的書目、書目叢書、圖書館學書目, 共四類, 凡四十九種。

㈡綜合書目: 分西文、古代、現代、日本四類, 凡六十五種。

㈢舉要入門書目: 分為中國研究調查錄、漢學家傳記著作目錄、舉要書目、教學書目四類, 凡八十二種。

㈣史乘書目: 分為史志叢書、歷代史志、近代書目、當代書目四類, 凡九十九種。

㈤期刊目錄及索引: 分為期刊指南、期刊收藏目錄、期刊聯合目錄、期刊論文索引、期刊目次彙編、報紙指南及索引, 六類凡一百六十種。

㈥收藏目錄: 分為中國、日本、美國、歐洲、以及滿、漢、藏、西夏、麼些語文目錄, 五類凡二百五種。

㈦機關團體及其人員著作目錄: 分為官書、大學及研究機構出版著作、學術機構著作、郡邑著作, 四類凡六十三種。

㈧特種著作形式之書目: 分為叢書、類書及字典、

譯書、學位及進行中研究專題，四類凡九十五種。

㈨特種性質之書目：分爲版本書目及書影、善本、禁燬、辨僞，四類凡六十九種。

㈩特種型式之書目：分爲平裝書、複印、微影、視聽資料，四類凡二十九種。

㈠經子書目：分爲經學、六經及四書讖緯、諸子及哲學、諸子專題，四類凡六十六種。

㈡宗教書目：分爲宗教、道教、佛教、回教、基督教，四類計一百四十一種。

㈢歷史及傳記書目：分爲中國史學、中國專史、近代史、當代史、中外關係、譜牒傳記，五類計三百十種。

㈣輿地書目：分爲輿地沿革、方志、區域地理、邊疆、輿圖及地圖集，五類計二百八十七種。

㈤社會科學書目：分爲民族社會學、行政與法制、教育與文化、經濟與財政、人口與華僑，五類計一百九十八種。

㈥語文書目：分爲語言學、語源考釋、音韻方言、文法修辭，四類計四十八種。

㈦文學書目：分爲文學史、各代文學、詩詞、劇曲、小說、民國文學、現代文學，七類計一百七十七種。

㈧藝術及考古書目：分爲金石考古、甲骨簡牘、敦

煌、藝術、音樂，五類計一百五十四種。

　　㈨自然科學書目：分爲科學、算學及天文學、地質礦冶、物理化學、生物學，五類計一百廿四種。

　　㈩農技書目：分爲農林、醫藥、工程、產業、軍事，五類計一百廿七種。

　　此書目末附補遺六十八種。

　玆綜合上述各家分類，就利用之觀點，以現存書目爲範圍，區分爲以下各類：

　　一、圖書總目：書目總錄（含書目叢書）、叢書書目、聯合書目、展覽書目。

　　二、藝文志（著述考）：正史藝文志、郡邑藝文志、著述考。

　　三、特種書目：善本書目、解題書目（含羣書題記、敍錄）、選書書目、營業書目、版本書目、禁書書目、辨僞書目、翻譯書目、引用書目、知見書目、闕書書目、兒童書目、非書資料書目、書目期刊。

　　四、藏書目錄：清代以前公家藏書目錄、私家藏書目錄、圖書館藏書目錄。

　　五、學科書目。

叁、功　用

王鳴盛十七史商榷：「目錄之學，學中第一緊要事，必

從此問塗，方能得其門而入」。便於緣目求書，因書就學。
書目之功用大矣!

一、昌彼得中國目錄學講義，論及目錄之功用有七:

㈠治學涉徑之指導。

㈡鑑別古籍之眞僞。

㈢可考典籍之存佚。

㈣藉知佚書之崖略。

㈤可核書名之異同。

㈥檢覈古書篇名之分合及卷數之增減。

㈦可考古書之完缺。

二、梁子涵中國歷代書目總錄，談到目錄之功用有九:

㈠藉目錄學作爲利用圖書的線索。

㈡藉目錄學推究歷史上學術發展的情形。

㈢藉目錄學考證典籍的存佚。

㈣藉目錄學作徵訪圖書的參考。

㈤藉目錄學補充正史記錄書籍的遺漏。

㈥藉目錄學辨別書籍的眞僞。

㈦藉目錄學研究書籍的名稱、著者、卷帙及部居。

㈧藉目錄學研究書籍的傳本。

㈨藉目錄學研究書籍的雕鏤及校勘。

以上所述二家說法似着重於古典目錄之功用，現代目錄
之功用，尚有以下數端:

　　㈠目錄是讀者與圖書館間之橋樑，爲利用圖書館之
工具。爲索借、讀書之指南。

　　㈡可供圖書館採訪、編目、館際合作等作業之用。

　　㈢爲治學之工具，可供蒐求資料，避免重複硏究，
查考之用。

肆、圖書總錄（含書目叢書）

　　一、書目總錄：利用書目首應知悉有那些已刊印可用之
書目，除查閱一般參考書指南、提要、書目外，可利用書目
總錄。書目總錄係彙集古今書目爲一編，分別部居，以爲指
引之用。是書目之書目。

　　書目總錄，以淸周星詒的書目考爲最早，可惜早已亡佚
了。民國九年，周貞亮、李之鼎有書目擧要，民國十七年邵瑞
彭、閻樹善等五人有書目長編，十九年，梁啓超有圖書大辭
典簿錄之部：官書及史志，二十三年，蕭璋有國立北平圖書
館書目目錄類等均屬此類。四十二年，梁子涵編中國歷代書
目總錄，五十三年，國立中央圖書館編印書目擧要，五十六
年至六十一年，廣文書局分別出版書目叢編、續編、三編、
四編、及五編敍錄，前四編敍錄爲喬衍琯撰，第五編敍錄爲
張壽平撰。目前收錄最廣者，當以前述錢存訓編撰之中國書
目解題彙編最爲詳盡。我國坊間輯印之下列書目叢書，亦可
參考：

㈠中國目錄學名著　　楊家駱主編　民國　50年至52年間　臺北市　世界書局。第一輯18種，第二輯15種。

㈡書目叢編　　廣文書局編　民國56年　臺北市　該局　62册

㈢書目續編　　廣文書局編　民國57年　臺北市　該局　44册

㈣書目三編　　廣文書局編　民國58年　臺北市　該局　35册

㈤書目四編　　廣文書局編　民國59年　臺北市　該局　30册

㈥書目五編　　廣文書局編　民國61年　臺北市　該局　44册

㈦書目類編　　嚴靈峯編　民國67年　　臺北市　成文出版社　114册

　　以上爲刻彙書目較大之叢書，其他如中國歷代藝文志、八史經籍志、書目彙刊（鼎文書局）、及各種普通叢書中，如四部備要、四部叢刊，四庫全書珍本初輯及以後各輯亦收編書目頗多，利用坊本不可不注意。

　　二、叢書書目：基於書籍性質之相近，或其他原因，著書人將一些單行本書籍彙印者曰叢書（Series）。其出版採各別或連續方式，但版式與出版者均一致。叢書有一集合書名（Collective Title），子目頗多，各有獨立書名，彙集各叢書及其子目編爲目錄，以便尋檢之工具，稱爲叢書書

目。叢書之名起於唐宋，唐陸龜蒙有笠澤叢書，宋王楙有野客叢書，二書雖有「叢書」之名，實非叢書之體。陸氏本為自編之詩文，自以其書叢脞細碎，遂以叢書名之，實則別集之流耳，故唐志以其入集部。王氏之書，籀其所記，皆辨論考證考訂之屬，實與容齋隨筆體例相同，亦與後世叢書有別。開明清以來叢書之體者，則始自宋寧宗嘉泰元年俞鼎孫之儒學警悟。此後各代叢書頗多，估計，除四庫全書及佛藏、道藏外，叢書達六千餘種，約容書十七萬種，一百二十餘萬卷，比四庫全書之卷數多十五倍。十七萬種書，刪除重複，亦在十萬種之上。（見楊家駱中國叢書史及中國叢書目錄史）。

　　叢書目錄始於嘉慶四年顧修之彙刻書目，松澤老泉、陳夢照、傅雲龍、朱記榮、朱學勤等為之續補（今書目五編有收）。民國以來，有沈乾一叢書書目彙編、王鴻續叢書舉要、杜聯喆叢書書目續編初集、劉聲木續補彙刻書目（另有再續補、三續補）、孫殿起叢書目錄拾遺等。以上均為彙集叢書為一目者，查閱某叢書內容至為方便。惟若由子目尋其所屬叢書，則又不可能。於是，民國十九年，浙江圖書館乃有叢書子目索引之作（金步瀛編），繼而，南京金陵大學圖書館曹祖彬編有叢書子目備檢著者之部。二十五年楊家駱叢書大辭典問世、輯錄子目都凡十七萬餘條，極為繁富。三十八年以來，國內輯印出版者有叢書子目類編、叢書總目類編、叢書總目續編、臺灣各圖書館現存叢書子目索引等編，

都極爲有用。茲舉要評述於次：

△一、**叢書書目彙編**　　沈乾一編　(1)民國17年　上海醫學書局　4冊　(2)民國59年　臺北市　文海出版社　影印本　［40］,600面

△二、**叢書子目書名索引**　　施廷鏞編　(1)民國25年北平　清華大學圖書館　58,1254［204］面　(2)民國60年12月臺北市　文海出版社　1522面　影印本

△三、**叢書大辭典**　　楊家駱　(1)民國25年　南京　辭典館　2冊　(2)民國56年　臺北市　中國學典館復館籌備處1294,1008面，附叢書總目類編。影印本。

△四、**叢書子目類編**　　民56國年　臺北市　中國學典館復館籌備處　1752,791面　影印本。

△五、**叢書總目續編**　　莊芳榮編撰　民國63年　臺北市　德浩書局　387面

△六、**臺灣各圖書館現存叢書子目索引**　　王寶先編民國64年至66年　美國舊金山　中文資料中心　3冊　（書名索引2冊，1556面；著者索引1冊，190面）

　　沈書收錄叢書達兩千餘種，依筆畫排列，各書記載其書目資料及包括之子目。可由叢書查得子目內容，若由子目查其所屬之叢書，則極不方便。施書收錄以民國廿五年一月以後清華大學圖書館所存叢書爲限，計收一千二百七十五種。分析其子目，一一編成書名筆劃索引。欲查某書載在某叢書內，極爲方便，附有所收叢書一覽、叢書書名索引，叢

書簡稱索引。惟，若需查某一叢書包括之子目內容，則極不便利，爲其缺點。

叢書大辭典則將叢書總名、叢書作者、各叢書子目之書名、各叢書子目之作者，各立款目，再按四角題號碼排列，可由叢書查其子目，亦可由子目查其所屬之叢書。改正補充上兩書之缺失，加以收書繁富，故爲叢書之重要工具。臺北影印本書末附叢書總目類編，實係中國叢書綜錄第一册總目分類目錄。收錄四十一所圖書館所存二千七百九十七種叢書，分爲彙編及類編二部。彙編再分雜纂、輯佚、郡邑、氏族、獨撰五類，類編按四部法分。

叢書子目類編，實亦係中國叢書綜錄第二册「子目分類目錄」、第三册「子目書名索引」、「子目著者索引」的合印本。與前述總目類編實爲一體。「子目分類目錄」，是將「總目分類目錄」中所收叢書二千七百九十七種之子目七萬餘，按四部法重爲編列之目錄。可供查檢某類書究有那些可用之資料。「子目書名索引」及「子目著者索引」係查閱「子目分類目錄」之四角號碼索引。故本書爲查檢子目所屬叢書，最爲有用之工具書。

莊書收錄廿五年來自由中國編刊重印之叢書六百八十三種，仿四部法編刊，可查某叢書之書目資料及其子目，惟不能由子目查所屬叢書。

王書收錄臺灣十所主要圖書館現存叢書一千五百餘種，子目四萬餘。子目索引分書名及著者二部，均按筆劃爲序。

書名索引第二冊附有臺灣各圖書館現存叢書目錄，按筆劃排列。本書爲查閱臺灣各圖書館現存叢書子目之工具書。

三、**聯合目錄**：係指聯合全國或一地區各圖書館藏書之目錄，各書註明庋藏所及庋藏情形，以便索借之用。其特點有二：㈠註明庋藏所及庋藏情形，㈡通常按檢字法排列。玆舉要說明之。

△一、**臺灣公藏善本書目書名索引**　國立中央圖書館編　民國60年　臺北市　該館　2冊（1845面）

△二、**臺灣公藏善本書目人名索引**　　國立中央圖書館編　民國61年　臺北市　該館

此兩書名爲索引，實爲國內八所圖書館所藏善本圖書之聯合目錄。（參見善本書目）。書名索引及人名索引均按筆劃爲序，各書著錄書名、卷數、著者、版本、收藏單位善本書目簡稱及頁碼等五項。

△三、**中華民國臺灣區公藏中文人文社會科學期刊聯合目錄**　　國立中央圖書館編　民國59年　臺北市　該館
283面

△四、**中華民國臺灣區公藏中文人文社會科學官書聯合目錄**　　國立中央圖書館編　民國59年　臺北市　該館
385面

此二書均係收錄國內七所主要圖書館之期刊或官書。前者收錄期刊二千三百三十七種，各刊按筆劃爲序，依次著錄其刊名、刊期、創刊年月、出版地、出版者、總藏、各館

館藏等。後者收錄政府出版之專書、公報、統計、法規等出版品，資料大體依行政體系排列。可查得庋藏處所。

△五、中華民國圖書聯合目錄（民國63至65年）　國立中央圖書館編　民國66年　臺北市　該館　1218面

收錄國立中央圖書館及其臺灣分館、九所大學圖書館、四所公共圖書館，共十五所圖書館收藏六十三年至六十五年之圖書一萬四千六百餘種。按書名筆劃排列，各書係卡片形式，並註明庋藏所。本書計劃逐年增訂出版。

伍、　藝　文　志（著述考）

一、歷史藝文志：簡稱史志，源於東漢班固漢書卷三十藝文志，以後幾乎各朝正史均有藝文志（或稱經籍志），卽令缺少，後世亦有補志，有的通記數朝，有的專記一代，用在徵文考獻，以覘一代學術發展的概況。相當於現今外國所出版之國家書目（National Bibliography）。如Australian National Bibliography, Philippine National Bibliography, 均由該國國家圖書館出版。British National Bibliography 由大英博物院出版。我國國立中央圖書館編印之中華民國出版圖書目錄月刊及彙編本，亦屬此類。

△一、藝文志二十種綜合引得　燕京大學圖書館引得編纂處編　(1)民國22年　北平　哈佛燕京學社　4冊（引得叢刊第10號）　(2)民國55年　臺北市　成文出版社　影印本。

△二、中國歷代藝文志正集　　大光書局編譯所編輯
(1)民國25年至26年　上海　該局　2册　(2)民國45年　臺北市遠東圖書公司　623面　改題中國歷代圖書大辭典

△三、八史經籍志　(1) 日本文政八年刻本　(2) 清光緒8、9年間鎭海張壽榮校印本　(3)臺北市　藝文印書館　百部叢書集成線裝本

△四、二十五史補編　　開明書店編　(1)民國25年　上海該店　(2)民國48年　臺北市　臺灣開明書店　影印本　6册

第一種爲藝文志總索引，二三兩種爲藝文志合刻，第四種爲二十五史表志增補、註釋、考訂、校勘諸作，可與史志並行參稽之用。

藝文志二十種綜合引得，收漢書藝文志、後漢書藝文志、三國藝文志、補晉書藝文志、隋書經籍志、舊唐書經籍志、唐書藝文志、補五代史藝文志、宋史藝文志、宋史藝文志補、補遼金元藝文志、補三史藝文志、補元史藝文志、明史藝文志、禁書總目、全燬書目、抽燬書目、違礙書目、徵訪明季遺書目、 清史稿藝文志， 將各史志著錄資料混合重編， 按中國字庋擷法排， 製成書名索引， 故名之「綜合引得」。其體例與藝文志合刻不同。自先秦以迄清末，凡四萬條目，實爲我國國家書目之總索引也。書前有聶崇岐序文，詳論二十史藝文志得失，爲研究史志之重要參考資料。並有筆劃、拼音檢字各一，查閱便捷。

中國歷代藝文志係據二十四史、宋史新編及元史新編

所載史志輯印成書，便於省覽，由漢志迄明史藝文志，依時代先後輯爲一書，本身未有詳細索引，查考自不若前書方便。八史經籍志亦爲史志之彙編，由前漢書迄明史諸志，依次輯印。可免查閱正史，爲其優點。

史志之增補、註釋、考訂、校勘工作，刊印者多，可查二十五史補編。

△中華民國出版圖書目錄彙編　國立中央圖書館編
(1)民國53年　臺北市　該館　2册（846面）　(2)續輯　民國59年　臺北市　該館　2册（1177面）　(3)三輯　民國64年臺北市　該館　2册（2116面）

國立中央圖書館於民國四十九年九月起有新書簡報，每月刊行，五十九年一月起改稱中華民國出版圖書目錄，收錄依出版法送繳到館的新版圖書，按中國圖書分類法分類編排，每書列書號、書名、著譯者、出版年、出版地、出版者、頁次、附註等書目資料，而無提要。各書目以卡片式編錄。每年終了，編印年度彙編本，每五年，編印五年彙編本。

民國五十三年出版者係收民國三十八年至五十二年底止，呈繳入藏圖書。民國五十九年出版者，收錄民國五十三年一月至五十七年六月底之圖書，係依中華民國出版圖書目錄月刊彙編而成，體例亦同。第二册爲書名及著者索引。六十四年出版者，係收錄民國五十七年七月至六十三年底入藏之圖書，亦以月刊本爲依據彙編成書。計收書一萬五千零五

十五種。本輯第二册爲書名與著者索引，頗便查尋。

　　本書爲政府遷臺以來，收錄三十八年以來出版品較爲豐富之總目錄。美中不足者，爲僅收依法呈繳之圖書，其未依法呈繳者卽從缺。爲予改進，自民國六十八年四月號起中華民國出版圖書目錄月刊，收錄該館臺灣分館新編圖書目錄，及新出版圖書消息，內容較趨完備。

　　二、**郡邑書目**：史志由斷代爲書，寖假而以地域爲限，此乃地方藝文志之所由興。其始大都附於方志中，其後乃別有專著。如曹學佺之蜀中著作記、項元勛臺州經籍志之類是也。可考某地藝文，亦可補正史之所缺。

　　三、**著述考**：爲徵考個人及團體著述之目錄。有㈠機關團體著述目錄，如中央研究院院士及研究人員著作目錄；在臺各大專院校教職員著作目錄出版頗多，如臺灣大學、師範大學、政治大學、清華大學、逢甲學院、中央警官學校等均有目錄印行。㈡學派之著作目錄，如劉聲木桐城文學著述考等，㈢族姓著述目錄，如胡培系編續溪金紫胡氏所著書目等，㈣學位論文目錄：現今各校頒授博碩士所著論文之目錄，如國立中央圖書館編印的中華民國博碩士論文目錄、王茉莉及林玉泉合編之全國博碩士論文分類目錄、袁同禮編的 A Guide to Doctoral Dissertations by Chinese Students in America等，㈤傳記及作者書目 (Bio-Bibliography)，如中華民國當代文藝作家名錄、西洋經濟學者及其名著辭典、中國作家傳記和書目字典 (A Biographical and Bib-

liographical Dictionary of Chinese Authors) 等，簡
述作家生平傳略並臚列其作品之書目。㈥一人之著述目錄：
為個人著作之目錄，如朱子著述考、王靜安先生著述目錄、
太炎先生著述目錄初稿， 有的附載於別集內， 有的單行別
出。以撰述人分有自述及他述兩種。自述體始於魏曹植（見
三國志陳思王傳、晉書曹植傳）、他述體則始於清王昶之鄭
氏書目考。

陸、特種書目

一、善本書目：清人張之洞輶軒語：「善本非紙白版新
之謂，謂其為前輩通人用古刻數本，精校細勘，不譌不缺之
本也」。他對對善本之定義為：㈠足本，即未缺卷，未刪削
的本子，㈡精本， 凡精校、 精注者皆屬之， ㈢舊本， 凡舊
刻、舊鈔者皆屬之。國立中央圖書館善本圖書編目規則中以
列舉方式臚列其意義如下： ⑤

㈠明弘治以前之刊本、活字本；

㈡明嘉靖以後至近代， 刊本及活字本之精者或罕見
者；

㈢稿本；

㈣名家批校本；

㈤過錄名家批校本之精者；

㈥舊鈔本；

㈦近代鈔本之精者；

㈧高麗日本之漢籍古刊本、鈔本之精者；

收藏「善本」圖書之書目，謂之善本書目，有僅記其書目者，有兼及各書版刻、授受源流、收藏印記及考作者時代爵里者。歐陽修集古錄、錢曾讀書敏求記、覲元咫進齋善本書目、丁丙善本書室藏書志、鄧邦述羣碧樓善本書錄等，刊印者頗多，可資參考。玆舉在臺較重要之善本書目爲例。

△、國立中央圖書館善本書目　　國立中央圖書館編　民國56年　臺北市　該館　4冊（1872面）　增訂本

國立中央圖書館所藏善本圖書極爲豐富，民國四十六年該館編輯善本書目甲乙編各五卷．由中華叢書編審委員會印行，一部三册，收錄大陸運臺之善本書凡十二萬餘册，包括宋本二〇一部、金本五部、元本二三〇部、明本六二一九部，嘉興藏經一部、清代刊本三四四部、稿本四八三部，批校本四四六部、鈔本（包括朝鮮日本鈔本）二五八六部、高麗本二七三部、日本刊本二三〇部、安南刊本二部，及敦煌寫經一五三卷。

五十六年，復出版增訂本，除原有圖書外，增列在臺探訪蒐求到館者、代管東北大學及國立北平圖書館的善本，凡十四萬三千餘册。全書按經、史、子、集、叢五部分類編排，各書著錄款目有：書名、卷數、編著註釋者、版本、批校題跋者。如爲代管圖書，則於各款目末加註文字。各書無提要。典藏之富，冠於全球。

　　本書係接受中美人文社會科學合作委員會資助印行，
爲聯合目錄計劃之一部份，在此計劃之下編印之各館善本書
目尚有：㈠國立故宮博物院善本書目、㈡中央研究院歷史語
言研究所善本書目，㈢國立臺灣大學、臺灣省立臺北圖書館、
國防研究院、國立臺灣師範大學、私立東海大學善本書目。
體例均同。民國六十年及六十一年八月該館復再出版臺灣公
藏善本書目書名索引，及臺灣公藏善本書目人名索引（參見
聯合目錄），實爲各館善本書目之書名，及人名總索引，並
具備聯合目錄之功用。

　　二、解題書目（羣書題記、敍錄）：解題之名，始於宋
陳振孫直齋書錄解題，「解題」之意，與「羣書題記」、
「敍錄」、及現代之解題（Annotation），意義略有不同，
但均爲對一書內容之敍述。「羣書題記」是讀書的記錄，揭
示一書大旨，並論及版本之異同。有藏書家就其所藏而作，
亦有學者就其知見所及而做。如明徐火勃重編紅雨樓題跋二卷，
清黃丕烈蕘圃藏書題識一卷及士禮居藏書題跋記六卷等是
也。「敍錄」是一書的介紹，劉向寫定敍錄之體凡八：「㈠
著錄書名與篇目，㈡敍述讎校之原委，㈢介紹著者之生平與
思想，㈣說明書名之含義、著書之原委，及書之性質，㈤辨
別書之眞僞，㈥評論思想或史事之是非，㈦敍述學術源流，
㈧判定書之價値」⑥非僅敍述一書內容，對於書名、篇目、
著者等亦詳述之。如羅振玉雪堂校刊羣書敍錄、陶湘景宋金

元明本詞籹錄，孫毓修四部叢刊書錄等是也。現代之所謂解
題，亦爲一書內容之註釋，惟係讀書指導性質。彙集諸書內
容提要，以供讀書研究之指南。如呂思勉經子解題、梁啓超
要籍解題及其讀法。

　　三、**選書書目**　或稱推薦書目、擧要書目，係專家評選
有價值之圖書目錄，可供個人選讀或圖書館選書之用。如淸
張之洞書目答問、胡適之一個最低限度的國學書目、劉焜輝
適合中學生閱讀之一百本好書、中央圖書館編印之中華民國
出版圖書選目等。我國出版之此類書目亦多，惟因時代之演
進，各書目內容多已陳舊。尤其專爲圖書館選書用之推薦書
目極少。美國威爾遜公司 (H. W. Wilson Co.) 出版的標
準書目叢書（Standard Catalog Series），收有兒童圖
書選目、小說書目、初級中學圖書館目錄、高級中學圖書館
目錄、公共圖書館目錄。美國圖書館協會編印的書目期刊，
如Booklist, Choice, ALA Catalog等，體例精善、內容適
切、且經常修訂，以保持資料之新穎，對於圖書館及個人選
書均極有幫助。玆舉我國最具代表性之選書書目爲例。

　　△一、**書目答問補正**　　　（淸）張之洞撰，范希曾補
正　(1)民國20年　南京國學圖書館　2册　影印本　(2)民國
45年　臺北市　新興書局　238面　影印本

　　△二、**書目答問補正索引**　王緜編　(1)民國58年　香港
崇基書店　〔3〕,309,233面　(3)臺北市　文海出版社　影印
本

　　羅家倫：「張之洞的書目答問，支配了中國學術界幾
十年」。可見，此書之影響。其編輯旨趣，見於光緒元年他
所寫之書目答問略例，是年其職銜爲「提督四川學政侍讀銜
翰林院編修」，「諸生好學者，來問應讀何書，書以何本爲
善，偏擧旣嫌掛漏，志趣學業，亦各有不同，因錄此以告初
學」。是其目的，在向四川的秀才擧人指示作學問的門徑，
並介紹圖書。此書一說出自繆荃孫之手。

　　本書按四部法，分爲經、史、子、集四部，另立叢書
部。各書著錄：書名、卷數、著者、版本等，間也有註明其
刻者、註者、校者、箋者等。無詳細內容摘要。

　　本書版本及補訂本頗多有：㈠光緒二年，四川精刊本，
㈡光緒五年王秉恩貴陽刊本，訂正原刻訛誤三百條，臺北藝
文印書館景印巾箱本校訂書目答問補正，係由臺靜農就柴德
賡校貴陽本迻錄，並加補訂。㈢光緒五年湘鄉成邦幹重刊
本，㈣光緒二十一年乙未上海蜚英館石印本，㈤光緒二十四
年山西濬文書局刊本，㈥光緒三十年漢川江人度箋補本，㈦
光緒中沔陽盧靖刻愼始基叢書本，民國十二年重印，第三十
四冊有清趙祖銘撰校勘記一卷，㈧民國五年八月葉德輝撰書
目答問斠補（見郋園讀書志卷四，又見江蘇省立蘇州圖書館
館刊三，民國廿一年四月），㈨民國廿年，南京國學圖書館
印淮陰范希曾補正本，有辛未（民國二十年）五月柳詒徵序，
末附王煥鑣撰范君墓誌銘。臺北新興書局影印本加總頁數，
刪附錄兩頁。

　　范希曾卒於民國十九年七月十日，其所補書約二千餘種，大部份爲光緒二年至民國十九年以前，五十年餘之新著與新印國學典籍。王綉所編的索引，係包括書名人名索引，按筆畫排，附刊原書，重加頁碼，查閱便利。索引本亦訂正原書一些訛誤。

　　本書目有下述缺點：

　　㈠不收戲曲和通俗小說，范希曾在總集詞集以下，補了一部份戲曲選本和目錄，不完備，通俗小說全缺。

　　㈡體例欠妥者有：

　　　⑴此書爲求書計，故生存者之著述，亦予收錄，用經世文編例，錄其書而闕其名。

　　　⑵末附清朝著述諸家姓名總目，所舉各派學人，除算學家李善蘭外，似以卒於光緒元年以前爲限，要人知今，又要人不全知，反復矛盾，進退自陷。

　　　⑶同一部類的書，本定以作者年代先後爲序，可是別集中有不合時代次序的。

　　　⑷原書清人不標朝代，范希曾補正，民國人又不標民國，於是乎三百年的作家，都沒有時代區分。

　　　⑸原書旨趣在便於卽目求書，故列舉版本，以便購求，但是時移事異，以前市場正通行的書，目前俱已成了珍秘罕籍了。各種叢書本、汲古閣本、聚珍本、福本、祠堂本、書院本、都已無法求得。清末最流行的五官書局本、上海掃葉山房石印本、也寥若星辰。所謂自

刻本、通行本、家刻本、坊間排印本等都成爲無意義之
說明語了。 反之， 國內外現今影印出版之大量國學典
籍，未見後人補入。

關於書目答問之討論文字有：⑴梁容若：書目答問的
編訂與索引，書和人第一一四期，民國五十八年七月二十二
日，⑵喬衍琯，書目答問概述，圖書與圖書館第二輯，民國
六十五年十二月，頁十九至卅二，⑶喬衍琯：書目答問補正
索引評介，國立中央圖書館館刊新第三卷三、四合期，民國
五十九年，頁七十八至八十三，⑶梁子涵，書目答問著者的
推測，中國圖書館學會會報第八期，民國四十六年十月，頁
二六至二八，⑸王國良，書目答問與四庫全書總目雜史類分
類之比較，圖書與圖書館第三輯，民國六十六年四月，頁三
十三至四〇，⑹梁奮平，書目答問與四庫全書總目小學類分
類之比較，圖書與圖書館第二輯，民國六十五年十二月，頁
三十三至四十二。

四、營業書目：係指出版家、書店發行的書目。有一家
之營業書目，如，廣雅書局書目、申報館書目、西冷印社金
石印譜法帖藏書目等及現今中華、 商務、 正中等書局之書
目， 係載錄本版書及經售外版圖書。 有多家聯合之營業書
目，如臺北市書評書目雜誌社等二十家聯合發行之「二十家
出版社聯合書目」。有全國性之營業書目，(National Trade
Bibliography）。 如洪瑞焜主編的中華民國全國圖書總目
錄，生活書店的全國總書目，開明書店的全國出版物總目錄

等是也。營業書目的特點在於收錄可購得之圖書，各書註明售價，隨時發行、以應需要。

　　五、**版本書目**：係記載各書版本狀況之書目。常用者有下列幾種：

　　△一、**四庫簡明目錄標注二十卷補遺一卷**　　（淸）邵懿辰撰　⑴淸宣統三年仁和邵章刻半巖廬所箸書本　⑵民國50年．臺北市　世界書局　2冊（3,1038面）（中國目錄學名著第二輯，冊5－6）　影印本

　　△二、**邵亭知見傳本書目十六卷**　　（淸）莫友芝撰；莫繩孫輯　⑴淸宣統元年日本田中慶太郎氏北京鉛印本，16冊⑵淸宣統間山陰吳隱西泠印社鉛印本，6冊　⑶民國12年上海　掃葉山房石印本，8冊　⑷民國61年　臺北市廣文書局　（書目五編80）

　　　　此兩書均詳記知見之各書版本。邵氏以四庫全書簡明目錄爲本，將知見之不同版本、宋元舊刻、鈔本一一註明，可考書之存佚與版之善否、其編例與簡明目錄同。

　　邵亭爲莫氏之別號，　莫書亦爲其平生知見諸版本之總錄。兼採汪家驤、邵懿辰兩家筆記，其於版本善劣，每日箋註、極見精警。全書按四部分類。其功用有：㈠可作淸同治前版本總目讀，㈡可作校讎指引讀，㈢可作書林掌故讀。⑦

　　中華書局四部備要之四庫目略（楊立誠編）亦有版本之簡略記載。

　　六、**禁書書目**：是經政府查禁圖書之書目，如淸代修撰

四庫全書時，檢查每書內容，凡持論觸犯清廷者卽分別禁燬，或書本銷燬、或書版焚燬。如：禁燬書目附抽燬書目、禁書總目是也。民國以來，政府頒布出版法，凡與之抵觸者，亦屬禁書之列。

　　△清代禁燬書目研究　　吳哲夫撰　民國五十八年　臺北市　嘉新水泥公司文化基金會　五一二面（研究論文第一六四種）

　　　本書爲碩士論文，內容有：帝王之禁錮文人思想、遭燬書籍內容之分析、清代禁燬之小說戲曲、清代禁書運動之高潮、清代禁燬書籍對後世之影響、及結論五篇。附錄有：清代禁燬小說及劇本書目、清代禁燬書目索引。

　　　七、辨僞書目：彙集經後人考證爲僞書之書目，茲舉僞書通考爲例。

　　△僞書通考　　張心澂撰　民國28年　上海　商務印書館　2冊（〔11〕,1142面）　(2)民國59年　臺北市商務印書館　2冊（〔11〕,1142面）　影印本　(3)另有臺北鼎文書局、宏業書局及明倫出版社影印本。

　　　收錄之圖書有二類：㈠一書之全部或一部爲僞造及發生僞造疑問者，㈡書非僞造，因誤認撰人及時代者。所辨之書達一〇五九種，計經部七十三，史部九十三、子部三一七、集部一二九、道藏卅一、佛藏四一六。全書大體按四部法分編，而略有變通。每書著錄：書名、卷數、作僞程度（如：僞、誤認撰者、疑僞、有疑、撰人可疑、襲取作成，

有偽作增入，誤題撰人、偽題撰人等）、著者，引各家有關
之說等。偶有編者按語及意見。書前有總論，分述辨偽之緣
由、偽之程度、偽書之來歷，原因、發現、辨偽律、辨偽方
法、辨偽手續、辨偽事之發生等文。

　　本書有增訂本，增入四十五種，另附編書名及著者四
角號碼索引。

　　八、**翻譯書目**：我國自東漢末年，有佛經之翻譯，明末
西洋教士利瑪竇等東來，科學書籍的迻譯漸多，曾國藩創辦
之製造局及京師同文館之翻譯漸多，至民國以來西書中譯，
及吾國典籍西譯者益趨普遍。乃有彙集譯書爲目者。如梁啟
超西學書目表、王仁俊譯書表、徐宗澤明清耶穌會士譯著提
要、王爾敏中國文獻西譯書目等是也。茲舉在臺出版三書爲
例：

　　△一、**近百年來中譯西書目錄**　　國立中央圖書館編
民國47年　臺北市　中華文化出版事業委員會　328面　（現
代國民知識基本叢書第5輯）

　　△二、**中譯外文圖書目錄**　　國立中央圖書館編　民國
61年　臺北市　中華叢書編審委員會　1127面（國立中央圖
書館目錄叢刊第11輯）

　　△三、**中國文獻西譯書目**　　王爾敏編　民國64年　臺
北市　商務印書館　761面

　　中央圖書館出版兩次中譯西書目錄，前者收錄約自同
治六年至民國四十五年十月之圖書，計五〇四七種。主要依

據明清間耶穌會士譯著提要、兵工研究院所藏江南製造局譯書目錄、外交部藏書目錄、生活書店全國總書目、中華民國出版圖書目錄等編輯而成。後者收錄民國卅八年以迄五十九年二月之圖書，除收歐美著書外，兼及日韓等國。兩書均按中國圖書分類法編排，著錄以中文爲主，包括書名、著者、譯者等書目資料，均無內容提要。

王書與前二書不同，係中國典籍譯作之書目，收錄以西方文字所譯中國歷代文獻約三千餘種。共分十四大類。各書著錄原書名、原著者、西譯名稱、西譯著者、出版地及出版者、出版年代、卷頁數等。書末附書名索引、原著者索引，按國音排列；另有譯者索引，按英文字順排列。

九、引用書目：撰述某書時，常引用許多其他的書，於是有人把這些書彙編成目，稱爲引用書目。可考亡佚圖書情形，亦可知撰述該書所用之參考書，兼可爲古籍佚文之索引。唐宋類書，卷首多附「引用書目」。此類書目，如：章鈺太平御覽引書目一卷、宋李昉太平御覽經史圖書綱目、楊守敬唐宋類書引用書目、清趙翼三國志注引用書目等是也。

十、知見書目：或稱經眼錄。係撰述人就見聞所及，記載書籍狀況的書目。始於錢大昕竹汀先生日記鈔，他如販書偶記、宋元舊本書經眼錄、張棣華善本劇曲經眼錄等是也。

十一、闕書書目：是仿求遺佚典籍的書目，古今書籍，歷經災變，或再三轉手，散失亡佚的自然很多，後人爲鼓勵收藏，藉以宏揚文化，所以就有這種目錄的編輯。如：隋書

經籍志有**魏闕書目錄**一卷、宋史藝文志有唐四庫搜訪圖書目一卷等。又有專記吾國典籍散佚在外者，如：日本國見在書目錄（日本藤原佐世編）、經籍訪古志（日本澀江全善森立之編）等是也。（見梁子涵中國歷代書目總錄）。

　　十二、**兒童書目**：收錄兒童讀物之書目。可供選購、研究參考之用。玆舉以下兩種爲例。

　　△一、**中華民國兒童圖書總目**　　國立中央圖書館編　民國57年　臺北市　該館　317面

　　△二、**全國兒童圖書目錄**　　國立中央圖書館臺灣分館編　民國66年　臺北市　該館　646面

　　十三、**非書資料書目**：收錄除圖書以外之非書資料（Non-Book Materials），如金石、書畫、古物、錢幣、郵票、檔案、及其他視聽資料。如，故宮銅器圖錄、故宮書畫錄、金石書錄目及補編、歷代著錄畫目、中國錢幣目錄等。

　　十四、**書目期刊**：係以「期刊」方式發刊之書目，以報導或評介新書出版消息爲目的。玆舉例如下：

　　△一、**中華民國出版圖書目錄**（月刊）　　國立中央圖書館編　民國49年9月　臺北市　該館

　　△二、**書目季刊**　　書目季刊社編　民國55年9月　臺北市該社。

　　　關有「全國出版界最新出版圖書目錄」、「新出版中文參考書選介」、「中華民國文史學人著作目錄」、「最新出版期刊文史哲論文要目索引」等專欄。

　　△三、書評書目（月刊）　　書評書目社編　民國61年
9月　臺北市　洪建全文化基金會

　　闢有「每月新書分類目錄」（原名每月新書）「批評
索引」（原名書評索引）兩專欄，另經常刊有各專題書目，
也可供參考。

柒、藏書目錄

　　藏書目錄是為收藏圖書而編製的一種目錄。我國典籍豐
富、公私藏書目錄刊印亦多，對於文化之保管流傳及學術研
究助益良多。茲分三大類敍述之。

　　㈠清代以前公藏目錄：我國古代史官掌理學術，亦官亦
師，內府圖書由史官兼理。這些圖書大半是不公開的，故叫
做秘書。掌管典籍者，稱為秘書監、秘書郎，或秘書省，漢
朝劉歆編有七略，實為第一部公藏書目。後代修撰之藏書目
錄亦多，如崇文總目、文淵閣書目、內閣藏書目錄、欽定天
祿琳瑯書目、欽定四庫全書總目等是也。此類書目，往往隨
書俱亡，或殘佚不全，存世者自然可貴。茲舉欽定四庫全書
總目二百卷說明之。

　　△、欽定四庫全書總目二百卷卷首四卷　　　（清）紀昀
等撰　⑴清乾隆間武英殿聚珍本　⑵清乾隆59年謝啓昆校刊

本　⑶清同治7年廣東書局重刻本　⑷清光緒間點石齋石印
本　⑸民國19年上海大東書局縮印本　⑹民國22年　上海商
務印書館鉛印本　⑺民國46年　臺北市　藝文印書館16冊
（62,4820面）　影印本　⑻民國57年　臺北市商務印書館
6冊

　　一、搜採工作：乾隆卅七年下詔蒐採圖書，其來源有：
㈠敕撰本，係清政府在修纂四庫全書前所編的書，和在修撰
中特編加入的書。㈡內府本，明代政府遺留的藏書，及清代
政府續收的藏書，㈢永樂大典本，從明代類書永樂大典中抄
輯的書，㈣各省採進本，各省地方官採進的書，以浙江採進
最多，廣東最少，㈤私人進獻本，係藏書家進獻之書，如寧
波范氏天一閣、江蘇常熟述古樓等，㈥通行本，乃坊間流行
之本。除禁書外，共得一〇二九〇部，計一七三二五二卷，
其合於標準者，稱著錄書，達三四七一部，計七九二一八
卷；不合於標準者，未收到於四庫全書內，稱爲存目書，達
六八一九部，九四〇三四卷。

　　二、七閣：仿天一閣，建造七閣存放四庫全書。

　　㈠北方四閣：　1.文淵閣，在今國立北平故宮博物院
內，存放第一部全書正本，2.文溯閣，在瀋陽，後轉入僞
滿。3.文源閣，在北平圓明園內，毀於英法聯軍之役，4.文
津閣，在熱河避暑山莊內，民國四年移藏國立北平圖書館。

　　㈡南方三閣：　1.文宗閣，在鎮江金山寺，燬於粵寇，
2.文匯閣，在揚州大觀堂，亦毀於粵寇，3.文瀾閣，在杭州

聖因寺，因太平軍陷杭州，原書散失，藏書家丁申、丁丙冒兵亂之險蒐集八一四〇册，再予續補，大體復原，存於浙江省立圖書館，抗戰時輾轉遷徙至四川重慶靑木關。

　　此外翰林院有副本乙部，摛藻堂有四庫全書薈要，味腴書屋有四庫全書薈要。

　　三、輯印：商務印書館，商得故宮博物院之同意，民國二十二年在上海輯印四庫全書珍本初集。政府遷臺後續再輯印，陸續出版二輯、三輯，以迄十輯，及別輯等。

　　四、總目提要之體例：修撰全書時，不論著錄或存目書均有提要附於底本之前。再仿漢代之例，彙集敍錄，別爲一錄，便是總目提要。每部有總序，每類有小序。各書記其書名、卷數、來源、著者姓名等，各書均有提要。

　　五、著錄書目：總目提要包括著錄及存目，僅錄著錄者有：紀昀四庫全書簡明目錄，楊立誠四庫目略，體例與總目提要相同，惟內容簡明扼要。

　　六、提要辨訂：辨證提要內容之書，要者有：

　△一、**四庫全書提要辨證**　余嘉錫撰　民國 46 年臺北市　藝文印書館　4 册　影印本

　△二、**四庫全書總目提要補正**　胡玉縉、王欣夫撰附於四庫大辭典（楊家駱編撰　民國56年　臺北　中國辭典館復館籌備處　2131面　影印本）共1763面。

　　前者辨證總目提要史部五十五種，子部一七一種。一九五八年版辨證增二六四種，大部份爲經、集二部，連同

子史兩部共四九〇種， 析爲廿四卷。 胡書補正二千三百餘
則。

七、失收書目：有經進失收書及經進外失收書。茲舉例
如下：

△一、**四庫未收書目提要**　　（清）阮元編撰　民
國50年　臺北市　世界書局　2冊　（中國目錄學名著
第一集第2冊）影印本

△二、**四庫書目續編**　　孫殿起編　民國50年　臺
北市　世界書局　34,563面　（中國目錄學名著第二集
7冊）　影印本

△三、**四庫大辭典**　　楊家駱編撰（見提要辨訂）

△四、**續修四庫全書提要**　　東方文化總委員會
（日人橋川時雄主事）編　民國60年　臺北市　商務印
書館　13冊　影印本。

　　四庫全書修妥後，嘉慶間阮元進呈一批書，應收而
未收入四庫全書， 仁宗賜名「宛委別藏」，此批書都有提
要，共計一百七十餘種。一名揅經室外集。本書有道光二年
阮福等校刻揅經室集本、嘉慶十二年阮元刻文選樓叢書本、
商務印書館叢書集成初編本及國學基本叢書本等。 孫殿起
(耀卿)四庫書目續編，原名販書偶記，世界書局在臺影印本
係據一九五八年八月修訂本影印改題今名，而略去四角號碼
索引。孫書所載均爲總目所未載者，或雖載而卷數互異者。
四庫大辭典亦載有未收書二千餘種。

　　續修四庫全書提要係四庫全書以後，解禁圖書、新發現及新著圖書之提要。計收書一萬零七十一種，爲總目提要之三倍，計經部二三八四種、史部四四四三種、子部二一一五種、集部一一二八種。體例與總目提要相同，而略作更正。第十三冊爲四角號碼總索引。

　　八、索引書目：查閱四庫全書著存書名撰人、或未收書名撰人等資料之索引及工具書有：

　　△一、四庫大辭典（書目資料見前）

　　△二、四庫全書總目及未收書目引得　　美國魏魯男（James R. Ware）編，翁獨健訂　(1)民國21年　北平　哈佛燕京學社　2冊（〔22〕,195,210面）（引得第七號）　(2)民國55年　臺北市　成文出版社影印本

　　△三、四庫全書總目提要四角號碼索引　一冊　商務印書館排印四庫全書總目提要附印本。

　　△四、四庫全書總目未收書目索引　　陳乃乾編　民國15年　上海　大東書局　影印本　附於四庫全書總目提要之後，臺北藝文印書館有影印本。

　　　　四庫大辭典以四庫總目著錄存目之書及其著者爲範圍。範圍內之書名、人名均各立一條，每條依王雲五四角號碼排列。卷首刊有筆畫索引及拼音索引。書名及人名條下各分三項，書名條下爲提要，版本及總目原書中之類次。人名條下爲書名、傳記及詳細傳記參考書。附錄二種：㈠四庫全

書概述，分文獻、表計、類敍及書目。表計、書目兩篇卽爲本書之分類索引，㈡助檢表，係將各書之繁名、簡名、通名、別名、次名、附名、別號、諡號及見於各人傳記內之四庫未收書名，各列一條，按四角號碼法排列。就索引觀點言，本書最便查閱，實在機械式索引之上。

四庫全書總目及未收書目引得，採中國字庋擷法排列，有拼音及筆劃檢字表。分兩册，上册列書名，下册列人名，查閱尚稱方便。商務版索引爲書名及撰人綜合索引，按四角號碼排，查閱極便。陳乃乾編索引，係作者筆劃索引，較各書不方便。

㈡私家藏書目錄：是記錄私家收藏圖書的目錄。不備於官府的書，往往備於民間，不顯於當代的書，往往顯於後代。是故，私家藏書目錄可與公藏目錄參稽。如：宋尤袤遂初堂書目、清陸心源皕宋樓藏書志、清瞿鏞鐵琴銅劍樓藏書目錄、清丁仁八千卷樓書目等均極有用。茲舉晁志陳錄爲例。

△一、**郡齋讀書志二十卷**　　（宋）晁公武撰　民國56年臺北市　廣文書局　6册（書目續編）　影印本

△二、**直齋書錄解題二十二卷**　　（宋）陳振孫撰　民國57年　臺北市　廣文書局　5册　（書目續編）　影印本

此二書爲考宋代以前古書內容之重要書目。文獻通考經籍考卽以二者爲基礎。晁志傳本有衢州本二十卷收書一四

六一種，袁本四卷收書一四六八種。廣文影印本係王先謙校刊本，據衢本，又取袁州本、文獻通考經籍考等校勘，增趙希弁附志二卷。晁志爲今傳最早最完備之私家藏書目錄。其體制首載總序，每部之首有小序。各書著錄書名、卷數、提要、並按四部法編列。劉兆祐撰有晁公武及其郡齋讀書志乙書評述甚詳。

陳錄原本已佚，四庫館臣據永樂大典校訂爲二十卷，其體例與晁志略同，惟無總序及小序，雖仍沿四部法分類，惟不標四部之名。各書提要介紹著者生平、內容、並略述其得失，眞僞等。喬衍琯撰有直齋書錄解題札記、陳振孫對圖書分類的見解、書錄解題之版刻資料，三文，分別刊載於國立中央圖書館館刊新四卷三期、五卷三、四合期、及七卷一及二期，喬氏另著陳振孫學記一書，可資參考。

㈢圖書館藏書目錄：是圖書館收藏圖書的目錄。我國自鴉片戰爭、中西交通以來，全國各地紛紛設立圖書館，公私機構及各級學校刊印之藏書目錄，不勝枚舉，對於介紹館藏，流通索借，自極有幫助。其中館藏目錄收藏量最大、內容豐富者當推江蘇省立國學圖書館圖書總目，收書達二十二萬四千餘冊，堪稱巨帙。此外，藏書卷冊不多，但具特色者，亦不少。如在臺出版之中央研究院歷史語言研究所普通本線裝書目，國立臺灣大學普通本線裝書目，及中國國民黨中央委員會圖書館圖書分類目錄等多種，資料頗有特色。此外，國外漢學研究機構所藏吾國典籍亦多，如京都大學人文

科學研究所、靜嘉堂文庫、東洋文庫、內閣文庫等及美國之
哈佛大學哈佛燕京學社漢和圖書館、普林斯頓大學葛思德東
方圖書館，加州大學東亞圖書館、史丹佛大學胡佛研究所等
都有圖書目錄問世，資料豐富、彌足珍貴。

附　註

① 姚名達，目錄學，臺二版（臺北：商務印書館，民國62年），頁5—
6。

② 余嘉錫，目錄學發微（臺北：華聯出版社，民國58年），頁16。

③ 盧震京，圖書學大辭典，臺一版（臺北：商務印書館，民國60年），
頁335。

④ 錢存訓、鄭炯文同撰，China: An Annotated Bibliography of
Bibliographies. Boston, G. K. Hall &. CO., 1978

⑤ 國立中央圖書館編，中文圖書編目規則，增訂修正版（臺北：國立中
央圖書館，民國48年），頁73。

⑥ 姚名達，頁43—49。

⑦ 張壽平，書目五編敍錄，（臺北市：廣文書局，民國61年），頁1—2。

第三章 索 引

壹、意 義

一、辭海：「將書籍中內容要項或重要名辭逐一摘出，依次排列，標明頁數，以便檢查者，謂之索引，亦稱引得」。

二、洪業引得說：「引得者，執其引以得其文也」①。洪業把索引條目分為「鑰」、「目」、「注」、「數」及「文」五項。由「鑰」至「注」稱為「引」；由「數」到「文」稱為「得」。故曰：執其引以得其文也。他又把每一條目稱為「一錄」。「鑰」即「一錄」之編號，為查尋資料之鑰匙。「目」是標目，由文中提為款目。「注」是關於「目」之解釋。「數」為指示資料出處之數字或符號。諸「錄」之彙編即為索引。

三、王征編譯的圖書館學術語簡釋，索引條：「索引者將文字資料中包含之概念或辭句，根據主觀或客觀之需要，提作款目，再依一定方法序列之，以便檢查明瞭各該概念之所在，藉獲讀原文之工具也」②

四、美國圖書館協會術語辭典（A.L.A. Glossary of

Library Terms) 關於索引的解釋分爲六項，其第一項稱
索引爲：「一書或羣書中的論題、人名等的清單，用以查考
其在書中出現的頁次」。③

　　五、美國標準協會索引委員會對索引之解釋是：「就圖
書資料範圍而言，索引係用檢字、年代、數字及其他次序，
有系統、有一致方法地分析並指引圖書資料的內容，每一
款目註明頁數、段落、及其他符號，以說明資料的正確位
置」④。

　　六、圖書館及資訊科學百科全書（Encyclopedia of
Library and Information Science) 一書對索引的解釋
是：「索引是將文章文獻等內容中所包含的項目，或其內容
的觀念，有系統化的指引」⑤。

　　以上各家釋義有侷限於書籍者，有不限於書籍者。綜合
言之，所謂索引是把圖書及非書資料中包括的人、地、物等
名及概念名稱，提作款目，再將各款目按一定的方法，如筆
劃、字順、四角號碼等排檢法有系統地排列組織之。各款目
並需註明其面頁數、段落或其他符號，以明其出處。這種有
系統的表，稱爲索引。索引之最大用處在於供查尋資料之出
處，藉獲讀原文之工具。

　　廣義言，索引也是書目之一種。但就狹義言，索引有其
自身之特色。索引着重在分析圖書資料的內容，及指示其出
處，而不僅於著錄書目資料而已。以論語引得及論語集目兩
書爲例，前者分析論語一書之內容，逐字立爲款目，並指示

各目之出處，是查尋經文出處之有用工具；後者則著錄已刊
行之論語各版本及有關論語之注疏研究作品，二者顯然有
別。

索引一辭，英文稱為 Index（複數寫作 Indexes 或In-
dices），原由拉丁文 Indicare 一字轉變而來，含有指示之
意，假借而為一種學術工具之名。日本人譯稱「索引」。我
國學術界亦沿用此一譯稱。惟尚有下列別稱：

一、韻編：按韻編排之意。我國古代有按韻統字，依字
繫事的書，實在就是音檢的索引。如宋徐鍇之說文韻譜、清
張玉書奉敕撰之佩文韻府等書是也。

二、備檢：「宋晁公武郡齋讀書志後志有羣書備檢十
卷，是集經史子集等廿九種書，諒是將子目彙為一編，以備
檢閱。民國二十四年金陵大學的曹祖彬，將三百六十餘種叢
書編為叢書子目備檢，就是因襲此名而來」⑥。

三、通檢：清光緒初黎永椿編說文通檢，將說文解字各
字依筆劃次第編錄，是查閱說文解字各字之索引、光緒廿二
年江寧陳作霖編一切經音義通檢、民國三十二年至四十一年
中法漢學研究所出版通檢叢刊，均用「通檢」之名，想係沿
自清末。

四、引得：民國以來，國人直接自西文 Index 迻譯而
來，取其音義相諧，恰到好處。民國二十年至三十九年，哈
佛燕京學社引得編纂處出版之引得叢刊及特刊，均用此名。
美國亞洲學會中文研究資料中心出版的古籍索引，如國語引

得、李賀詩引得等十餘種，亦用此名。

五、堪靠燈：洪業引得說首用此名，係譯自英文 Concordance 一字，專指經文及重要文獻之索引。 參見本章索引的種類「要語索引」項。

六、語彙集成：近年來日本京都大學人文科學研究所把漢書、金史、元史諸史之人名、地名、官制名、縷析條分輯印成書，稱「語彙集成」，實爲諸史之名辭索引。

此外，坊間偶用者尙有：檢字、檢目、總檢、總目、集目、類目、文獻等名，實不若「引得」一辭妥切。坊間有以「索隱」一辭冠於書首，作爲索引者，實係誤用。索隱爲注釋箋疏之意，語出易經：「探賾索隱、鉤深致遠」，唐司馬貞史記索隱自序：「探求異聞、探撫典故，解其所未解，申其所未申」。索引一般均置於書末，彙錄圖書資料中瑣細之標題，並依檢字法爲序。目次則冠於書首，是將書中的章節大綱，以其出現之次第編序。二者大異其趣。

貳、種　類

一、按外形分：

(一)**書末的索引**：明代崇禎十五年，耶穌會士陽瑪諾譯印的聖經直解附有索引，張錦郎編著的中文參考用書指引中認爲是中文書附有索引的第一部。清人六承如編的歷代紀元

編，書末也有索引。此種形式在西書中已成為定例，我國出版書刊附有索引的尚不普遍。

(二)**單行的索引**：有些圖書資料因其內容繁富、或由於編排利用的因素，有離書單行之必要。我國史書如史記、漢書等四史之索引，因原書內容豐富，附於書末，不便檢閱，乃離書單行，其性質與書後的索引並無二致，僅在外形有別而已，分析羣書及多種期刊內容的索引，則因其不便附於書刊之末需單獨刊行。如清代文集篇目分類索引，中國近二十年文史哲論文分類索引等均是也。

(三)**活頁式索引**（Loose-leaf Index）：以活頁形式編印的索引，可隨時加入新的資料，保持內容之新穎完備。例如美國 Facts on File 公司出版的 Facts on File 是活頁的報紙索引。

二、按內容形態分：

索引可按據以編製之原有圖書資料之形態區分，常見的有下列幾類：

(一)**書籍索引**：取一書或羣書為材料編製的索引。常見的也有下列數種：

　1.普通書籍索引：取書籍內容所含之人名、地名、書名、專有名詞及各種概念名詞作為條目，指示其出處

者爲普通書籍索引。一般書籍所附之索引，大都屬於此類。

2.人名索引：專取書籍中所載之人名爲款目者，爲人名索引。如王伯祥編的二十五史人名索引、哈佛燕京學社的各種傳記綜合引得，均以人名爲範圍，不及其他。

3.書名索引：條列各書內包括之書名、篇名者，爲書名索引。如四庫全書總目及未收書目引得、于炳耀的四庫全書書名索引、杜信孚的同書異名通檢是也。

(二)期刊索引：將雜誌的論文或資料，提作款目，依篇名、著者、標題、分類或字典式方法排列，註明其所在的卷期、年月、起訖頁次等，以便查檢之工具書，稱爲期刊索引。若依其蒐採範圍而言可分下列幾種：

1.普通期刊索引：選擇通行的期刊，不限某類，條列其篇目內容者，爲普通期刊索引。例如人文月刊附刊之最近雜誌要目索引、國立中央圖書館編印的中華民國期刊論文索引等是也。

2.專題期刊索引：選擇某類學科之期刊、條列其篇目內容者，爲專題期刊索引。例如農業論文索引、教育論文索引、中文法律論文索引。

3.單種期刊索引：取一種期刊，條列各卷各期之篇目內容者，爲單種期刊索引。舉凡社論、論文、資料、

小品、圖像、廣告等皆可入錄，可補普通及專題期刊索引之不足。

㈢**報紙索引**：將每日報紙的新聞與資料提作款目。按一定方法序列編排，註明在出處所在者，爲報紙索引。亦有單種及多種之別，如聯合報縮印本第一輯索引是單種索引，新聞紀要與新聞索引是多種報紙索引。

㈣**文集索引**：別集爲個人之文集，收錄一人之論著，書啓函牘等，可觀一人生平之事蹟、思想、言行、事功。別集爲個人自著之總集（或曰全集）故載錄關於其人之作品自較他書完備。漢、三國、晉、南北朝以還，幾無代無人。如蔡中郎集、陶淵明集、杜工部集、曝書亭集等。諸家別集之彙編是謂總集。有兼具衆體者，如先秦文集、兩漢三國文彙、宋文鑑等；有專爲一體者，如宋詩鈔是詩總集，花間集是詞總集，古文觀止是散文總集，其他尙有辭賦及韻文總集、戲曲總集、語體文總集、郡邑藝文總集等。降及現代有紀念某人或某事之紀念集。文集實亦書籍之一種，惟其內容大都爲單篇論著或資料、性質介於期刊及書籍之間。其外形爲書籍，內容近於期刊。一般書籍或期刊索引，未裁篇收錄，遂有專門文集索引之編纂。王有三編撰淸代文集篇目分類索引，首開風氣之先。

㈤**非書資料索引**：取書籍以外之金石、拓片、書畫、

檔案、微捲資料等編製索引者爲非書資料索引。

㈥**索引的索引**：爲索引書目，彙錄已刊之各種索引，通常按分類或主題編列，使用者知悉有何索引可用。鄭恒雄編漢學索引總目、麥克暮樂 (D. L. McMullen)編輯的中文圖書索引與引得 (Concordance and Indexes to Chinese Texts) 屬此。

三、 按編排體例分：

㈠**字順索引**：此類索引是按首列款目的字順排列。西文以「字」（Word）或「字母」（Letter）爲單位，再依其 ABC 等之字順爲序。中文方面則以採用的檢字法排列。字順索引包含的款目若有著者、書名及標題三種，可稱爲字典式索引。若僅爲著者或書名或標題款目，則分別稱爲著者索引、書名索引、標題索引。

㈡**分類索引**：是參照分類法按邏輯的體系歸類排列的。我國出版的期刊索引大都採分類編排，全書具有論理之次序。其優點是便於卽類求索資料，缺點是辨類困難。因此，分類索引往往附加著者或標題索引，以爲輔助。

㈢**堪靠燈**（Concordance）：重要的經典與文學之傑作往往有「堪靠燈」。一般的索引重在分析一書所含各類事

物的名稱及主題。 堪靠燈則兼顧文辭訓詁。 往往逐字以爲目， 包括虛字， 及文辭， 故或稱逐字引得。 編製普通的索引， 爲免內容太簡或太繁， 款目取捨頗費斟酌， 堪靠燈則巨細不遺， 編製方法反倒容易， 只是卷帙繁多而已。西人史壯氏 (James Strong) 曾編有 The Exhaustive Concordance of the Bible, 爲聖經之堪靠燈。我國亦有此類作品， 如民國十一年蔡耀堂 (廷幹) 刊印老解老一書， 實卽道德經八十一章之堪靠燈。哈佛燕京學社編印的引得叢刊中有十種索引， 如周易引得附標校經文、論語引得附標校經文等都是堪靠燈。日本經書索引刊行所於大正十年 (民國十年) 印有森木角藏的四書索引， 上册爲白文， 下册爲堪靠燈。英國牛津大學發行之左傳索引 (Index to the Tso Chuan) 是 Sir Everard D. H. Fraser 及 Sir James Haldane Stervart Lockhart 所編， 實爲左傳的堪靠燈。臺北美國亞洲學會中文資料中心發行的幾種索引， 如管子引得、國語引得也是這種體例。

　　㈣**事項索引** (Fact Index)： 索引款目不僅載錄資料之出處頁碼， 且有簡明之文字解釋， 此種索引稱爲事項索引。 便於閱者在檢索本文前先對詞目有概括性之認識。有時甚至不必翻檢本文， 卽獲得答案。民國六十八年臺灣省教育廳編印的中華兒童百科全書， 各册書末所附之索引卽 爲 此類， 亦爲我國第一種事項索引。

索引在編排體例上尚有彙編本索引(Cumulative Index)，是指連續發刊的索引，爲節省查閱次數及時間，定期將各次內容予以重編，彙編本(Cumulative Volume)的內容包括前此各期的資料。使用彙編本則不需再查各單期之內容。各種類型的索引都可編製彙編本，其中尤以期刊索引應用最廣。國立中央圖書館編印的中華民國期刊論文索引，創刊時雖未有出版彙編本之計劃，但自六十七年起已着手補編，已有六十六、六十七年彙編本行世。

四、按時間分：

索引若依收編資料的時間區分有兩類：

㈠現刊的索引（Current Index）：蒐集最新的資料，定期刊行，通常指期刊索引定期發行，另編有彙編本。例如中華民國期刊論文索引自五十九年發刊以來，每月出版一次，收集前兩個月國內數百種期刊的文獻。

㈡追溯性的索引（Retrospective Index）：此種索引與前者相對，係以過去某一期間內的資料爲範圍，如國立中央圖書館臺灣分館編輯之館藏中文期刊人文社會科學論文分類索引（清末至民國三十八年）。

叁、功　　用

　　我國歷史悠久，典籍豐富。加以現代出版品浩如烟海，增加極速。人們已不能依靠記憶和博覽的工夫來尋檢所需的資料。西洋人所謂索引服務 (Index　Service)、書目控制 (Bibliographical Control)、以及資訊檢索 (information Retrieval) 等方法，皆在藉此等方法便利人們迅速地查尋資料。

　　索引是蒐集資料、查尋出處、分析資料內容的一種工具書，利用它，人們可在極短的時間內，獲取多量有用的資料，它介於資料與讀者間，彷彿一盞明燈，指引查考資料的門徑，十分有用。茲揭示其功用凡四：

　　一、檢索資料的出處：平日閱讀書報，短時間內尚能記憶，時日一久，日漸遺忘。如需再用，往後遍尋不獲。索引條列書刊的內容，輔助人們記憶，循其引卽可得其文。梁啓超在其所著中國歷史研究法一書中言及查考唐玄奘首途留學印度年月一事，遍尋高僧傳、慈恩法師傳、新舊唐書太宗記、資治通鑑、玄奘途次所遇諸人列傳，以及新舊唐書凡與突厥有關之諸蠻夷傳，費時三日，方獲緒論。以梁任公之博學，考證一個時日，尚需費去三天功夫，一般人們不知要空費多少時間呢！倘有索引，此項問題立卽可解。又如十三經

經文是研讀國學的人常需徵引的，如果沒有十三經索引、四書索引等工具，翻前顧後，要費很多時間才能尋得其出處。再以國父手著三民主義而言，人人讀過，但如需查考其中片斷，若無國父全書索引可資檢查，查考往往終卷。至於報章雜誌上刊佈的內容更多，更需借重期刊日報索引，才能查到出處。

　　二、提供參考的文獻：研究問題不可無資料，索引非僅供查尋特定資料之出處而已，本身亦是資料寶庫。不論書籍、期刊、報紙的索引，均條列其內容有系統地整理編排，提供研究者參考。例如要瞭解近年來討論「紅樓夢」之論著，只需翻檢國立中央圖書館編印的中國近二十年文史哲論文分類索引，可檢得百餘篇論文。再如欲悉錢穆先生之著作查此書所附之著者索引或利用余秉權編撰之中國史學論文引得，循其所引，須臾覓得。再以一般書籍所附之索引而論，索引中臚列之條目內容較目次詳細，因此書末之索引不僅可供查尋特定之資料。同時已分析此書之內容，閱者往往可據此判定此書有無可用之資料。

　　三、學術整理的方法：索引非僅是治學研究的工具，而且亦是一種研究的方法，與傳統的編年體、紀事本末體、分類記事等方法不同。它將資料的內容做地毯式的分析並按檢字法彙列一處，可作爲檢索之工具，亦是學術整理的結晶，

可觀前人研究的成果及未來發展的趨勢。胡適之先生在「國學季刊發刊宣言」一文中主張：「國學的系統的整理的第一步要提倡這種「索引」式的整理，把一切大部的書或不容易檢查的書，一概編成索引，使人人能用古書。人人能用古書，是提倡國學的第一步」⑦。例如余秉權編撰中國史學論文引得，前編收錄一九○二至一九六二年之期刊文獻，不啻為此一期間史學論文之整理工作，亦可窺六十年來吾國史學發展之成果與趨勢。

　　四、避免重複的研究：經驗與知識的累積，促進人類的進步與發展。索引是彙錄前人研究的成果的作品。因此，從事研究之先應先詳閱索引，一則可吸取前人之經驗與知識，二則可免與前人累同。因為，相同的論題，運用相同的材料與研究方法，往往獲至同樣的結果。如不詳查索引，極可能重踏前人足跡，徒然浪費時間與工夫。

肆、索引的索引

　　索引的數量頗多，為便查考利用，乃有索引的索引出版。我國出版的有下列幾種：

　　△一、**漢學索引總目**　　鄭恒雄編　　民國64年　　臺北市臺灣學生書局　　11,110面

　　△二、Concordance and Indexes to Chinese Te-

xts（中文圖書索引與引得）　　D. L. McMullen編　民國
64年　臺北市　美國亞洲學會中文資料中心

　　△三、**全國索引編輯研討會參考資料**　　張錦郎編輯
民國66年　臺北市　國立中央圖書館　2,158 面

　　　漢學索引總目收錄清末至民國六十四年四月國內外編
印之漢籍及有關漢學之索引共七九〇種，其中書籍索引三七
六種、期刊索引三七三種、報紙索引廿五種、西文關於漢學
索引十六種。各索引除著錄其書目資料外，並有有無影印本
及書評之記載，凡單行本、報刊內刊載者均予收錄。均按分
類編排，附著作者索引。

伍、書籍索引

　　　我國的書籍索引淵源甚早，周駿富先生認爲：「索引工
作，發源於我國，宋末馬端臨經籍考卷十六說：『（徐）鉉
苦許氏編旁奧密，不可意知，因令（徐）鍇以切韻譜其四
聲，庶幾檢閱力省功倍，又爲鍇篆名曰說文韻譜』。按隋陸
法言的切韻，爲我國最早的韻書，後世詩韻的編次，大抵以
此爲祖……近人以爲四十二行聖經（或作三十六聖經）的索
引，爲國際學術界，最早的索引。按四十二（三十六）行聖
經爲德人谷登堡（Johnnes Gutenberg 1399—1468）發
明活字印刷術後的產物。徐鍇卒於宋太祖開寶七年（九七四
年），相距四九四年之久。那麼我國索引工具出現，比西方

早四九〇餘年，前人不曾發覺，今讀索引，特爲訂正其說」⑧

　　陳振孫直齋書錄解題卷七傳記類載有中興登科小錄三卷姓類一卷，記載：「通判徽州江都李椿撰新安舊有登科記，但逐榜全錄姓名而已，椿家藏小錄自建炎戊申至嘉熙戊戌，節取名字鄉貫及三代諱刊之後以韻類其姓，凡一萬五千八百人有奇，太守吳興倪祖常子武刻之以備前記之闕文」⑨，可知，徐鍇卒後百餘年李椿編有姓氏索引，亦繫之以韻。可見，我國的索引起源甚早，韻編即爲索引。歷代修纂的韻書頗多，如明代凌迪知的萬姓統譜。傅靑主的兩漢書姓名韻，淸人章學誠的明史列傳人名韻編、李兆洛的歷代地理志韻編今釋等，凡此均爲按韻統字，依字繫事的書籍索引。

　　除了韻編外，歷代書目的分類體制、類書的分類紀事亦具今日分類及標題索引之功能。尤其類書鉤稽羣書的事文，實際上取代了索引的地位。索引僅註明資料之出處，類書則逐一輯出而類聚之，查檢較索引爲優。

　　淸末出現了幾種不按韻編的索引，如黎永椿的說文通檢、三家村學究的檢字一貫三、蔡啓盛的皇淸經解檢目、以及陳作霖的一切經音義通檢。索引工作又邁前一步。

　　在索引法（Indexing）的理論方面，明人祁承爜著有整書略例，以「因」、「益」、「通」、「互」四種方法編目；淸人章學誠撰校讎通義，揭示互著、別裁、條理等校讎法，已有索引法之理論。祁章兩氏實爲我國索引工作的先驅者。民元以來，國人一面承襲前人之經驗，一面接受西洋索

引法的影響，索引的編纂日漸增加。十九年起，哈佛燕京學
社編印引得叢刊及特刊，共六十四種，其中六十一種均爲書
籍索引。三十二年起，中法漢學研究所編印通檢叢刊，共十
五種，均爲古籍索引。廿三年，葉紹鈞編有十三經索引；廿
四年，王有三編有清代文集篇目分類索引，開明書店有廿五
史人名索引；廿五年，梁啓雄有廿四史傳目引得。凡此，均
有我國書籍索引之犖犖大者。

　　政府遷臺以來，在臺之美國亞洲學會中文研究資料中
心，由美國人艾文博 (Robert L. Irick) 主持，至六十八
年已編有索引十六種、目錄十一種。索引中，除三種外均爲
書籍索引。如：國語引得、李賀詩引得、人物志引得、韋應
物詩注引得等。零星出版的有：張以仁的國語引得、文星書
店的古今圖書集成索引、東海大學圖書館的唐詩三百首索
引、鼎文書局的古典複音辭彙輯林。

　　國外編印的書籍索引，十分可觀。日本方面，斯波六郎
有文選索引；佐伯富有中國隨筆雜著索引、宋代文集索引、
宋史刑法志索引、宋史兵志索引、資治通鑑索引等。京都大
學人文科學研究所出版有金史語彙集成、元史語彙集成、後
漢書語彙集成。香港方面，黃福鑾編有史記索引、漢書索
引、後漢書索引、三國志索引；周法高主編廣雅索引、廣雅
疏證引書索引。法國方面，巴黎大學漢學研究所繼中法漢學
研究所未盡之事業，編有漢學通檢提要文獻叢刊，如漢官七
種通檢、史通與史通削繁通檢、曹植文集通檢等。

　　依據漢學索引總目之記載，書籍索引凡三百八十三種，其中，國內編印者有二百三十一種。日本編印者有一百廿八種。

　　關於索引的發展與編纂問題可參考下列著述：

　　△一、索引和索引法：　錢亞新撰　民國19年　上海商務印書館　[8],100,11面　臺中文宗出版社有影印本

　　△二、引得說　洪業撰　民國21年　北平　哈佛燕京學社引得編纂處　69面　　臺北成文出版社有影印本

　　△三、中文資料索引及索引法　鄭恒雄撰　民國69年3月　臺北市　文史哲出版社　[14],112面

　　△四、漢學索引發展史簡編　蔡武撰　民國62年8月人與社會　1卷3期　63至71面

　　△五、索引法概要　羅曉峯撰　民國19年　文華圖書館專科學校季刊　2卷2期　157至183面

　　茲舉民元以來重要書籍索引數種爲例，說明如下：

　　△一、**哈佛燕京學社引得**（第1號至41號）　哈佛燕京學社引得編纂處編　⑴民國20年至39年3月　北平　該處41種　⑵民國55年　臺北市　成文出版社　40種　影印本（其中史記及注釋綜合引得未有影印；有美國哈佛大學影印本）

　　△二、**哈佛燕京學社引得特刊**（第1號至22號）　哈佛燕京學社引得編纂處編　⑴民國20年至24年　北平　該處23種　⑵民國55年　臺北市　成文出版社　20種　影印本。

（其中毛詩引得、莊子引得、墨子引得未影印，前二種有臺北弘道文化事業公司之影印本）

△三、**通檢叢刊**（第 1 至15號）　　中法漢學研究所編

(1)民國32年至41年　北平　該所　15種　(2)民國57年　臺北市　成文出版社　15冊　影印本

以上爲三種索引叢書，收錄古書索引極多，爲民國以來至四十一年間，編印書籍索引，成效卓著者。爲研究文史必備之工具書。

喬衍琯先生在索引漫談（刊書目季刊 2 卷 4 期）乙文中，將引得叢刊分爲以下幾類：

一、查書中重要辭彙的：計廿一種。如：禮記引得、白虎通引得、漢書及補注綜合引得、說苑引得、杜詩引得等。

二、逐字引得：計九種。逐字以爲目，包括虛字，兼及以詞爲目。都附有標校原書全文，極便查閱。由原書中任何一字均可查得其出處。如：周易引得附標校經文、毛詩引得附標校經文、論語引得附標校經文、孟子引得附標校經文、荀子引得附標校全文等。

三、查傳記資料的引得：計十六種。如：四十七種宋代傳記綜合引得、三十三種清代傳記綜合引得、全漢三國晉南北朝詩著者引得、宋詩記事著者引得等。

四、查書名、篇名、類名的：計八種。如：藝文志二十種綜合引得、四庫全書總目及未收書目引得、道藏子目引

得、日本期刊三十八種中東方學論文篇目附引得等。

五、引書引得：計十種。把古書中徵引之書彙編爲引得稱爲引書引得，其功用有三：㈠一書經何時還爲某書引用而可考圖書存佚情形，㈡可供輯佚之用，㈢可供校勘之用。如：毛詩注疏引書引得、周禮注疏引書引得、太平廣記篇目及引書引得等。

六、其他：讀史年表附引得及引得說二種。

此種分類係由其內容及功用而分。可知各書均極有用途。就形式言，包括單種及羣書之索引。有僅爲一書之索引者，亦有除索引外另附刊原書者。

通檢叢刊均爲單種書的索引，包括論衡、呂氏春秋、風俗通義、春秋繁露、淮南子、新序、申鑒、山海經等十五種。後來巴黎大學漢學研究所繼續此項工作，編印通檢提要文獻叢刊，已出版者有漢官七種通檢、抱朴子外篇通檢、抱朴子內篇通檢、夷堅志通檢、史通與史通削繁通檢、曹植文集通檢。

引得叢刊與通檢叢刊同爲古籍索引（除特刊第四、六、十三外），惟有下列幾點不同：

一、引得叢刊各書均用「引得」一辭、通檢叢刊則均用「通檢」一辭。二者意義相同。

二、引得叢刊均用中國學庋擷法編排，通檢叢刊則依漢字筆劃排列，同筆劃者再按諸字在康熙字典中之順序定先後。

三、通檢叢刊純爲一書之索引，無逐字引得，引得叢刊則兼有一書及羣書之綜合引得，並有九種逐字引得。

△四、**十三經索引**　葉紹鈞編　(1)民國23年9月　上海　開明書店　1718面　(2)民國44年　臺北市　該店　1718面　影印本

本書是將周易、尚書、毛詩、周禮、儀禮、禮記、春秋左氏傳、春秋公羊傳、春秋穀梁傳、論語、孝經、爾雅、孟子，計十三種古聖先賢述作之典籍編爲綜合索引。把經文逐語分割，按語首之筆劃多寡排列，下註該語出自何經何篇何章，如：「君子聽鼓鼙之聲，則思將帥之臣。禮：樂25」，卽表示此句出自禮記中之樂記第廿五節。書前有檢字表及篇目簡表，以趨簡易。有此一書，查尋經文，應手可檢。

查檢十三經各經經文，尙有以下諸書可用：

一、引得叢刊中有周易、毛詩、春秋經傳、周禮、儀禮、禮記、論語、孟子諸引得。

二、廣雅索引　周法高編　民國66年　香港　中文大學　725面。

三、四書章句速檢　陳立夫主編　民國65年　臺北世界書局　667[112]面　內除大學中庸外另有論語、孟子二書之索引，按筆劃編排。

四、四書纂疏附索引　黃麗華等編　民國66年　臺北市　學海出版社　34,520面　內有論語、孟子索引，亦係筆劃索引。

　　五、綜合春秋左氏傳索引　　（日）大東文化學院志道會研究部編　昭和10年3月　東京市　大東文化協會 800面。

　　△五、**史記索引**　黃福鑾編　(1)民52年　香港　崇基書院遠東學術研究所　728面　(2)民62年　臺北　大通書局影印本

　　本書以四部備要本史記（殿本）及四部叢刊本史記（百衲本）為依據，將史記中的名詞、重要事項及辭句列表編成索引。仿太平御覽分部，計有人名、地理、天時、姓氏、人事、服用、飲食、土功、學藝、工藝、職官、政教等。各部內的名詞按筆劃及部首排，分注備要本及叢書本的卷頁數。

　　編者另將漢書、後漢書、三國志編為索引，體例同此，合為四史索引。臺北大通書局均予影印。又，哈佛燕京學社亦編有史記及注釋綜合引得，以同文書局本為準，按庋擷法排，亦可用來檢索。

陸、文集索引

　　我國出版的文集數量頗多，收載篇目繁富。一般書目、索引多半未能裁篇收入，因此，檢索困難。後人遂有編纂文集索引之作，以應需要，首開風氣之先者始自王有三編的清代文集篇目分類索引。

△一、**清代文集篇目分類索引**　　王有三編　⑴民國24年11月　北平　國立北平圖書館　1223面　⑵民國54年　臺北市　國風出版社　1223面　影印本。

此書爲彙集多種別集及總集，條其篇目，按類編排的索引，計收清人別集四二八種、總集十二種。卷首有文集目錄、所收文集提要、所收文集著者姓氏索引、學術文之部目錄。

本書依著作性質，分三部：㈠學術文之部，分爲經、史、子、集四類，㈡傳記文之部，包括：傳狀、誌、贈序、壽序、哀、誄、銘、讚等各種文體。排列法分爲二：甲類依被傳者姓名排列；乙類依原文標題排列。㈢雜文之部，分爲書啓、碑記、賦、雜文等四類。卷中有傳記文目錄、傳記文部姓氏檢字表等，頗便查尋。

除了清代文集而外，近年來日人相繼編印宋代文集索引及明代文集目錄。民國六十八年，香港大學亞洲研究中心出版黎樹添及楊國雄合編的現代論文集文史哲論文索引，收錄民國文集達八五五種，篇目一○三一八條。

柒、期刊索引

期刊（Periodical）是指刊期間隔較短，且在一定名稱之下，集合多人的創作，分期刊行的出版品。每期在內容及編排上具有一定的標準和形式，爲前後連貫、卷號賡續之連

續性出版物。 我國出版法及其施行細則中均無「期刊」之名，但有「雜誌」及「新聞紙」，兩類。前者指「用一定名稱，其刊期在七日以上三月以下之期間，按期發行者而言」，後者指「用一定名稱， 其刊期爲每日或每隔六日以下之 期間，按期發行者而言」。美國圖書館學家 Lucile F. Fargo 女士依據英美編目規則(Anglo-American Cataloging Rules) 的解釋， 加以歸併， 認爲期刊一辭，包含雜誌與報紙。

期刊的內容廣泛、資料新穎、出版迅速，因此，不僅成爲現代社會中知識傳佈的媒介，更成爲學術研究的利器。加以，現代對於期刊的書目工作，日益進步，更形提高了期刊利用的價值。各類期刊工具書（參見下節）乃應運而生，利用這些工具，可以迅速正確地找到所需的資料。期刊索引就是最主要的期刊工具書。

清嘉慶廿年（一八一五年）於麻六甲有教士創辦察世俗每月統記傳 (Chinese Monthly Magazine) ，爲第一種中文期刊。道光癸巳十三年六月十六日（一八三三年八月一日）又於廣州創辦了我國第一種中文期刊，稱爲東西洋考每月統記傳。從此以後，「期刊」在我國萌芽、成長、終至遍佈全國。近今，最保守的估計，我國的期刊，種數約有兩萬種。各種期刊，各卷各期所載文獻，不知凡幾？由於期刊文獻的不斷增加，期刊索引更形重要。

早在民國十二年， 清華大學政治學會編有政治書報指南， 彙錄有關政治學書籍及論文， 似爲吾國第一種期刊索

引。（十八年出版第二期，亦包括期刊索引）。 十六年七月，日人在上海的東亞同文書院支那研究部出版了支那研究第一期附有主要中國雜誌記事索引，第十五期更名爲主要中國雜誌新聞記事索引。十八年，廣州中山大學教育研究所出版教育論文索引、國立北平圖書館出版國學論文索引。直到十九年二月，上海人文月刊社出版人文月刊，各期附有最近雜誌要目索引，爲國人自編的第一種定期性普通期刊索引。廿二年十二月，中山文化教育館編印期刊索引，定期單行。

　　政府遷臺以來，臺灣省農業試驗所首開風氣之先，於民國三十六年，編印臺灣省光復前農業化學論著索引。以後，臺灣銀行經濟研究室、革命實踐研究院、中華農學會、國防研究院、國立臺灣大學圖書館、臺灣省文獻會、國立臺灣師範大學圖書館、國立中央圖書館等各機關學校及個人編印各種期刊索引，成果豐碩。據漢學索引總目之記載，民國以來編印之期刊索引達三百八十二種。

　　△一、**人文月刊**　　人文月刊社編　民國64年　臺北市　東方文化書局　40冊　影印本

　　△二、**人文月刊雜誌要目索引**　　人文月刊社編　民國64年　臺北市　天一出版社　10冊　影印本

　　△三、**期刊索引**　中山文化教育館編　民國22年11月至26年6月　南京　該館　1卷至8卷

　　人文月刊十九年二月在上海創刊。發刊至廿六年十二

月、因八二三淞滬之役停刊，卅六年再復刊，惟僅出一期。前後出版一卷一期至八卷十期及復刊號九卷一期。該館以蒐集及整理文獻爲宗旨，內容以現代史料爲中心，每期除史料性論著，大事類表外，有「最近雜誌要目索引」，約占各期篇幅之半。每期所收期刊（含報紙專刊，如大公報文史周刊、醫學周刊等）約二五〇種。臺北婁子匡先生主持東方文化書局時將一至八卷影印行世。同年，天一出版社將其中「最近雜誌要目索引」輯印成書，連復刊號一併列入，共十册，使用較人文月刊全套便捷。此索引仿杜威十進法編排，每一條目著錄其篇目名稱、著譯者、刊名、卷期、頁次、出版時等，篇首有收錄一覽表，可資查考。

　　中山文化教育館印行之期刊索引，發刊較爲晚，資料豐富。體例迭有變動。一卷一至四期，各期分爲分類索引及著者索引兩部。一卷五至三卷二期則爲著者、篇名、標題混合索引，按筆劃排列，爲典型之字典式索引。頗具特色。三卷四期又改用分類索引，取消著者索引。四卷一期起又恢復著者索引。全書採用杜定友漢字形位排檢法編排。三卷三期有法律論文索引專號、三卷六期有五年來教育論文索引。此刊未單行前，曾附刊於時事類編之末。

　　以上兩種索引收錄民國十九年至廿六年之資料，爲檢尋此一時期資料之重要線索。

△四、中文期刊論文分類索引　　國立臺灣大學圖書館

編　民國49年起　臺北市　該館　不定期

　　△五、中華民國期刊論文索引　　國立中央圖書館編
民國59年1月起　臺北市　該館　月刊

　　　　此爲政府遷臺以來重要之普通期刊索引。前者收錄資
料較爲嚴謹，大約年出一輯。第一輯收編期刊三十種，至十
五輯，已增至三八五種。年出一輯，册數少，查閱較便。全
書按中國圖書分類法編排，各款下按年代爲序。

　　　　中華民國期刊論文索引，爲現刊（Current）性索
引。每月出版一次，收編前兩月當月之資料，如八月號收編
六月份之資料。參照中國圖書分類法編排，每期前有凡例、
分類表。正文後有收編期刊一覽表及作者索引。每一條目著
錄：篇名代號、篇名、著譯者、刊名、卷期、起訖頁數、出
版年月。創刊時收編四七六種期刊之篇目，以後續有增加。
以民國六十八年六月號爲例，增至六七〇種。每期收論文約
一千六百篇。民國六十七年出版六十六年度彙編本，收編論
文二〇八三六篇，爲本刊最早出版之彙編本。本書創刊之初
曾參考日本國會圖書館編印之雜誌記事索引，故體例及功用
相似。先後由筆者、李秀娥、吳碧娟等人纂輯。

　　　　△六、東洋學文獻類目　　京都大學人文科學研究所附屬
東洋學文獻中心編　民國24年起　日本京都　該中心　年刊

　　　　△七、**Journal of Asian Studies, Annual Biblio-
graphy.**　美國亞洲學會編　民國30年起　美國密西根　該
會　年刊

△八、**Revue Bibliographique de Sinologie** 民國
44年起 La Hage, Mouton 不定期刊

　　三書爲國外出版有關我國與漢學研究之重要工具書，
就內容言都包括專書及論文。民國二十四年（昭和十年）日
本東方文化學院京都研究所創編東洋史研究文獻類目，五十
二年改稱東洋學文獻類目，其中關於我國的文獻占大部份。
包括中、日、英等各種語文之資料，十分豐富。美國亞洲學
會定期編有亞洲研究學報（Journal of Asian Studies)季
刊，原名遠東季刊（Far Easten Quarterly），每年有一
期爲亞洲研究書目年刊（Annual Bibliography)，是西文
關於我國文獻最豐富之書目，有一九四一年至一九六五年，
及一九六六年至一九七〇年之著者及標題書目彙編本行世，
查閱較便。凌公山先生編有 Bibliography of Chinese
Humanities: 1941-1972 (近三十年中國文史哲論著書目)即
據此彙編本輯印。Revue Bibliographique de Sinologie
原在荷蘭編印，後遷法國。取材不若前兩書廣博。而去取嚴
謹，不論專書或論文均有提要，用英文或法文撰述。

　　△九、**中國史學論文引得**（1902-1962） 余秉權編 民
國64年 臺北市 華世出版社 31,572面 影印本 另有泰
順書局影印本

　　△十、**中國史學論文引得續編**（1905-1964）：歐美所
見中文期刊文史哲論文綜錄 余秉權編 民國59年 美國
麻州 哈佛大學哈佛燕京圖書館 694面 （哈佛燕京圖書

館目錄叢刊第一種）　在臺有影印本

　　△十一、中國近二十年文史哲論文分類索引　　國立中央圖書館編　民國59年　臺北市　正中書局　852面

　　　　中國史學論文引得正編是前香港大學教授余秉權先生據港大馮平山圖書館、新亞書院、星島日報社及林仰山教授 (F. S. Drake) 等所藏期刊及縮影膠片編輯而成，民國五十二年由香港亞東學社印行。收編期刊凡三五五種，得論文一〇三二五篇。每一篇註明其作譯者、論文題目、期刊名稱、出版年月、頁號起訖及附註等項目。各條按作譯者編排，而以姓名筆畫多少據康熙字典字序定先後。每一作者均行編號，共得著作者三三九二人。同一作者諸文，則依發表先後爲序。相當某人之著作年表。年月採西曆爲準。書前有所收期刊一覽表，臚列各期刊之編者、出版者、出版地、創刊日期、收編卷期，對於各卷期主編及編輯者錄列甚詳。書末有卷期年月及標題檢字輔助索引各一。尤以標題索引最便查檢。續編收期刊五九一九種。得作譯者八四二五人、論文二萬五千篇。體例同前，惟無標題等輔助索引。

　　　　國立中央圖書館之中國近二十年文史哲論文分類索引，與前書同以「國學」爲範圍。收錄三十七年至五十七年出版之期刊二六一種、論文集三十六種。兼及海外地區之期刊。共錄列論文二萬三千六百二十六篇。分爲哲學、經學、語言文學、歷史、專史、傳記、考古學、民族民俗學、圖書目錄學等十類。十大類下再分七十六小類。各條目著錄其篇

名代號、篇名、著譯者姓名、刊物或論文集名稱、卷期、起迄頁次、出版日期。書末有著譯者索引，收錄期刊及論文集一覽。其體例簡言之是分類索引附著者索引，中國史學論文引得則是著者索引附標題索引，功用相同而體例有殊。此三書函蓋時間頗長、資料豐富、爲文史研究之重要工具。

捌、報紙索引

　　我國的報紙發軔於春秋戰國時代。漢代有發自京師諸王邸的「邸報」。唐宋承襲此種制度，爲我國官報之鼻祖。元明或稱「邸抄」，清代改稱「京報」。民元以後衍爲「政府公報」。 自漢唐邸報至清代京報， 歷時千餘年， 爲官報時期，內容以記載宮廷生活，詔令奏章及官員升遷爲範圍，讀者以士大夫爲主。

　　嘉道以降始有西人創辦西文及華文報紙，爲我國近代的報業之基石。惟初期的報紙與雜誌的體裁相類。在察世俗每月統記傳發刊後四十三年，卽清咸豐八年（一八五八年），香港的孖剌西報 (Daily Press) 接受伍廷芳的建議， 出版中文版，定名爲「中外新報」，爲我國第一家日報。咸豐十一年十一月下旬，上海的字林西報(North China Herald)也出版中文版，定名「上海新報」。爲國內出版最早的中文報紙。初爲週報，至同治十一年（一八七二年）改爲日報，繼上海新報以後， 香港德臣西報 (China Mail) 有「華字

日報」、上海英人美查（Ernest Major）之「申報」、英人丹福士（A. W. Danforth）之「新聞報」、天津德崔林（G. Detring）之「時報」等。

　　甲午戰爭之後，政論性報紙自上海、北京、天津及港澳等地，發展到全國。據戈公振的統計，自一九〇二年以後海內外知名的政論報刊，共有日報二百十六種、雜誌一百二十二種。民元，「全國的報紙數量為二百七十家」。⑩「至民國廿四年，已達一七六三家，其中南京一二二家，北平一一七家，上海五十家，武漢三七家，廣州十七家，天津五家」⑪臺灣於卅四年光復之初，全臺祇有一家臺灣新報，經改組為臺灣新生報，至七十年，臺澎金馬共有報紙卅一家。

　　民國三年四月公布之報紙條例第一條之規定：「用機械或印版，及其出化學材料印刷之文字，圖畫，以一定名稱繼續發行者，均為報紙」⑫。我國現行出版法對報紙之解釋是：「指用一定名稱，其刊期每日或每隔六日以下的期間，按期發行者而言」⑬。出版法中稱為新聞紙。美國圖書館協會出版的圖書館學術語辭典的定義是：「按一定期間刊行，通常刊期為每日、每週或每半週發行一次，報導及評論時事之出版品」⑭。報紙發行迅速，內容新穎，時效遠在書籍之上。其內容精要，較書籍所載更能節省閱讀之時間。紐約大學教授龐德（Bond. F. Fraser）指出報紙的功能有四：告知（to Inform）、解釋（to Interpret）、服務（to serve）娛樂（to entertain）⑮。報紙實具有報導性、社會性、教育

性三大功用。現代社會中，報紙是人們日常接觸最多，樂意
閱讀的資料。今日的新聞，卽爲明日的歷史，報紙可稱爲
「逐日之百科全書」，具有保存與利用之價值。

　　我國出版的報紙，數量可觀。一種報紙一日卽印數張，
日復一日，其出版量極爲驚人。現代的圖書館都感受到報紙
成長的壓力，爲了有效地保存與利用，紛紛謀求解法之道。
常見的處理方式有：一、攝製微影資料（Microform）：將
報紙拍攝成膠捲、膠片，縮小體積，便於庋藏利用；二、編
印縮印本：將原版縮小，再予印製，便於索借翻閱，如日本
朝日新聞，我國的聯合報、中央日報、經濟日報等有縮印本
行世；三、製作剪輯：把報紙的內容，分類剪輯，以利查
考；四、製作索引：把報紙上所記人、地、事、物諸等資
料，提作款目，註明出處，序列成表，以爲檢索之工具。

　　西洋各國的報紙，大都編有索引，查檢稱便。我國報紙
的歷史雖久，惟索引甚爲缺乏，影響報紙文獻的利用甚鉅。
玆誌我國主要報紙索引如次：

　　一、時報索引　　杜定友主編　民國15年　上海　國民
大學

　　二、日報索引　　中山文化敎育館編　民國23年 5 月31
日至26年 7 月15日　南京　該館　月刊

　　三、國防研究院圖書館中文日報論文索引　　國防研究
院圖書館編　民國43年 1 月　陽明山　該館　月刊

　　四、報紙論文索引　　國際關係研究會編　民國46年

臺北市　該會

五、中文報紙論文分類索引　國立政治大學社會科學資料中心編　民國52年起　臺北市木柵　該中心

六、新聞紀要與新聞索引　郭榮趙編　民國59年1月至63年6月　陽明山　新聞紀要與新聞索引月刊社　月刊

七、中央日報近三十年文史哲論文索引　餘光編　民國60年8月　臺北市　編者

八、中文報紙文史哲論文索引　（一九三六至一九七一）張錦郎編　民國62年3月　臺北市　正中書局　2册

九、聯合報縮印本第一輯索引　聯經出版事業公司編　民國65年　臺北市　該公司　394面

十、民報索引　（日）小野川秀美編　昭和45年至47年　京都　京都大學人文科學研究所　2册

　　漢學索引總目收錄我國報紙索引計二十五種。此外，期刊索引中亦有兼採報紙資料的。如中國雜誌新聞雜事索引、人文月刊最近雜誌要目索引、臺灣文獻分類索引等是也。我國報紙索引，大都只採錄報紙的「論文」資料，占報紙絕大部份的新聞資料大都未能編入，其功用自不免有限，究其原因，想係排檢及標題法之未能盡善盡美之故，這是尚待研究改進之課題。

　　△一、日報索引　中山文化教育館編　民國23年5月31日至26年7月15日　南京　該館　月刊

△二、新聞紀要與新聞索引　　郭榮趙編　民國59年 1 月至63年月　臺北市　編者印行　月刊

　　兩種索引都是多種報紙索引，不僅是論文索引而已，同時收編報紙的新聞資料。日報索引取材於上海申報、新聞報、時事新報，南京中央日報、漢口武漢日報、西京西京日報、天津大公報、北平北平晨報、香港工商日報、香港循環日報、南洋星州日報等十一、二種。收錄各報之新聞、論文、報告、小說等資料，分門編排，計分：社會、政治、軍事、國際、法律、經濟、交通、教育、學術、自然十大類，每類各分若干目，每目再分子目。每期有分類及著者索引兩部。

　　分類索引按分類表排，同類目者按日期先後排列，同日期者再按筆劃次序排列。類目下每條著錄：報題、報名（用簡稱，如申報作「申」）、日期（如10月 1 日作 1.10）、張數與版數（如第一張第四版用斜體字作 1： 4。如爲夜報或增刊張版則用羅馬字區別）。著者索引按姓名筆劃多少爲序，同筆劃者再按杜定友漢字形位排檢法排列。每條著錄：著者、報題、報名、時期、張數與版數。凡新聞或論文之繼續上期者，於報題後以 (+) 符號表示之。本索引取材注重申報，每月出一冊，半年爲一卷，一月份出版之報紙內容，收在三月份的索引內，餘依此類推。其一至四期併於該館發行之「期刊索引」內，以後再獨立發行，爲我國第一種定期單行的報紙索引。

新聞紀要與新聞索引，收編報紙二十餘種、雜誌一百十餘種。是報紙索引，也兼有雜誌索引的作用，重要的事件且有摘要，故是索引，也兼有「摘要」的功能。因之，本索引又名中國當代的記錄。此爲繼日報索引後，體例較爲完備的報紙索引。每期分七大類：總統與副總統、各級政府機構、其他機構團體、社會動態、近代中國研究新材料、大陸情勢、人物。各類再細分子目。每條著錄：日期、事實摘要、報名代字、版次。篇末有索引多種，頗便查尋。

△三、聯合報縮印本第一輯索引　　聯經出版事業公司編輯部編　民國65年　臺北市　該公司　394面

聯經公司將民國四十年九月十六日至四十四年十二月三十一日的聯合報縮印爲十六開本，本書就是查檢此縮印本之綜合索引。是單種的報紙索引。全書分爲文告、法規、社論、論述、副刊等五部份，每部再分子目。每條著錄資料名稱、發表的年月日、版次及縮印本總頁碼。書末另附大事記，按日期條列重要新聞。

△四、中文報紙論文分類索引　　國立政治大學社會科學資料中心編　民國52年起　臺北市　該中心　年刊

△五、中文報紙文史哲論文索引　　張錦郎編　民國62年至63年　臺北市　正中書局　2册

兩種索引都僅收編報紙的「論文」資料。政大社會科

學資料中心編的報紙索引，收錄港臺出版的報紙約二十種。自五十二年起，年出一輯，收錄各報之社論、專論及副刊論文，參照中國圖書分類法分類編排。不錄自然及應用科學類論文。曾一度交由臺北市天一出版社承印出版。

　　中文報紙文史哲論文索引收錄中央日報、臺灣新生報、臺灣新聞報、中華日報、聯合報、自立晚報、公論報、申報、東南日報、大公報、益世報、商報、新聞報等中文報紙二十種，輯錄二十五年四月至六十年五月間有關文史哲論文一二一二七篇。第一冊為中央日報部份，第二冊則包括其餘各報。全書分為分類、著者、標題三部份。分類索引各條按著者姓名筆劃為序，同著者之論文再依年代為序。

玖、期刊工具書

　　期刊的工具書有期刊書目、期刊索引、期刊摘要與目次選刊 (Current Content)、期刊指南、期刊年鑑、期刊年表。都是利用期刊文獻的有效工具。利用期刊索引，往往還要查檢有關的期刊工具書，才能獲至圓滿的答案。期刊索引之概況，前文已述及，此地不贅述。茲依據拙著「我國期刊工具書編纂的回顧檢討與展望」一文⑯，分述與期刊索引有關之其他各型參考書：

　　㈠期刊書目：書目的一種。著錄各種期刊的刊名、刊期、創刊年月、編者、收藏卷期等書目資料。主要功用在於

揭示圖書館的期刊資源。不在分析各別雜誌之篇目內容。民國廿四年，胡道靜編有上海的定期刊物，譚卓垣亦有廣州定期刊物的調查。廿六年三月鄭慧英等編有中國雜誌總目提要、收錄中文期刊達二千餘種。政府遷臺以來，我國出版的期刊書目約有五十種，有館藏期刊目錄、期刊聯合目錄、專題期刊目錄、報紙目錄四類。茲撮要舉例如下：

△一、**國立中央圖書館館藏期刊目錄** 國立中央圖書館編 民國66年 臺北市 該館 〔12〕,838面

△二、**中華民國臺灣區公藏中文人文社會科學期刊聯合目錄** 國立中央圖書館編 民國59年5月 臺北市 該館 283面

△三、**中華民國中文期刊聯合目錄** 國立中央圖書館編 民國69年 臺北市 該館 2冊

國立中央圖書館依據出版法徵集全國出版品，故蒐藏期刊頗為豐富，該館曾於四十八年及五十五年出版館藏目錄。六十六年再增訂出版，收錄六十四年十二月以前之期刊。其中中文期刊三〇二五種、西文一一二一種、日文四五一種、西文政府出版期刊一〇二六種，合共五六二三種。為在臺出版藏量最大之館藏目錄。五十九年，該館受中美人文社會科學委員會之資助編印出版中文人文社會科學期刊聯合目錄。收錄清同治七年至民國五十七年間之中文期刊，共二三三七種，為國內七所圖書館之聯合目錄，按刊名筆劃為序，頗便尋撿。六十九年，又聯合國內一百七十一所圖書館

的各類中文期刊，編印中文期刊聯合目錄，共收七四一〇種，資料截至六十八年止，仍按刊名筆劃爲序，爲國內最大之期刊目錄，利用王安2200VS中文電腦處理，使用COBOL程式語言，自行發展之軟體（Software）。全部資料除利用電腦中文矩陣打字機打出，再經照相製版印出外，並可在終端機（Terminal）上作線上查詢服務。爲此一目錄之最大特色。每一期刊著錄其刊名、羅馬拼音刊名、刊期、創刊期、出版地、編輯者、出刊者、備註、分類號碼、國際期刊標準號碼（ISSN）、總藏卷期及年代、各館簡稱及其館藏卷期年份。書末有分類索引及羅馬拼音刊名索引。各刊之書目資料記載較前修之中文人文社會科學期刊聯合目錄簡略。

上述三種外，收藏三十八年以前國內中文期刊之目錄尚有：一、中國現代史資料調查目錄（報紙、雜誌、公報），中央研究院近代史研究所編輯，五十八年八月，油印本。收錄黨史會所藏光緒二十八年至三十八年之我國報紙一四二〇種、雜誌一五三九種、公報三七八種，合共三三三七種。二、國立中央圖書館臺灣分館館藏期刊報紙目錄，收錄清末至民國三十八年之期刊八八九種、報紙七十六種，合共九六五種。

國外出版關於我國之期刊目錄。依據 Theodore Besterman 編輯之 A World Bibliography of Oriental Bibliographies 之記載，此類書目達四十九種。如倫敦大學亞菲學院現代中國研究所編印之A Bibliography of Chinese

Newspaper & Periodicals in European Libraries. 美國國會圖書館的 Chinese Periodicals in the Library of Congress。 日本東洋文庫印行的日本主要研究機構圖書館所藏中國文新聞雜誌總合目錄、國立國會圖書館印行的國立國會圖書館所藏中國語朝鮮語雜誌目錄、香港大學亞洲研究中心印行的香港大學馮平山圖書館所藏中文期刊目錄，都是重要的期刊書目。

關於報紙之目錄，張錦郎編有中文報紙目錄附於中央日報近三十年文史哲論文索引一書之末。 記載國立中央圖書館、臺灣大學、黨史會、以及美國國會圖書館之蒐藏。

㈡**期刊摘要及目次選刊**：期刊摘要是將期刊之篇目內容以簡潔的文字敍述，按一定方法編排、以利查考之工具。目次選刊則選輯相關的期刊，彙錄其篇目，定期刊行，以便卽時迅速參考之工具。如教育論文摘要、新到雜誌目次選刊是也。

㈢**期刊指南**：期刊指南收編現行期刊作系統的編排，以供選購採訪之南針。除臚列一般書目資料外，並有售價及訂購線索等資料，在體例上注重主題檢索（Subject Approach），定期修訂，以保持內容之新穎性。

△一、**全國雜誌指南**（民國66年至67年版）　鄭恒雄編　民國66年　臺北市　撰者印行　7,187面

△二、**An Annotated Guide to Taiwan Periodical Literature 1972** 艾文博 (Robert L. Irick) 編; 何光謨修訂 民國61年8月 臺北市 成文出版社及美國中文資料及研究中心 9,174面

全國雜誌指南共出版兩回，第一回爲民國六十一年九月出版，收錄期刊一一八九種，參照中國圖書分類法編排。每一期刊著錄其刊名、刊期、創刊年月、提要、主編、編輯者、出版地、出版者電話、郵政劃撥帳號、售價、適宜訂閱之圖書館，以及收編此刊物之索引。附錄有: 民元以來我國期刊日報索引目錄、影印期刊目錄、創刊期刊目錄、停刊期刊目錄。書末有全書總索引。六十六年版體例同前。此兩回實爲民國五十八年八月筆者與張錦郎合編之中華民國出版期刊指南之續編。全國雜誌指南係仿照美國鮑可 (R.R. Bowker) 公司出版的國際期刊指南 (Ulrich's International Periodical Directory: A Classified Guide to Current Periodicals, Foreign & Domestic) 之體例。艾文博纂輯之期刊指南，用英文撰述，於五十五年創編，六十二年出版增修本，有提要，但收列種數不多。

鄭保羅編有香港中文期刊指南附解題，名爲 An Annotated Guide to Current Chinese Periodicals in Hong Kong. 。臺北成文出版社予以出版。

㈣**期刊年鑑**: 是按年統計期刊出版狀況、報導期刊界大

事，以便觀覽借鑑的工具書。民國四十三年，臺灣省雜誌事業協會出版中華民國雜誌年鑑，介紹國內一四八家雜誌社，爲我國第一種期刊年鑑。可惜，未能逐年續刊。中國出版公司印行之中華民國出版年鑑，內含雜誌概況，可作期刊年鑑用。

　　㈤**期刊年表**：是編年體記述期刊史實的工具書。便於稽考史事。張玉法編撰近代中國書報錄（一八一一至一九一三），分上中下三篇，載於政治大學新聞研究所出版之新聞學研究七至九輯。上起嘉慶十六年，下迄民國二年，錄列百年間創設之報刊和出版的書籍。全部凡一三一面，資料豐富，可窺我國期刊之發展史。每一報刊，記其創刊年代、刊期、負責編輯者、出版者等資料，惜詳略不一，爲其缺點。

附　註

① 洪業，引得說，影印本（臺北市：成文出版社，民國55年），頁５。
② 王征，圖書館學術語簡釋（臺中市：東海大學，民國48年），46頁。
③ American Library Association A.L.A. Glossary of Library Terms, With a Selection of Terms in Related Fields Chicago, Ill., 1943 P.72
④ 王省吾，圖書館事業論（臺北市：華夏文化出版社，民國52年），頁103。
⑤ Allen Kent etc. Encyclopedia of Library and Information Science, New York, Marcel Dekker, Inc., 1974. Vol. Ⅱ.

P.286

⑥ 金夫，「穿針引線的索引——談期刊報紙的索引」，中央日報讀書選集第一集（臺北市：中央日報社，民國60年），頁196。

⑦ 梁啓超、胡適等，國學研讀法論集（臺北市：牧童出版社，民國63年），頁46-47。

⑧ 同註⑥，頁196-197。

⑨ 吾友喬衍琯研究陳振孫直齋書錄解題發現此段文字，曾示筆者參考。

⑩ 姚朋，「道義真理的衛士，三民主義的尖兵：中國新聞事業發展經緯」中華民國新聞年鑑（臺北市：臺北市新聞記者公會，民國70年），頁8。

⑪ 同上註，頁9。

⑫ 錢震，新聞論（臺北市：中華日報社，民國65年），下冊頁781。

⑬ 中國出版公司，中華民國出版年鑑（臺北市：中國出版公司，民國68年），頁435。

⑭ 同註③，頁91。

⑮ 蘇精，「淺談報紙參考與報紙索引」，國立中央圖書館館刊新第9卷1期（民國65年6月）：10。

⑯ 鄭恒雄，「我國期刊工具書編纂的回顧檢討與展望」，中國圖書館學會會報第29期（民國66年11月）：頁126-150。

第四章　字典與辭典

壹、意　義

　　專以解釋文字之形體、聲音、意義及其用法的書，稱爲字典，解釋二字以上之辭者則稱爲辭典。說文解字：「字，乳也，从子，在宀下」。段注：「人及鳥生子曰乳，獸曰㹠，引申之爲撫字。亦引申之爲文字。紱云，字者，言孳乳而寖多也」①又有：「典，五帝之書也；從『册』在『兀』上，尊閣之也」②。今人蘇尙耀氏從一切經音義索引中發見，隋唐以前已經將「字」與「典」聯用爲字書的專名。惟一般均以字典一辭肇始於清代康熙皇帝敕編之康熙字典。御製序有言：「其書始成，命名字典，於以昭同文之治，俾承學稽古者，得以備知文字之源流，而官府吏民亦有所遵守焉」。在此以前的字書，自說文解字以下，或稱「字林」（如晉呂忱有字林），或稱「字苑」（晉葛洪有要用字苑），或稱「字統」（封氏聞見記謂，後魏楊承慶撰字統，張自烈正字通引證書目則題陽尼字統，是一書，是兩書，不詳），或稱「玉篇」（梁顧野王撰玉篇），或稱「字樣」（唐玄度有九經字

樣），或稱「字書」（唐顏元孫有干祿字書），或稱「字彙」（明梅膺祚字彙），或稱「字通」（明張自烈有正字通）等。

辭海對於字典的解釋，認爲字典卽字書。是：「解釋字體之所由構成，或詳其聲音訓詁者，並稱字書，古字書之存於今者，以說文解字、玉篇等爲最著，今俗所稱字典，皆字書也」。可見其義以爲字書與字典，名殊而實同。惟以今日檢字用觀點言，早期之字書、如爾雅、說文等，實爲「字學之書」，或主訓詁、或重六書，實有所偏，收字不必備，音義不必全，檢查尤屬不易。故可供小學研究之用，作爲檢索之工具書，則非所宜。

我國文字與西洋文字不同，西文於一事一物，往往以一字括之卽足，我國漢字則常需合數字以名之，因此，名物訓詁之書，又有字典與辭典之別。嚴格的說，字典專釋一字，辭典則專釋辭義。惟，目前坊間出版之字典，亦有兼載辭義者，辭典亦兼釋字義，二者無嚴格之區分，僅有輕重之別，字典以釋字爲重，辭典以解詞爲主。字典與百科全書均解釋文辭。但字典是闡述一字之形體、音韻及其各種意義，百科全書則詳述事物之原委，以敍事爲主，此爲二者之分野。目前坊間出版之辭書，其詳略有介於百科全書及一般字典者，可稱之爲百科辭典、或百科事典（cyclopedia）。

貳、簡　史

　　東漢許愼說文解字，成於和帝永元十二年（西元一百年），是我國第一部字典。也是我國文字學史上開天闢地的第一本大作。雖然，我們從漢書藝文志得知，在此之前，尚有史籀篇、蒼頡篇（以及凡將、急就、元尚、訓纂篇等種種字書），但就今存急就篇以及諸家輯引之史籀篇、蒼頡篇斷簡零縑看來，它們都是纂輯字彙編成四字或七字句，爲歌訣體之學童識字讀本。爾雅、釋名諸書爲「訓詁」、「名物」之書，僅及字義。說文解字一書則綜合文字的結構、形義、讀音，作有系統的整理。堪稱爲我國字典的鼻祖，亦爲第一部按部首部居的字典，而許愼卽爲部首法的創始人。說文以後，歷朝修撰之字書頗多，據黃得時「歷代字書與常用字數」一文歷代重要字典如下：③

　　一、聲類十卷：魏李登撰、收字一一五二〇，以五聲命字、不立諸部。

　　二、字林七卷：晉呂忱撰，收字一二八二四，較說文的九三五三字（不計重文）多三四七一字，循說文分別部居。

　　三、字統二十一卷（隋志）、二十卷（唐志）：後魏（一說齊梁）楊承慶撰，收字一三七三四，亦憑說文爲本。

　　四、廣雅十卷：後魏張揖撰，收字一八一五〇，按字詞性質分類。

　　五、玉篇三十卷：顧野王編，收字二二七二六，以說文部首類字。

　　六、廣韻五卷：隋陸法言撰，唐孫愐重刊，宋陳彭年重

修，收字二二七二六，分二〇六韻，按韻編。

七、韻海鏡源三百六十卷：唐顏眞卿撰，於切韻外，增字一四七六一，共二六九一九字，按韻編。

八、集韻十卷：宋丁度奉敕撰，收字約三萬。按韻編。

九、類編四十五卷：宋王洙、胡宿等撰，收字三一三一九，分五四四部。

十、字彙十二卷、首末二卷：明梅膺祚撰，收字三三一七九，變易說文等書之部首，改從楷體，後世正字通、康熙字典，均仿此例。

十一、洪武正韻十五卷：明樂韶鳳等撰，收字三二二五四，按韻編。

十二、正字通十二卷：明張自烈撰，收字三三四四〇。

十三、康熙字典四十二卷：清張玉書等奉敕撰，收字四七〇三五。分部二百十四。

綜上所述，可知，我國字典自說文以來，收字逐漸增多，至康熙字典而集大成，說文合重文不過一〇五一六字，而康熙字典時已增至四七〇三五字，字數約增五倍。就其編排言，有分類、部首、韻編三種方法，而此三種方法隨時代之演進而有變更。

民國以來編纂的辭書頗多，重要的有：中華大字典、辭源、辭通、辭海，政府遷臺以來編纂的有：中文大辭典、國語日報辭典、正中形音義綜合大字典、以及商務印書館編纂的雲五社會科學大辭典、中山自然科學大辭典、中正科技大

辭典。重修的則有辭源、康熙字典等。日本諸橋轍次編纂的
大漢和辭典，尤爲國際學術所重視。此外，民國以還，編
印出版的專科字典或辭典頗多，可參考美國中英譯學協會編
輯，由 Sandra Hixson 及 J.Mathias 合編的 A Compil-
ation of Chinese Dictionaries。民國六十四年由耶魯大
學遠東出版部印行，收錄我國辭書達一千餘種，分類編排，
爲最重要的字典及辭典書目。

叁、編排與著錄

　　我國文字兼具形、音、義三個要素，因之，在字典排檢
上，亦有形檢、音檢、義檢之法。民國以來，爲了解決排檢
法之困難，新形檢字法遂應運而生，如四角號碼法、德芸檢
字法等近百種，可統稱之爲「新法」。

　　爾雅，釋名等訓詁之書主義；切韻、廣韻等韻書主音；
說文解字、正字通等字書主形。以義排比者，因一字有數
義，不易分辨，故不便查檢；以音排比者，因韻編之書古人
耳熟能詳，查閱自然方便，今人多半不知韻，不便從音檢
字。且文字之音，因地而有異，音讀不確則不能檢得。今人
已極少採用，惟民國以後，政府頒訂國音注音符號、國音拼
音之法盛行，目前採國音排比之書漸多，查閱亦便，以形排
比者，源於急就篇（有「分別部居不雜厠」之語），始自說
文，歷千餘年，勢力最大。查閱雖較從義、從音爲便，惟缺

點仍多。如：部首不易確定、畫數時有出入，同筆劃之部首次第無準等。因之，仍有改進之必要。民國以來，以新法編排之字典及辭典漸多，其中採用王雲五四角號碼法，及國音排比者較為便捷。

字典及辭典條目著錄之項目為何，簡言之，一完備之字典及辭典著錄各字之形、音、義及用法。茲以詳備之辭典為例，分述其著錄內容：

一、形體結構：上溯甲骨金文，以及篆隸楷草諸體之變化，依其時代先後為次，以見文字構造之本源，而明字形之史的演變。其為或體、古字、俗字、略字、後起字等均需著錄說明之。為便明瞭，茲將各字形體，簡述如之：

㈠甲骨文：商代（公元前一四〇〇年）的文字，屬於當時王公問卜的記載，故稱「卜辭」，因為都契刻在龜甲獸骨上，又稱「契文」。

㈡金文：三代流傳下來的古文，除甲骨之外，大都銘刻在金屬物——銅器上面，故稱「金文」，或稱「鐘鼎文」。

㈢大篆：世稱周宣王（公元前八二七年）太史籀就古文中加以增損而成，又稱「籀文」。漢書藝文志載：「周宣王太史作大篆十五篇」，許慎說文解字序始有：「周宣王太史籀」。大篆是指西周後期至秦始皇統一文字以前的字體而言，其字體較古文弧圓、線條勻稱。

㈣小篆：秦統一天下後所制定的文字，李斯作倉頡篇、

中書令趙高作爰歷篇、太史胡母敬作博學篇，均據大篆略加改省，後世稱爲「小篆」、或「秦篆」。

㈤古隸：秦時公文日繁，篆書漸感不能應急，有下邽人程邈在繫於雲陽獄中，改大篆、小篆筆法，爲始皇採用，用於公文，稱爲隸書。又因取其簡潔以佐篆書，又稱爲「佐書」。其特點爲變秦以前寫作之曲線爲直線，變劃爲點，變圓爲方，且漸擺脫象形面目而進於意符的使用。使文字趨於簡省實用，「隸書」有秦隸與漢隸，秦隸仍存篆意，漢隸則多逆筆突進，字體寬扁，波磔呈露，故秦隸或漢隸近於秦隸之筆意結體者，均稱古隸。

㈥八分：爲漢代最發達的字體，傳爲王次仲所作。以其書體頂狹下寬，格局有如「八」字，故稱八分（其意義持論不同）。字體逆筆突進、波磔呈露。秦漢立碑以紀功德，均用八分體，以昭鄭重。

㈦草書：是有組織有系統的簡省書體，創自漢初，源出隸書。初有章草，傳爲黃門令史游所作，簡約隸書而略帶波磔，實爲應急粗率的隸書。章草之後有今草，世傳爲後漢張芝所創，省立章草之波磔，筆筆連絡，可就己意加以發揮。東晉以後草書最爲流行，影響也大，隋唐而蔚爲大觀，而有狂草，爲唐張旭所作，書法疾速，詭奇。

㈧正書：又稱「楷書」、或稱「眞書」。源出古隸，宋宣和畫譜：「上谷王次仲，始以隸字作楷法，所謂楷書，即今之正書也」。魏鍾繇作賀捷表，爲正書之祖。以後歷晉唐

始盡脫隸意，是爲今之正楷。

㈨行書：爲正書之變體，介與正書與草書之間，以其有通行書體之意，故稱「行書」。世傳爲後漢劉德昇所創。無草書狂縱莫辨之弊，又較楷書簡率易作。

二、字音：

㈠反切與直音：每字下注本義之反切，以該字所見最早之韻書爲準。其餘韻書所載之反切，依時代先後列其下，未載者，從略。唐韻、廣韻、集韻、韻會、正韻之音一一臚列。反切相當於今之拼音。是古代注音的一種方法。反切之前注音之法有三：㈠擬音：以文字敍音，有長言短言之說、內言外言之說、急氣緩氣之說、籠口閉口橫口踧口之說、舌頭舌腹之說。㈡讀若：用音近之音注。有作「讀」、「讀如」「讀若」、「讀似」、「讀從」、「讀與某同」、「聲如」、「聲相近」、「聲相似」、「音若」、「音同」、「音近」、「音相近」。㈢直音：用同音字注之，例如：弓音宮、弔音鈞之類。以上之法，常欠準確，故有反切之法。一般以爲反切之法創於三國時魏孫炎之爾雅音義（一說東漢應劭之漢書音義已有反切）。其法合二字之音爲一字之音，上字取其發聲、去其收韻；下字祇取收韻，去其發聲；以合兩字之聲韻而爲一字之音。上一字與切成之字必爲雙聲，故凡爲切成字之雙聲者，皆可爲其上一字。例如：東爲德紅切，「東」與「端」、「都」、「當」、「丁」等均爲「雙聲」，故「東」

亦可爲「端紅」、「都紅」、「丁紅」切。下一字與切成之字必爲叠韻; 故凡爲切成字之叠韻者, 皆可爲其下一字。例如: 東爲德紅切。「東」與「翁」、「烘」、「工」、「空」等均爲叠韻, 故東亦可爲「德」翁、「德烘」、「德工」、「德空」切。

㈡國音: 民元, 教育部召開讀音統一會於北京, 議定注音字母三十九, 以代反切之用, 藉收讀統一之效。並由教育部公布國音字典以爲標準。目前大小字典或辭典, 多注此音, 以便尋檢音讀。

㈢韻目: 音韻四聲爲作韻文者所必知, 故中華大字典、中文大辭典, 均於音切之下, 復綴韻目, 使人見韻目即可知四聲, 亦便作文之用。

㈣羅馬拼音: 羅馬拼音的方式很多, 其要者有四種: (1)耶魯制(Yale System of Romanization), 爲二次世界大戰期間美國耶魯大學所創, 作爲敎授中文之用; 該校出版的中文會話字典及若干敎科書卽用此法。(2)威翟制 (Wade-Giles System of Romanization): 是民國元年 H. A. Giles' Chinese-English Dictionary (翟氏中英字典) 第三版所採行, 民國九年上海出版的國音字典列有此種拼音法。(3)漢語拼音制: (Pinyin System of Romanization): 近年來形成的一種拼音法, 香港和西方國家最近出版的書籍已使用此法。王芳宇中英字典採用此法。㈣國語羅馬字: 爲我國唯一正式的羅馬字法。民國廿一年內政部頒訂。我國印

行的字典多採用此法。國音常用字彙及商務版國語辭典均用
之。

　　㈤一字數音：一字有數音者，除本義之音外，其音依引
申義、假借義之音爲次，分列之。

　　三、字義及其用法：字義之解釋採自爾雅、說文、方
言、釋名等字書及史籍。一般而言，首列本義，次列引申
義、再次爲假借義。後二者又依詞性爲序，並附例句。

　　四、辭藻：辭藻列於最後，註明辭彙之出處及意義，使
閱者有渙然冰釋之快。辭藻解說，以直接解釋爲首，依次及
於轉義、應用、並以同義語類爲說明，並附載其出典與引
例，例句多半依經史子集及時代前後爲序，先以恰當之語句
解釋，再引例句。辭藻之排列有齊首字及齊尾字之分，如:
辭源、辭海等大部份辭典均爲齊首字排，後者如辭通，佩文
韻府等，因係韻編，故爲齊尾字，辭藻之排列有不論字數多
寡一律按檢字法排列者，有先分字數多寡，再按檢字法排列
者，分二字、三字、四字等。專門之辭典，尚有以詞義分類
編排者，如各種成語辭典，

　　五、圖表：圖表附於名詞之末，文物、史蹟、輿圖、動
植物等圖表，以三禮圖、禮記圖、金石索，西清古鑑正續、
古今圖書集成收錄圖、三才圖會、故宮圖錄等爲主，旁參各
史籍圖表。

此外，各字各條目間，需用互見之法使相貫串。所釋之字，辭，通常用特殊符號或方體字，以資醒目，而便檢索。

肆、組　　織

就一般而言，字典（辭典）包括下列各部份：

一、正文：係字典之主體，著錄資料及排列法如上述。

二、助檢與索引：現代出版的字典，除了正文部份採用排檢法編排外，另編有各種助檢及索引，以補助正文之不足。例如：部首索引、檢字表、難檢字表，書口之部首、筆劃及解釋字、以及書末（或書前）所附之各種索引。以正中形音義綜合大字典爲例，書前有部首索引，筆畫難檢字表。書末有注音符號檢字表各項助檢及索引，就檢索言，常較正文之排檢便捷。如果一本字典採用特殊之檢字法，通常在書前（或書末）列有檢字表及說明，以便讀者瞭解而利查閱。

三、附錄：字典之附錄、諸家不同，雖屬附庸，但可與正文參稽，如：大事年表、行政區域表、度量衡幣制表，節氣表，原子量表。姓氏異名表等。

以上係就詳備的大字典（辭典）而論其編排及著錄內容。然而，字典詳略不一，因其功用及使用對象而有不同。中小型的字典，其在形、音、義及用法上的不如大字典詳備，袖

珍字典，在形、音、義方面往往僅錄最常用及常見者。此外，字典有依其需要而專釋某一方面者，如：專釋形體，則爲文字形體字典；專釋音讀，則爲音韻字典；專釋虛字，則爲虛字字典；專釋成語，則爲成語辭典。此類字典（辭典）部册雖比大辭典爲小，但專釋某一方面，亦有其重要性。

伍、種　　類

　　一般參考書指南將字典辭典分別敍述。本文就利用的觀點與書籍的功能，區分爲以下幾種：

一、普通字典及辭典

二、特殊字典及辭典

　　㈠字源及書法形體字典

　　㈡音韻字典

　　㈢虛字字典

　　㈣歧字字典

　　㈤成語、諺語、格言、俗語、歇後語等特殊語類辭典

三、語文字典及辭典

四、專科辭典

陸、普通字典及辭典

　　此類字典及辭典，各類字、辭彙收，範圍廣泛，形、音、義及用法備載，適於一般之應用。

　　△一、**新修康熙字典**　　（清）張玉書、陳廷敬等奉敕撰；（清）凌紹雯等纂修；高樹藩重修　民國68年　臺北市啓業書局 2 册（71,2424,276面）

　　△二、**正中形音義綜合大字典**　　高樹藩編纂；王修明校正　民國63年　臺北市　正中書局　2284面　增訂本
　　上二書均爲部首法編排的字典。
　　康熙字典自清康熙四十九年編，至五十五年成書。費時五年，動員三十位學者，集體編纂。依據汪汲字典紀字所載計收四九〇三〇字，重文一九九五字。
　　㈠字體：一以說文爲主，參以洪武正韻，不悖古法、亦便於楷書。
　　㈡字音：悉用古人正音，反切一依唐韻、廣韻、集韻、韻會，正韻爲主。
　　㈢部首：沿字彙、正字通之次第，悉從今體改併，分部。部首按筆劃多寡分先後，部首相同的再依筆劃排。
　　㈣訓義：字有正音、先載正義。引書次第，經之後次史，史之後次子，子之後次以雜書，各書後依年代先後序列。
　　㈤字彙：備采字書，韻書、經、史、子、集，來歷典

確者，其餘「或字不成楷，或音義無徵，則列入備考。」

㈥引書：備載書名、篇名，並列各註家姓氏。

原書以十二地支記之，書前有凡例、總目、檢字、辨似（筆劃相似、音義不同）、等韻各乙卷。書末有補遺（僻字）、備考各乙卷。此書訛誤頗多，爲之訂正者有：⑴道光間王引之字典考證，更正二五八八條（民國五十一年，臺北世界書局有影印本，另附篆字譜），⑵光緒十一年日人渡部溫著訂正康熙字典，考異一九三〇餘條，訂正四千餘條（民國五十四年，臺北藝文印書館有影印本）。近人陸費逵評康熙字典之缺點有：解釋欠詳確，訛誤甚多；世俗通用之語、多未採入，體例不善，不便檢查；二百餘年未加以修改，頗不適用於今日。

本書版本頗多，啓業版變動最大。其特點有六：⑴正內容：將散見於原書補遺，備考之字，各依其部首筆畫，納入字典之內。且將同部首，同筆畫之單字分爲常用字、備用字、罕用字、同字、殘字，並以特殊標誌示之。⑵訂譌誤：以王引之、渡部溫氏訂正爲主。釐正訛誤，⑶實音讀；對原書各字之反切、直音，間有刪改。並另增國語注音符號及調符、羅馬字拼音（以麥氏 Wade System 爲準）、及四聲、韻目。⑷增句讀：全部文字，以現行標點符號，分施句讀，⑸齊版面：字典正文，分爲每面三欄，各單字一律齊頭並列，（原書堆砌不易閱讀），並依部首筆畫爲先後，同筆畫者又依常用、備用、罕用、同字、殘字之次序排列，⑹

益附表：僅留原書附表之難檢字表及辨似字表，另增篆文纂
要、及附表八種。(7)統一編列連貫之面數號碼，原書之十二
集及各集之上中下均不錄。

　　　正中形音義綜合大字典為高樹藩之另一巨作，林語堂
推崇：「這是一本精心結撰極合現代人需要的獨家創作，在
中國字書可以說是開一新紀元」（見書前序）。本書為作者
一己之力，費時十五年成書。初版收字七五〇〇餘，異體字
一五〇〇餘，按部首編排，增訂版，增入近百單字，增加四
十餘面。除單字外兼採複詞。

　　　㈠字形：以楷書為首，次列甲骨文、金文、小篆、隸
書、行書、草書等。

　　　㈡字音：以同音為主，首注反切、直音、羅馬字拼
音、四聲、韻目。

　　　㈢字義：首依文法九品詞類注明各字詞性。次釋其
義，一字有數義者，分段列舉，並引例句。間附圖表，約共
七〇〇餘。

　　　㈣辨正：對若干特殊之字，提供說明，以利聯想，辨
識及運用。如：同字異體、複詞異體、專名異讀、相對異
字、同訓異義、本字辨似，本字正譌等。

　　　本書附錄有十，均為關於我國文字之表件。書前有部
首索引及筆劃總檢字表、書末有注音符號檢字表。

　　　以上兩書為最切實用之字典。

△三、經籍纂詁一〇六卷　　清阮元等撰　民國45年
臺北市　世界書局　影印本　〔82〕1072面

　　此書爲讀古書必備之字典。阮元督學浙江時手定凡
例，而以臧鏞堂，臧禮堂爲總纂，方起謙等四十二人共纂校
而成。胡適、梁啓超、李笠諸人對此書推崇備至。王引之序
文中說：「展一韻而衆字畢備，檢一字而諸訓皆存」。是很
確切的評論。

　　本書以經傳爲主，旁及諸子傳記，彙集古今訓詁之大
成。按詩韻定先後，每韻一卷。每字之下，先到本義，次列
引申假借諸義，凡所擧例證，均註明出處。惟各字只釋義而
不注音爲其書中不足之處。

　　本書依韻編次，今人查閱不便。世界本爲之綴輯目錄
索引，按筆劃排檢，頗省工夫。

　　本書有嘉慶間琅環僊舘刊本，點石齋石印本，鴻章書
局本。在臺影印本有：明倫出版社、文光出版社、中新書
局、宏業書局等印本。

△四、增修辭源　　方毅、陸爾奎等原編，王夢鷗增修
　民國67年　臺北市　臺灣商務印書館　2冊（〔16〕,2464,
280,24面）

△五、（最新增訂本）辭海　　熊鈍生主編　民國69年
臺北市　中華書局　3冊　（5151,442,139面）

△六、**辭通廿四卷**　　朱起鳳編　民國49年　臺北市
開明書店　影印本　2册　（65,2814,340面）

　　以上三者爲民國以來著名之辭書。

　　辭源始編於光緒三十四年，初期參與者六人，旋增至
十人，民元，全稿略具，再詳加校訂，民國四年，全書告
成。旋因陸氏以目眚離館。續編至二十年始編校完成。民國
二十八年，出版正續編合訂本。合訂本改正原書訛誤、去其
重複，並增加新字，書末且有四角號碼索引。五十九年出版
補編，補新辭八七〇〇餘條，六十七年增修本增加新辭二九
四三〇條。

　　原書正篇收九九五二字，續篇收五六六二字。合訂本
收辭語八九九四四條，補編八七〇〇條，合共九八六四四
條。六十七年增修本增二九四三〇條，合共一二八〇七四
條。增修本較增修前之內容約增百分之三十。

　　辭源爲我國現代辭典開山之作。以康熙字典及經籍纂
詁爲基礎而修纂，是部首法編排的辭典。每一單字下註反切
和直音、註釋均註引用資料出處，惟不及篇名，並徵引例
句。

　　辭海始編於民國五年，迄廿五年成書，較辭通晚出。
參加編校者百餘人。編纂方法大致與辭源相同，亦爲部首法
辭典。單字列音切，詳解字義、詮釋辭語均詳，引書必檢原
書詳載篇名，全書並用新式標點。除書前有檢字表外，未有
其他輔助索引，因此，辭藻雖較辭源豐富，但查閱不若辭源

便捷。六十九年增訂本，有幾點特色：⑴修訂若干辭彙之解釋，⑵增補新辭，⑶每單字下增國音，⑷書末附注音符號檢字索引，⑸字體放大，易於利用。

　　辭通為朱起鳳以一己之力，費時三十年始告完成。章炳麟、胡適之、錢玄同、劉大白、林語堂、程宗伊諸人品評甚佳。此書之特色為各辭句齊下一字，依韻編排，所收各辭，可與辭源、辭海參稽。書末有四角號碼索引及筆劃索引。查閱便利。

　　△七、**大漢和辭典**　　諸橋轍次編撰　民國43年　東京大修館　13冊

　　△八、**中文大辭典**　　中文大辭典編纂委員會編; 林尹、高明主纂; 張其昀監修　民國51年11月　臺北市　中國文化研究所　40冊

　　大漢和辭典初版於昭和三十年至三十五年，日本大修館書店印行，昭和四十九年曾予修訂，臺北先後有文星、中華文物出版社、新文豐出版社影印，在臺發行。中文大辭典即以此為藍本編纂的。兩部又以康熙字典為基礎旁參各字書、韻書等編纂成書的，為部首法編纂的辭書，茲比較敍述如次：

　　㈠字形：前者單字下先字音，次字形，再次為字義，各字之末有名乘（日人姓名之特殊讀音）、解字、參考等項

字形以康熙字典爲準據，上溯六書本義，探求字形之演變，且參酌近代通行之形態，作審愼之決定，篆文則採錄自小篆、古文、籀文、或體等，使知文字之沿革。中文大辭典所收各字，則先列字形、次字音、再次字義，末附解字乙項。字形載錄較前者爲詳，上溯甲骨金文，以及篆隸楷草諸體之變化，依時代爲序。

　　㈡字音：前者以片假名記載，一字而有數音者，用一二三等之記號，以示區別之。用例較多之字，則依注音符號與Wade System發音符號法，以明現代中國語之發音，反切以集韻、廣韻爲中心，並多方涉獵各種韻書、字書而探錄之，韻則遵從佩文韻府、韻府羣玉等，並採用近世通行的百六韻分類法。後者每一單字先註本義之反切，以最早的韻書爲準，餘依時代爲序，列其下。次列平水韻韻目，再次爲國音與羅馬字拼音。

　　㈢字義：前者首要之訓義用黑體字簡單說明，再用明體解說。意義依音而有不同時，其字音於一二三記號下分別註明之。後者，每字下首列本義，次列引申義及假借義。分條以一二三等符號標明，列於讀音之下。引申義及假借義又以名詞、動詞、形容詞、助詞爲序，各附例句，以證義例用法。

　　㈣語彙：前者各語彙下以片假名記載讀法，後者未列讀音。語彙之排列，依二字、三字、或四字等字數多寡排列，同字數中，則依五十音順排序。凡三個字以上之語彙，

如其最初二個字或三個字能成爲語彙，則各附載於二個字或三個字之後。如「一意」之後，附列「一意奉上」之類。一語需要二個以上項目說明時，使用一、二、三、四、等序號區別之。若在一項之中須更詳細說明時，使用イハロ甲乙丙等記號註明之。後者所收辭藻依筆劃及筆順編排，不分字數多寡。二書各詞語下均有順序編號。

㈤字數及詞彙：前者收單字四九七〇〇字，語彙五二六五〇〇條，插圖二八〇〇幅，總字數凡約四千三百萬言。中文大辭典收單字四九八八〇字，辭彙三七一二三一條，總字數凡約八千萬言。

㈥索引：前者之第十三冊爲索引，有總劃索引、字音索引、字訓索引、四角號碼索引四種；後者有部首及筆劃檢字表。書末之索引先依筆劃次按部首排。

中文大辭典另有縮影本全套十冊，民國六十二年出版，字體縮小，體積較小，查閱較便。同年，中華學術院出版大學字典，收實用單字九九六三字，九月又有國民字典，收字五六四二字，均依此書爲基礎編成。

　　△九、**國語辭典**　　汪怡主編，中國大辭典編纂處編民國60年　臺北市　商務印書館　4冊(4782面)　修訂三版

　　△十、**重編國語辭典**　　教育部重編國語辭典編輯委員會編纂（總編輯：何容；副總編輯：王熙元）　民國70年

11月　臺北市　商務印書館　6冊

　　△十一、國語日報辭典　　何容主編　民國63年　臺北
市　國語日報社　〔19〕,1075面

　　　　國語辭典初版發行於民國二十六年。四十二年六月,
臺灣商務印書館在臺影印。六十年有修訂三版,修訂文辭一
四〇〇條。原書重在正音,名辭按國音爲次,字詞悉依注音
符號及國語羅馬字二式標註,釋義淸晰易解,以白話解釋。
全書收單字一萬餘,辭語十餘萬條。單字、複合詞、各種術
語、特解成語、流行口頭語均收入。除正編外,並附補遺、
補編及附錄。另附部首索引,查閱方便。商務印書館另有國
語辭典節本乙册問世,即爲原書之刪節本。坊間尙有國語大
辭典乙書,實亦爲刪節本之影印本。六十五年,文史哲出版
社印行之實用國語大辭典,亦依據三十六年版改編,惟按部
首排列,便於不闇注音符號者查閱。節本無羅馬字注音。

　　　　國語辭典始編於民國二十年,初名「國音普通辭典」,
作正音的標準附以簡明的注釋,原書之優點爲「寫定詞形」。
重編本據此規模去蕪存菁、修正錯誤、充實內容、增加新
詞、改良體例。除仍重正音外,形義並重。刪併僻字、異
音、一般廢詞、學術名詞等共一二一八二條,保留一〇一九
九四條,增加二〇八九五條。重編後計收單字一一四一二
字,詞語一二二八八九條。全書仍按國音爲序,另附音序檢
字表及部首檢字表。

　　國語日報辭典亦重正音，收單字九〇九八條，詞三〇三三〇條，係按部首法編排。該社於六十五年另出版國語日報字典，收常用字一萬，以釋字爲主，並及成語及複詞，附有國音索引，同年，力行書局出版陶承九編注音國語新辭典，均可參考。

柒、特殊字典及辭典

　　普通辭典收載文字之形、音、義及用法，或羅列名辭之意義，內容廣泛。特殊字典專釋文字之某一方面，詳其某部而略其餘，故有其特殊之功用。茲按類舉例如下：

一、字源及書法形體字典

　　△一、（斷句套印本）說文解字注　　（漢）許愼撰；（清）段玉裁註　民國69年　臺北縣樹林　漢京文化事業公司〔6〕,877,1,106,100面　（四部善本新刊）

　　△二、**說文解字詁林及補遺**　丁福保編　民國56年　臺北市　商務印書館　17冊　影印本。

　　說文解字是綜合文句的形、音、義而作系統研究的巨書，可謂字典之鼻祖。搜羅古、籀、篆文的字彙爲研究古文字及推溯字源的唯一依據。可作研究籀篆隸楷嬗遞，俗訛腫益的滋生的基點。成於漢和帝永元十二年，分五百四十部。

　　說文後敍，說文之總字數爲九三五三，有重文一一六

三，解說一三三四四一字。今考其書九四三一字，重文一二七九字，解說字一二二六九九字。正文多七十三，重文一一二爲後人增益，解說字脫漏一〇七四二字。各部以小篆爲主，古籀文附於下。先字義而後字形，如「祭」下云：「祭祀也，從示以手持肉」。字義方面，先本義後假借義；如「社，地主也」爲本義，下云：「周禮二十五家爲社，各樹其土所宜木」爲假借義。在辭義方面有「一曰」、「或曰」、「又曰」之例。注釋此書，以淸段玉裁校聚最詳。此書古今影印極多。如：四部備要、國學基本叢書均有收錄，另藝文、宏業、蘭臺各書局亦有影印本。藝文，宏業本有筆劃索引。五十三年藝文印書館另有翁世華編說文段注索引乙冊，亦可資查檢。光緒間三家村學究編檢字一貫三，可查段注本說文，經籍纂詁及通訓定聲三書。漢京本版本最佳，附有索引，有王進祥爲之句讀、王秀雲音注，全本篆字均於書眉處加注今字，以利對照。

　　自東漢許愼以降、歷代治說文之書頗多，爲便查尋，無錫丁福保乃有釋詁說文之大成，名爲說文解字詁林及補遺。搜集古今治說文之書凡一八二種，一〇三六卷。十七年八月由上海醫學書局出版，二十年十二月改交商務印書館發行，丁氏剪輯原本，循次編印，按許書的次第，逐字類聚，羅列衆說於一處，參稽極便。所列各書次第爲大徐本（宋徐鉉刊定）爲第一類，小徐本（徐鍇刊定）爲第二類，段注爲第三類，桂馥說文義證爲第四類，王筠說文句讀及釋例爲第

五類，朱駿聲說文通訓定聲爲六類，各家學說爲第七類，各家引經考及古語考爲第八類，各家釋某字某句爲第九類，各家金石龜甲文字第十類。再以各書的原敍及例言與各書的總論說文或六書等各爲一類，爲前編，冠於書首，以逸字之屬，撰爲後編。卷首有引用書目表及引用諸書姓氏錄。補遺增各家撰述七十卷。第一冊末有全部正編通檢，最後一冊有補遺通檢，按康熙字典分部次第編排。六十五年版附有四角號碼索引乙冊。臺北鼎文書局也有影印本。

　　胡樸安評本書有四善：⑴檢一字而各學說悉在也，⑵購一書而衆本均備也，⑶無刪改，仍爲各家原面目也，⑷原本影印，絕無錯誤也。

　　△三、中國書法六體大字典　　（日）藤原楚水編　民國60年　臺中市　義士出版社　1459面　影印本

　　△四、金石大字典三十二卷　汪仁壽輯　民國60年　臺北市　大通書局　3冊　影印本

　　△五、草書大字典二十四卷　掃葉山房編輯　民國53年臺北市　藝文印書館　2冊　（1790面）

　　以上均爲有關我國歷代文字書法及吉金文字之字典，按部首編排，每字依時代爲序臚列其形體。藤書原名書道六體大字典。臺北文友，中行書局影印本改題中國書法大字典。每字錄其楷、行、草、隸、小篆、大篆等形體。此書係據日本三省堂民國五十年本影印。汪書則據民國十五年求古齋本影印。上自籀古下迄碑印，均予收錄。楷字下收載說

文，小篆、籀文，古文，鐘鼎及戰國時期各國異文，石鼓文
等，草書大字典係據十三年上海掃葉山房本印行。所輯以二
王（王羲之、王獻之）法帖及魏晉以來諸名家碑帖，宋元明
名家眞蹟爲主，收眞書六〇七〇字，草書四九五〇〇字。書
家七四一人。每字注書者姓名。此外，容庚有金文編及續
編、周法高有金文詁林、商承祚有殷虛文字類編，李孝定有
甲骨文字集釋，均爲有關吾國文字極具學術研究之作，當可
參考。

二、音韻字典

漢末以還，四聲之分別已萌，反切之風行又始；於是將
切語分別部居，列成韻部，又從各部中取一字，以爲標目，
即爲韻目，更以四聲分別韻部，即爲韻書。韻書之作始於魏
李登聲類。封演聞見記曰：「魏時有李登者，撰聲類十卷，
凡一萬一千五百二十字，以五聲命字。」晉呂靜繼之，而作
韻集。自此以後，厥流益廣。周彥倫四聲切韻，夏侯詠韻
略，陽休之韻略，周思言音韻，皆其著者。然皆不存。可考
者，惟隋陸法言切韻爲最早。唐孫愐撰唐韻，宋陳彭年等撰
廣韻，丁度等撰集韻，皆依其舊目，唐韻雖已亡佚（近有發
現，不完整），而廣韻集韻則流行於世。故法言舊目仍可
考。尤以廣韻最爲重要。韻書之目的，一爲撰作詩文，一爲
審音辨韻，兼可作字書之用。古人熟悉用韻，應用自然方
便，今人多不知韻，利用韻書，常遭困難，因此，坊間輯印

韻書，多牛加以整理，編輯索引，以爲助檢。

　　△一、**新校宋本廣韻五卷**　宋陳彭年等編　民國60年
臺北市　弘道文化事業公司　554,109面　影印本

　　　本書本爲切韻，隋陸法言所撰，唐時長孫納言爲之箋
註，天寶間孫愐重爲刊定，改名爲唐韻。宋大中祥符間陳彭
年、邱雍等再重修，賜名大宋重修廣韻。此書刊印者衆，古
逸叢書、澤存堂五種、四部叢刊、四部備要均有收錄。在臺
有藝文、廣文、世界等書局亦有影印本。

　　　本書爲現存最早而完備的韻書，爲研究中古音系的最
好資料。全書分二百六韻。每韻之內，同音字類聚，用小圈
與其出不同的字隔開，同音字的第一字下注明反切，及音下
字數，如：

　　充：美也塞也行也滿也，昌終切，七，琉……芜……忕
……统……黆……浣……。

　　　美、塞、行、滿爲充之簡明釋義。昌終切爲充之音。七
爲以下同音字共七個之意。各字下尙有解釋，如有又讀者，
就註在該字之下，如：黆，黄色又音統。

　　　全書五卷，每卷卷首有韻目。分上平、下平、上、
去、入五卷。弘道本書末有筆劃檢字，較便查閱。此書索引
有二：⑴廣韻索引，（日）坂井健一等編，昭和二十八年，

東京教育大學東洋文學研究室中國文化研究會印行，一八〇面。(2)廣韻通檢十二卷，白滌洲編，民國六十四年十月，臺北市，天一出版社影印本，(7)，1004，〔42〕面，此本最詳。

　　△二、**詩詞曲韻總檢**　盧元駿輯　民國57年　臺北市
正中書局　327面

　　此書將余照詩韻集成、清戈載詞林正韻、元周德清中原音韻、元卓從之中州音韻四書合刊爲一册，以爲詩詞曲家查閱之用。

　　△三、**增註中華新韻十八卷**　　教育部國語推行委員會編，黎錦熙增注　民國62年　臺北市　天一出版社　150面

三、虛字字典

　　楊樹達詞詮序有言：「凡讀書者有二事焉：一曰明訓詁，二曰通文法。訓詁治其實，文法求其虛」。經傳釋詞阮元序：「實字易訓；虛字難釋」。此虛字卽對實字而言，指文句中之介子、接續字、助字和嘆字等，其意義與文句上下意義有關，若强以實義釋之，則扞格不入。虛字文法之書蓽路藍縷於清劉淇之助字辨略，王引之繼之撰經傳釋詞，孫經世爲之續補、再補。馬建忠之馬氏文通於文法則已大備。民國楊樹達以後二書爲基礎，復參考西歐文法之書，撰爲詞詮、高等國文法兩書，於虛字之用法敍述甚詳。此外裴學海的古書虛字集釋、許世瑛的常用虛字用法淺釋等，亦爲今人研究之重要著作。

△一一、**經傳釋詞十卷**　清王引之撰　民國57年　臺北市　商務印書館　117面　影印本（國學基本叢書118册）

△二、**詞詮十卷**　楊樹達撰　民國四十八年　臺北市商務印書館　〔607〕面

△三、**古書虛字集釋附經傳釋詞經詞衍釋目錄音序索引**

裴學海等編；林礽乾編索引　民國64年3月　臺北市泰順書局　〔43〕,918,〔15〕；〔4〕,132；〔3〕,126,13面

以上三書皆釋文句中之介詞、連詞、助詞、歎詞等虛字，王書收字凡一六〇，分類編排；楊書釋字五三七，按國音爲次；裴書收字二九〇，按韻母爲次。

四、歧字字典

我國文字除具字形、字音、字義之特質外，尚有習慣用法，不可以常情論，由於時代之不同，字的寫法、讀音、用法亦有不同。歧字字典卽針對最易混淆之字，分別一一釐正，分析誤寫、誤讀、誤用之字，裨使明瞭，而免誤用。顧雄藻字辨，將歧字分爲四類：

一、**義辨類**：音義相似（如：低底）、形聲相似（如：仿彷）、形體相似（如：丐丏）、形義相似（如：史吏）、兩字異同（如：亨享）、兩字通假（如：大太）、三四字異同（如：己、已巳）。

二、**音辨類**：同字異讀（如：華，音划平、音話去、與花同，有三種讀音）、同讀異音（如：襌，音膳去、音蟬

平)、專名詞讀音（如：可汗讀如克寒）、異字同讀、重文異讀（如：昆侖、崑崙；丁丁，讀如爭，伐木聲，伐木丁丁見詩經小雅）、讀音正譌、讀音匡俗（沸：音費，水加熱至百度曰沸點，慣譌弗音）。

三、**體辨類**：同字及義通字（如：于於，經典多作于今借用於）、本字（如：竝並，古作达，今作並，線綫，線古文，今通用）、正俗字（廈厦，厰廠廨廳，慣俗从厂）、古簡字（如：它，古蛇字篆文象形；巨，同矩，象工人執器形）、字畫正譌（亮：从儿不从几）、古今異同字、義變字、音變字、體變字（巷衖，兩字古音義相同，均戶絳切經傳載巷不載衖，元人始讀衖如弄音）。

四、**詞辨類**：訂正別讀（如：向隅，隅音虞平，作偶字讀誤）、訂正別字（如：了解，澈底明白曰了解，與釋家了悟同，譌作「瞭解」非）、義似詞、音似詞、形似詞（如：利害、厲害：有益謂之利，有損謂之害，利害為對待詞，厲惡也，虐也，與忠厚相反）。

顧書收錄混淆之字頗多，彼此對照並加解釋釐正，極易了解，一般辭書將各字依檢字法排，不易比對。常用之歧字字典有：

△一、**字辨**　顧雄藻編　民國58年　臺北市　文光圖書公司　〔5〕, 166,49面。

△二、**常用字免錯手册**　方師鐸編撰　民國65年　臺北市　天一出版社　102,13面

△三、**字辭辨正手冊**　　林川夫編　民國66年　臺北市
武陵出版社　305面

△四、**別字辨正**　　李植泉編　民國67年　臺北市　正
中書局　205面

五、成語、諺語、格言、俗語、歇後語等特殊語類辭典

　　成語之定義，據辭海之解釋爲「古語常爲今人所引用者
曰成語。或出自經傳，或來自謠諺，大抵爲社會間口習耳
聞，爲最所熟知者」。使用成語可以使語言精練。例如，一
視同仁、一勞永逸，假如用一般口語來說，就要多費唇舌。
成語也可以使語言形象化，例如：千篇一律、一帆風順，一
落千丈等，如果用一般口語來說，不僅話長，且不一定能如
此洽到好處。成語與典故不盡相同，典故是把古代傳說或歷
史故事壓縮爲一個句子或詞組。例如：愚公移山，嫦娥奔月
等。成語與典故，統稱用典，一般均可溯其出處來源。惟成
語通常僅爲一辭，非由歷史故事而來。

　　諺語，正字通的解釋爲：「諺、俗語，民俗常所稱謂
也」。朱介凡先生在中國諺語論中討論諺語，「成語的性
情，除了起於文字，釋義簡古，不全有口語性，所以與諺語
有別之外，還有一個特點，是卽，有些成語只是一個詞彙，
它並不成句，而諺語總是成句的。」④成語多爲四字以下固
定之詞彙，諺語則爲四字以上之語句。故諺語常作成語用，

成語到不一定是諺語。

格言 (Proverb)，言之可以爲人法則者曰格言，多指砥礪行爲之詞。薛誠之認爲「格言與諺語有別者三：1.諺語本是一種語言，僅憑口傳，且其作者不明，格言卻多文言，往往是筆之於書，而其作者及出處多半可考。2.諺語因口耳相傳，故多具自然音韻，便於記憶，且句子多是短的。格言則一兩句的較少，長句子居多，且句法多散文。3.諺語不必全是教訓的，而且含有教訓的諺語語多暗示，其語義是相對的。格言則幾全是教訓的，且其態度較諺語爲嚴肅」⑤。如：「愛人者人恆愛人，敬人者人恆敬之」爲格言，「出門看天，進門看臉」爲諺語。故抱朴子審舉有言：「格言不吐庸人之口」。

俗語與諺語極爲相似，惟爲鄉里粗俗之語，難登大雅之堂，易言之，品位較低。俗語或稱俗話，乃對雅言而言，其主要性質爲：1.通俗的，2.風俗的，3.土俗的，4.行俗的，5.流俗的特稱語。⑥如：陰溝裏翻船、狗嘴裏吐不出象牙等是也。

歇後語，或稱縮腳語。語末之詞，隱而不言，謂之歇後。梁容若認爲：「歇後語的形式，是一句或一段話可以分作前後兩段，後一段和前一段密切映射，說出前一段，可以停一下，後一段的意義，能夠自然想出，或不言而喻，前一段或是一件故事，一種行爲，一件事，一種東西，後一段常常是故事，行爲，事物的解釋、論斷、批評，補充。譬如

『當了衣裳買酒喝——顧嘴不顧身』，下句是上句的批評。
『狗咬呂洞賓——不識好人心』，下句是上句的辭釋。『閻
王爺的告示——鬼話連篇』，下句是上句的補充……」⑦。

以上說明五種特殊語辭之意義。除此之外，尚有歌謠，
俏皮話等。有些詞典專釋此類詞語。茲舉重要者如下。

△一、**成語典**　　繆天華編　民國65年　臺北市　復興
書局　54,866,148面　修訂三版

△二、**中國格言大辭典**　　中國格言大辭典編審委員會
編　民國62年　臺北市　遠東圖書公司　473面

△三、**增補中華諺海**　　史襄哉編、朱介凡校訂　民國
64年　臺北市　天一出版社　〔45〕477面

△四、**俗語典**　　王宇綱撰；王宇綬校　民國65年　臺
北市　五洲出版社　510面

△五、**北平諧後語辭典**　　陳子實主編　民國60年　臺
北市　大中國圖書公司　348面

我國出版的成語辭典頗多，不下二十餘種。有些兼及
俗語、諺語及特殊用語者，有些辭典尚附成語故事，裨便了
解。繆書收錄成語一萬二千餘條。凡經典語、詩詞語、戲曲
小說語、熟語、俗語等均加採撷。各成語用簡近文言解釋，
典故也詳加考證。全書按部首排列，書前有部首檢字索引，
書後附分類索引，計分四十八類便利因義以尋成語。中國格
言大辭典收錄格言五千餘條，各條均有解釋。全書按語意分
智仁勇三集。有關人生意義之探討、學問知識的研求等是以

增益識見者，編入智集。有關心性培育、道德涵詠等足以修養品行者編入仁集。 有關宗親長幼的和翕、 朋儕情誼的往還， 足以臨事有方者， 編入勇集。各集再分類、款。計三集十四類一二四款。每一格言註明立言人姓名或書名篇名的出處。史書於民國十六年發行初版，中華書局印行，收諺語一二四二四條。按部首編序，再依諺語首字筆畫爲次。民國六十四年天一版，增訂後增至二萬六千餘條，且重爲編排，按四角號碼爲序，書前有部首及四角號碼對照的索引。據朱介凡序所言，本書爲收集諺語最多者。王宇綱俗語典收錄俗語極多。兼及俚語及諺語，按筆劃排列，各詞有解釋並註明出處。陳子實北平諺後語辭典收錄北平附近諺後語千餘句，各辭有解釋及例句，以各辭之首字羅馬拼音爲序。

除以上特殊用語外，尚有所謂聯緜字。聯緜字或謂連緜字，或稱複音詞。我國語文本爲單音節語，一詞一字，一字一音，其初均爲單音詞，迨人事漸緜，單音詞不足應用，乃有複音詞產生。「複音詞之形成，原爲一音一字不能區別事物之複名， 故不得不從口語而並稱之。 如昆侖、 籠東、果贏、之而、之類，其詞有聯緜爲用之妙，所謂合之則雙美，分之則兩傷，其上下二音，常無文法之關係。黃侃敍符定一聯緜字典，引荀子曰，名聞而實喻，名之用也，累而成之，名之麗也，用麗俱得，謂之知名。又曰，單足以諭則單，單不足以諭則兼，單複之詞，粗雜同編。楊倞注、單、物之單也，兼，複名也。桂馥云，單如玉，複如瓊瑤是也」。複音

詞，「爾雅雖已探及，而所得不多。小爾雅、廣雅、埤雅、
爾雅翼諸書繼之，續有採錄，而所得亦尠。張有復古編始標
聯緜字之目，所舉亦僅五十八條，而語焉不詳，然探研複音
詞者當以此爲嚆矢。迨明朱謀埠撰駢雅，始以探研複音詞而
著爲專書。清魏茂林取謀埠之書，爲之訓纂，引證詳博可謂
駢雅之功臣。茂林弟子田寶臣更輯複音詞百五三條，名小學
駢支，以補駢雅之不足。至民國符定一編聯緜字典，旁搜博
探，殆集複音詞之大成」⑧。王了一認爲聯緜字可分三種，
一是疊字，如關關、霏霏等，二是雙聲，如丁當、淋漓等。
三是疊韻，如倉皇、龍鍾等。周法高則認爲聯緜字有四個特
點，一是聯緜字的構成分子，必有疊字、雙聲、疊韻等在語
言上的關係； 二是聯緜字所重在聲， 在形狀上往往不很固
定；三是聯緜字以狀詞爲主，又有一些爲名詞、歎詞等；四
是聯緜字中有不少爲雙音語，即一個語位包含二個音節者。
關於聯緜字可參閱王廣慶著複音詞聲義闡微（商務）乙書。

　　　△一、聯緜字典　　　符定一編　民國62年　臺北市　中
華書局　3冊　影印本

　　　　聯緜字有因口舌之便而形成者，有因字之切音而形成
者，亦有自同音單字衍變而成者。

　　　　說文解單名，本書詁複名。符氏以一己之力費時卅一
載，蒐採經史子集諸書中之複合詞，各詞首述字音反切，次
釋字義，先詁聯字，次解重字，詳其來歷及演變，都凡四百
餘萬言。按部首編排，次依筆劃爲序。書末附部首索引，查

閱尚稱方便。

　　以上所舉各特殊字辭，在一般字典或辭典中或有收錄，惟不如專門性之特殊字典（辭典）詳盡。故特殊字典及辭典可補普通辭典之不足，而有其專門用途。

捌、語文字典及辭典

　　就中文參考資料言，語文字典（辭典）係以我國文字注釋外國語文，或以外國語文注釋我國文字，以及以我國境內各種方言互為註釋的書。茲分述於次：

一、多種語文

　　△一、實用二十七種語文字典　　成文出版社編輯部編民國65年　臺北市　該社　417面

　　△二、七國語辭典　　黎哲野編譯　民國65年　臺北市文化圖書公司　704面

　　　　前者收集常用英文字一千，分別註明其他二十六國同義字，二十七國語文排在一葉（兩面）上，頗便對照。按英文字順排。另附有中文檢字索引及其他廿五種語文索引，因此由任何一國語文皆可查得其餘二十六國之同義語。後者收錄字數較多，達一萬字，收錄日、英、法、西、葡、意、中，七國語文，按日語的羅馬拼音順序排列。書末附英語、及西語索引，但缺中文索引。此二書均為同時註釋多種語文的字

典，但並無字義解釋。

二、漢　英

漢英字典，係以英文註釋我國漢字的字典。重要的有：

△一、**當代漢英詞典**　　林語堂編　民國61年　香港中文大學　1720面

△二、**劉氏漢英辭典**　　劉達人編　民國67年　臺北市華英出版社　1554面

上兩書係以英文註釋漢字。前者收錄通用辭語、文言中常用之辭句、成語、四書中的名句、方言辭語、俚語、口語等，悉予列入。每一漢字下，列舉羅馬拼音、詞性、意義、例句。蒐羅字詞極豐富，排列方法，採林氏自創之上下形檢字法。其法兼取部首及號碼。每字取其左上角及右下角，每角二位數碼，故一字有四碼，再將康熙字典的二百十四部首，取其常用者五十，分為ＡＢＣＤ四種，另將若干偏旁部首併為Ｓ種，共五種。如：戰為40 s. 71，責為10、80。書末附有用語羅馬拼音索引及簡體字表。

劉氏漢英辭典，收中文單字六七七一個，複詞十二萬條，惟僅限二字及三字之辭。其所收單字比之麥氏漢英辭典的七七七三字，梁實秋實用漢英辭典的七三三一字，林語堂現代漢英辭典的七二三六字為少，但若包括異體、俗簡字及辭彙中的字而言，達一〇五〇〇字。本書依據劉氏所創左上文快檢部首檢字法排列。其法係改良康熙部首而來，共分部

首二百五十一個。書前及書末有部首索引，各部首按筆劃為序。各部首下註明劉氏部首及康熙部首之次序號，康熙字典中無者，以 NIL 表示之。每字下列有劉氏羅馬字，Wade法、國音三種注音法。每字下羅列各字之英文簡釋。書首有凡例、序言及緒論，緒論之題目為「電子計算機與中國字典學」論文一篇，書末有常用英美字對照表，劉氏羅馬字發聲索引，如何使用劉氏左上文部首、及劉氏左上文部首索引等附錄十三種。全書以IBM電腦排版。

　　此外，麥氏漢英字典 (Mathews' Chinese-English Dictionary)，亦頗實用，該書採羅馬拼音及拼音標準制編排，以Wade法為主，兼及國音。書末有中文部首索引，檢查亦頗方便。

三、英　漢

　　英漢字典是指以漢字註解英文之字典。重要的有以下幾種：

　　△一、**牛津高級英文英漢雙解辭典**　吳奚眞主編　民國58年　臺北市　東華書局　1354面

　　△二、**大陸簡明英漢辭典**　吳炳鐘、陳本立、蘇篤仁編　民國62年　臺北市　大陸書局　1324面

　　△三、**遠東英漢大辭典**　梁實秋主編　民國64年　臺北市　遠東圖書公司　2465, 19面

　　△四、**新境界階梯英漢字典**　楊景邁主編；林炳錚、

李敝、陳秀英編，民國65年　臺北市　臺灣英文雜誌社〔9〕
585面

　　牛津高級英英英漢雙解辭典，係依民國五十二年版
The Advanced Learner's Dictionary of Current
English 乙書翻譯而成，僅將原書所附人名，地名加以增
補，並附中文譯名及辭解。此書之特點爲同時具有英文及漢
字之解釋，發音採萬國音標。大陸簡明英漢辭典則以日本三
省堂收編八萬字的 New Concise English Japanese Di-
ctionary 爲藍本。選擇大學程度讀者所需的字彙及常用片
語編輯而成，發音以英國音爲主。遠東英漢大辭典原名最新
實用英漢辭典，收字四萬左右，五十二年修訂本增字四萬，
共八萬字，六十年重加增訂，收字逾十六萬，成語及例句四
十餘萬。收字辭極廣，凡習用字辭、專門術語、乃至方言、
俚語、外國人名、地名、報章雜誌的略字縮語等儘量採入。
字音採國際音標，美國標準發音，用ＫＫ音標；英國標準發
音，用ＤＪ音標發音。楊氏字典，是依據民國五十九年紐約
出版，John Robert Shaw 及 Janet Shaw 合編的 The
New Horizon Ladder Dictionary of English Language
一書編譯而成，本字典收常用字五千字是由美國新聞總署參
考常用字彙表，教學字彙表，及參酌教師之意見，經十二年
之使用、測驗、修改而獲取的。例句一萬餘條均附中文譯
文。其最大特色是將五千字依常用度分爲五個階梯，每階梯
一千字。分別以１，２，３，４，５表示。例如 Idea ⑴表

示 Idea 一字是英語中最常用之一千字之一。此書適合初學
者之使用。

四、漢語方言

此類字典（辭典）爲漢字與某一方言對照解釋之書。
如: 連橫的臺灣語典、蔡培火的國語閩南語對照常用辭典,
蔡俊明的潮語詞典,哈勘楚倫的蒙漢字典等。此類字典對於
學習方言,極有用處。

五、其他中外語文

除了英漢對照的字典外,我國漢語及方言與外國文字對
照者亦多。例如: 華日大辭典、土漢字典、華德大字典、漢
法綜合辭典、標準西華大字典、葡華字典、拉丁中華合璧字
典、中阿新字典、華俄大字典等爲我國文字與外國文字對照
之字典。他如: 臺日大辭典、滿和辭典、英客字典、廈英大
辭典、粵法字典等均爲我國方言與外國文字之對照。

玖、專科辭典

專科辭典爲各學科之辭典, 廣義言, 各學科名詞對照
表亦可入此類。專科辭典數量繁多,圖書館學、哲學、心理
學、宗教、自然科學、應用科學、人文社會科學,文學,史
地等類均有其專門的辭典, 普通辭典雖亦收錄各學科之名

辭，惟不如專科辭典精詳。故專科辭典可補普通辭典之不足，爲學術研究之重要工具，茲就內容函蓋較廣者，舉例數種以說明之。

△一、**雲五社會科學大辭典**　劉季洪等主編　民國59年至60年　臺北市　商務印書館　12冊

△二、**中山自然科學大辭典**　李熙謀等主編　民國61年64年　臺北市　商務印書館　10冊

△三、**中正科技大辭典**　盛慶琜等主編　民國67至68年　臺北市　商務印書館　12冊

以上三書均爲商務印書館出版，亦由王雲五爲名譽總編**輯**。此三部書包括學科頗多，各科均有主編人，合之爲一百科全書，分之爲專科辭書。

雲五社會科學大辭典，有：社會學、統計學、國際關係、經濟學、法律學、行政學、教育學、心理學、人類學、地理學、歷史學，十二門。各書有依學科性質分類者，如統計學分爲二十餘類，教育學分十二類。各大類酌予細分。另有依條目筆劃多寡排列者，如社會學、政治學、國際關係、行政學等。各條目之末，附有參考文獻或資料來源。書前有魏鏞撰社會科學之性質與發展趨勢乙文。中山自然科學大辭典第一冊爲自然科學概論與其發展，由李熙謀、徐賢修、劉世超主編。第二冊起分爲數學、天文學、物理學、化學、地球科學、生物學、植物學、動物學、生理學九類。各冊編排體例略有不同，有依字典式排列者，有依百科全書式排列

者；各條目下有的有署名，有的未署名。中正科技大辭典，
工科包括土木、機械、化學、礦冶、電機工程及其他工程；
醫科包括精神與神經、內科與外科；農科包括作物育種、農
藝作物、園藝作物。

　　以上三書各冊末均附中英文索引，查閱方便。

附　註

① 許慎撰、段玉裁註、王進祥句讀、王秀雲音註，斷句套印本說文解字
　　註，四部善本新刊，（臺北縣樹林：漢京文化事業公司，民國69年），
　　頁750。

② 同上註，頁202。

③ 黃得時，「歷代字書與常用字數」，圖書館學報 7 期（民國 54 年 7
　　月）：頁59-76

④ 朱介凡，中國諺語論，諺語叢刊第 5 種（臺北市：新興書局，民國53
　　年），頁91。

⑤ 同上註，頁86。

⑥ 同上註，頁81。

⑦ 同上註，頁111—112。

⑧ 王廣慶，複音詞聲義闡微（臺北市：商務印書館，民國62年），高明
　　序，頁 1 及自序頁 1。

第五章 類 書（政書、百科全書）

壹、類 書

一、意 義

凡摘自古書，縷析條分，依類或按韻編，抄撮成書以備檢索文章辭藻、掌故事實等各種資料之用者，稱爲類書。其名，大抵以易經：「方以類聚」得名。

類書的意義實有廣、狹兩種。

由我國歷代書目觀之，類書的範圍頗廣，明林世勤以爲經、史、子、集中均有類書，他以五經通義、九經補韻爲經部類書；以通典、會要等爲史部類書；以白孔六帖、初學記、藝文類聚等爲子部類書；以文苑英華、唐文粹、宋文鑒等爲集部類書。唐志、宋志、崇文總目、通志、蘇冕會要均將杜佑通典列入類書；遂初堂書目收文館詞林、文苑英華爲類書；郡齋讀書志收梁元帝同姓名錄爲類書；菉竹堂書目收百川學海爲類書；崇文總目、通志收太平廣記爲類書。四庫提要把古今同姓名錄、元和姓纂、小名錄等考辨姓氏名字之專著，均入子部類書類。足見古人對類書之界義並不一致。

民國二十四年鄧嗣禹編撰燕京大學圖書館目錄初稿類書之部，彙錄歷代類書約三百餘，凡分十門（參見本章「種類」一節），兼容並蓄，含蓋至廣，與歷代書目所錄一致。此係就廣義言。

惟考類書之性質與功用，上述範圍，取材太泛，不免蕪雜。今人張滌華類書流別：「凡薈萃成言，裒次故實，兼收衆籍，不主一家，而區以部類，條分件系，利尋檢、資探掇，以待應時取給者，皆是也」。又曰：「凡博采諸家，彙集衆體，而意在文藻，不徵事實，如文館詞林、文苑英華之屬，是曰總集，非類書也」。「品式章程、刊列制度、而旨重數典，非徒記問，如通典、會要之屬，是曰政書，非類書也」。「此外薈蕞古書，合爲一帙，如百川學海、永樂大典之屬，是曰叢書'非類書也」。「記錄異聞、備陳璣細，如太平廣記、說略之屬，是曰稗編，非類書也」①。本此，則凡總集、政書、叢書、姓氏專著等，體裁雖與類書相近。性質與功用則殊，不宜入類書。類書彙錄羣籍中之詞語，詩文、典故及各種資料，摘錄別出，以供檢索之用，以「雜」見稱，內容是將古書原文片斷地摘錄，不加解釋。因此，雖錄經書，並非經傳註疏；雖列故事，並非歷史；雖採子書，非徒一家之言；雖選詩文，並非詩文總集；雖有訓詁，並非字典辭典。類書與叢書尤有區別，叢書是彙刻羣書，子目仍各自獨立，並未將各書內容分散，因之，像漢魏叢書、四部備要等實非類書。此係就狹義而言。張氏又云：「如以今茲

之義界，衡往古之著作，則歷來所謂類書，其眞能宛爾合符，名實兼備者，亦不過十之三四而已」②。

二、簡　史

宋王應麟玉海：「類事之書，始於皇覽」，惟其淵源，卻可遠溯戰國。詩、賦、字書、爾雅爲類書之遠源，促進類書之產生。諸子書中的雜家書則爲合彙集名物，分類排比、抄撮成書三者爲一書，爲類書之直接淵源。玆分述其淵源流變：

一、詩：類書的起源是由於集合名物，最先集合名物的就是詩。論語陽貨篇，孔子曰：「詩，可以興，可以觀，可以羣，可以怨，邇之事父，遠之事君，多識於鳥獸草木之名」。詩便是古代名物彙集之所，三國陸機著毛詩草木蟲魚疏，便是專講毛詩中的名物，此後講詩經中名物的，見於通志堂經解及皇清經解的，尚有多種，這正是最早的名物典彙。

二、賦：應用的名物，詩經當然不能包括的。在戰國時，詩已漸次擴充爲賦。班固兩都賦序：「賦，古詩之流也」。賦，至漢而大盛。辭人爲賦，既欲求其博麗，自然得彙集若干同類事物，玆述於一處，才能使內容富瞻，以動讀者之心目。大約一賦之成，須先自羣言中鈎稽可用之材料，分類排比，然後組成。既成之後，則同類事物，畢集一處，

讀之，足以廣異聞，備尋檢。

三、字書：與賦並行的旁支，就是字書，字書用以敎授童蒙識字，漢志小學家著錄的史籀十五篇以下十家四十五篇之書，卽爲此類。此類字書是彙集各類事物，分別部居，以類相從的。

四、爾雅：漢志，列於孝經家，其性質與小學之書不同，惟亦是彙集各類事物，分別部居，以類相從者。共凡十九篇，其篇目爲：釋詁、釋訓、釋親、釋宮、釋器、釋樂、釋天、釋地等。就分類排比言，爾雅及後魏張揖的廣雅，實在就是一部小類書。

類書是一種裒集羣言的書，就形式言，淵源自諸子中的雜家。漢志著錄的雜家書，較早期的，大約皆出後人依託，其書不傳。今所能見者，以呂氏春秋爲最早，淮南子次之。清人汪中呂氏春秋序云：「司馬遷謂不韋使其客人人著其所聞，以爲備天地萬物古今之事。然則是書之成，不出一人之手，故不明一家之學，而爲後世修文御覽、華林遍略之所託始」，宋黃震黃氏日鈔云：「淮南鴻烈者，淮南王劉安，以文辯致天下方術之士，薈粹諸子，旁搜異聞以成之。凡陰陽造化、天文地理、四夷百蠻之遠、昆蟲草木之細，瑰奇詭異，足以駭人耳目者，無不森然羅列其間，蓋天下類書之博者也」。紐樹玉匪石先生文集論淮南子云：「類書之端，造

於淮南子，古者著書，各道其自得耳，無有裒集羣言，納於部類者。秦之呂不韋，始衆能文之士，著爲呂覽，而其言則自成一家，且多他書所未載，非徒涉獵也。至淮南一書，乃博采羣說，分諸部類，大旨宗老莊而非儒墨。其言雖泛濫龐雜，醇疵互見，而大氣浩汗，故能融會無迹，則探索之力亦深矣」。其「博采羣說，分諸部類」在形式上與類書無大區別，所異者，厥爲類書正是鈔纂材料，而呂覽與淮南則爲一家之言，具有中心思想，脈絡分明③。

　　有了裒集羣言，納於部類的形式，加上博學強記爲文人的普通要求，而字書與賦限於體裁，無法達到無所不包的境地，於是鈔撮古書，分別部居的「類書」乃應運而生。皇覽一書，即爲開山之祖也。三國志魏書文帝紀第二：「初，帝好文學，以著述爲務，自所勒成垂百篇。又使諸儒撰集經傳，隨類相從，凡千餘篇，號曰皇覽」④，參與者有王象、劉劭、桓範、繆襲、韋誕等人，魏志楊俊傳註說：皇覽「合四十餘部，部有數十篇，通合八百餘萬字」⑤。其後，南北朝時，梁武帝敕徐勉撰華林遍略，北齊祖孝徵等撰修文殿御覽。唐人的類書更多，見於兩唐志者，便有四十八部，然流傳者不多，著名的有：北堂書鈔、藝文類聚、初學記、册府元龜、古今合璧事類備要、玉海、古今源流至論、太平廣記諸書。宋史藝文志著錄的類書達三〇七部，蔚爲大觀。至明代類書的規模與數量均遠邁前朝。其中最著名者當推明成祖敕撰之永樂大典，全書二二八七七卷，爲我國類書之冠，他

如唐類函、天中記、山堂肆考、錦繡萬花谷、潛確類書等，亦頗重要。清代修纂的類書亦極可觀，其中古今圖書集成一萬卷，僅次明代的永樂大典，為現存我國最大的類書。其他規模可觀者有：淵鑑類函、佩文韻府、駢字類編、子史精華、格致鏡源等。依據四庫全書總目所載之統計共有二八二種。如下表：

朝代別	著錄	存目	統計
五代以上	10	5	15
宋	29	37	66
元	2	5	7
明	13	126	139
清	11	44	55

民國二十四年鄧嗣禹編撰的燕京大學圖書館目錄初稿類書之部，收錄歷代類書及民國新修百科全書計三一六種。張滌華類書流別著錄最多，達七〇九種。

三、體　　制

類書為分類記事的書，類聚羣書資料加以有系統之編排，其體制有二：

一、分類編排，標題隸事：摘錄古書之內容，同類者立一大標題，稱為部、門、或彙編等名。其下再分小標題，標題下引羣書中有關之記載，再按時代先後排列，例如藝文類聚分為天部、歲時部、地部、州部、郡部等凡四十六部，每

部下再分子目，如天部下分天、日、月、星、雲、風、雪、雨等十三個標題，標題多者又可分上、中、下或一、二、三等，如天部分上、下，禮部分上、中、下；人部分二十一。又如淵鑑類函凡分四十五部；歲時部共十一，其下再分四時總載、律、曆、陰陽、五行、歲、閏、立春、春分等共計四十五個小標題。册府元龜共分三十一部，部下分門。古今圖書集成分爲六彙編，彙編之下有三十二典，典下再分部，每部下又分細目排列，細目之下錄列之資料依時代或經史子集之次序排列。大部分的類書都是此種體制。因此，利用類書最爲重要者就是瞭解部類名稱之意義及排列方法。例如要查李白春思詩詩文，需先由「春」字着手，春在歲時部（或歲功典）`由目錄或索引中查到「春」部，再在春部藝文中找到「詩」體，即可尋得。不明部類名稱的意義，自然無法循其分類體例查尋資料，這是利用類書首需克服的困難。

　　二、按韻統字，依字繫事：摘錄羣書的內容，先依「字」類聚，繫於各字之下，每字再按屬韻編排，按韻目統攝各字。以佩文韻府爲例，採用詩韻一〇六韻目，齊尾字按韻編，例如要查「五鹿充宗」一詞的掌故，先找「宗」字所屬之韻目，（可查辭源、辭海）知爲「東」韻，在東字下羅列許多辭藻。四字之辭藻在末，循其所引即可查得。

四、歸　類

隋書經藉志序云：「魏氏代漢，采掇遺亡，藏在秘書中、外三閣。魏秘書郎鄭默，始制中經，秘書監荀勖，又因中經，更著新簿，分爲四部總括羣書。……三曰丙部，有史記、舊事、皇覽簿、雜事」⑥。可見荀書以皇覽入丙部，丙部卽史部。隋志將皇覽改入子部雜家，當作一家之言，舊唐書經籍志丙部子錄十七家，其第十五曰類事類，著錄類書二十二部；把類書由子部雜家中析出，另標「類事」一種，別立爲目。新唐書藝文志因之，改稱「類書」。鄭樵通志卷七一校讎略云：總古今有無之書，爲之區別，凡十二類，……類書類第十一。亦以類書爲獨立一類。以後，鄭氏從孫寅之鄭氏書目，清孫星衍孫氏詞堂書目均沿此例，明胡應麟少室山房筆叢主張把類書與佛道二藏及僞古書爲一部，附於四部之末，祁承爜澹生堂藏書約，亦主張「另附四部之后」。清章學誠校讎通義主張將類書散于故事、總集、雜家三類，「類書自不可稱爲一子，隋唐以來之編次皆非也。然類書之體亦有二：其有源委者，如文獻通考之類，當附史部故事之後；其無源委者，如藝文類聚之類，當附集部總集之後；總不得與子部相混淆。或擇其近似者，附其說于雜家之後，可矣」⑦。今人劉咸炘續校讎通義下四庫子部第十二有云：「類書之中，體例又有數等：有兼該事文者，有以偶語隸事文，但取華藻者，有加考證者，有專錄一門者，當分爲總類、句

隸、類考、專類、策括五目」⑧。策括指場屋之書，劉氏將類書更分細目，有不可系屬者，則歸之他門。

將類書別出爲一目、實較獨入子部爲佳，惟後人明知歸入子部未妥，但仍沿隋志舊慣，四庫提要仍入子部。

五、種　　類

鄧嗣禹編燕京大學圖書館目錄初稿類書之部收錄歷代類書頗多，區分爲十大類如下⑨：

一、類事門：如藝文類聚、北堂書鈔、太平御覽。

二、典故門：如事類賦、駢語雕龍、類林新咏、子史精華、佩文韻府。

三、博物門：如全芳備祖、三才圖繪、格致鏡源、通俗編、事物紀原、月令粹編、方輿類聚。

四、典制門：如通典、通志、文獻通考、經濟類編、時務通考。

五、姓名門：如古今同姓名錄、小名錄、元和姓纂、萬姓統譜。

六、稗編門：如太平廣記、清異錄、說略、宋稗類鈔。

七、同異門：如鷄肋、古事比、事物異名錄。

八、鑒戒門：如類林雜說增廣分門、谷玉類編、人壽金鑒。

九、蒙求門：如蒙求集註、十七史蒙求、記事珠、幼學故事瓊林。

十、常識門：如萬寶全書、世事通考全書、廣學類編。

何多源編著中文參考書指南分類書為四：

一、檢查事物之掌故事實的類書：如皇覽、藝文類聚、太平御覽、册府元龜、永樂大典、古今圖書集成。

二、檢查事物起源之類書：如事物紀原、壹是紀始、格致鏡原。

三、檢查文章詞藻之類書：如淵鑑類函、佩文韻府、駢字類編。

四、檢查歲時典故之類書：如月令粹編、歲華紀麗。

類書流別，就類書纂組之形式言、區分類書如下⑩：

一、用偶句者：收對語，偶句隸事，如朱澹遠語對十卷、徐堅初學記三十卷。

二、用駢語者：取類書典故、以駢語聯絡成文，每類各為一篇，以便記誦。以駢偶之詞，類隸古事。如駢語雕龍、何氏類熔。

三、用詩體者：以詩體隸事。如李嶠雜詠，鹿門家鈔。

四、用賦體者：以賦體隸事，如翰苑、稽瑞。

五、用摘字體者：離析文句，撫拾詞藻者，如文選雙字類要、史記法語。

六、分門類而繫以數目：如陶潛四八目、王應麟小學紺珠。以數目分隸故實。

七、聚古事而校其異同：如鷄肋、騈志，以古事之相類或相反者，排比成篇。

此外，若由類書之演進發展言，有三變，最古大都專輯故事，如皇覽、遍略；稍後乃有捃拾字句者，如語對、語麗；再後則事文兼采，如藝文類聚、初學記。辭源類書條：「採輯羣書，或以類分，或以字分，以便尋檢之用者，是爲類書。以類分的類書有二：（甲）兼收各類，如藝文類聚、太平御覽等；（乙）專收一類，如小名錄、職官分記等。以字分之類書有二：（甲）齊句尾之字，如韻海鏡源、佩文韻府等；（乙）齊句首之字，如騈字類編是」。此則係由類書之範圍及體例而論其種類也。

六、功　用

類書的修纂受時代文風、學風及政風之影響，爲因各時代的需要而編纂的。有的爲供皇帝一己之「御覽」、「龜鑑」之用，如太平御覽、册府元龜等，採擇歷代之治亂興衰、君臣得失的史實，或經史百家之言，以供人君施政借鑒、讀書稽古之資。有的則兼有政治的目的，例如永樂大典撰於明成祖靖難之後，古今圖書集成修於清世宗雍正繼立之初，均以修纂巨著、網羅文士，達到消彌塊壘、顯示文治的目的。有的類書是爲了科舉考試的需要而編纂的，以韻編而言由元代陰時夫的韻府羣玉起至清代的佩文詩韻止，一脈相承，以應試爲第一要務。再如唐白居易的白氏經史事類、宋劉攽的文

選類林、蘇易簡的文選雙字類要、明代凌廸知的文選錦字，
都是應科舉而編纂的，此類書籍之產生與古人爲文「用典」
的文風極有關係，作詩文需用典，因此產生網羅典故的書，
供臨文獺祭之用。作爲應試之考試手册。民間村塾的老師也
以做應科目策，自設問對的「兎園册」當做必讀之書以教幼
童誦讀。

以今日觀之，類書已不能爲君王御覽，亦無政治之作
用，更不能爲考試之用。其最大的功用是作爲讀書治學，尋
檢資料的工具書了。分析而論其功用有三：

一、查尋各類資料的工具：類書蒐集的資料上自天文、
下至地理，幾乎無所不包。呈現古代自然、地理、政治、文
化、經濟、社會、禮教等各方面的狀況。以藝文類聚爲例，其
分部，天、歲時、州、郡、山、水、草、果、木、鳥、獸、
鱗介、蟲豸等爲自然現象；帝王、后妃、儲宮、職官、人、
禮、樂、封爵、政治、產業等分屬政治、文化、經濟、禮教
的範圍；居處、衣冠、儀飾、服飾、舟車等部則爲社會生活
之範疇。例如要查考指南車的資料，可查車部；要找天臺
山、首陽山的掌故或詩文，可查山部；要找曹植的蝙蝠賦，
可查蟲豸部；要找寒食的掌故習俗，可查歲時部。尤其在掌
故事實、文章辭藻方面采錄極爲豐富。

二、校勘考訂古書之資助：古書流傳至今，時有訛誤，
可藉類書記載的資料校勘考訂。類書的內容是古人據是時所

見古書抄撮成篇的，利用類書校勘考訂古書，等於是利用古本校古書，自然比較眞確可靠。唐宋類書所根據的，尙多古寫本，故而每每保存了若干古本的面貌。所以淸儒校勘古書，常取唐宋類書的材料爲依據。利用這些類書，實在等於利用古書的節本，用來校勘，結果自然接近古本之眞。南宋時周必大、彭叔夏已用藝文類聚校文苑英華。類書亦可校傳本之訛誤，如韓非子喻老篇有形之類一節中有「百尺之室，以突隙之烟焚」，此地「烟」字難解，取北堂書鈔地部十三校勘，知「烟」應作「熛」，熛是指火飛出來的意思，此句才能解釋妥當。

　　三、輯故書遺文之淵藪：馬端臨文獻通考自序云：「漢隋唐宋之史俱有藝文志，然漢志所載之書，以隋志考之，十已亡其六七；以宋志考之隋唐，亦復如是」⑪。古書之亡佚，其故甚多，後人不得見，思慕其書，於是爲之輯佚。輯佚之業，今可考者，當以北宋人之輯相鶴經爲最早，至淸代才爲顯學。四庫提要卷一三五藝文類聚提要：「然隋以前遺文秘籍，迄今十九不存，得此一書，尙略資考證。宋周必大校文苑英華，多引是集；而近代馮惟納詩紀、梅鼎祚文紀、張溥百三家集，從此探出者尤多。亦所謂殘膏賸馥，沾漑百代者矣」⑫。永樂大典提要：「然元以前佚文秘典，世所不傳者，轉賴其全部全篇收入，得以排纂校訂，復見於世，是殆天祐斯文」⑬。章學誠校讎通義補鄭六之二：「六朝詩文

集，多見采于北堂書鈔藝文類聚；唐人載籍，多見採于太平御覽文苑英華，一隅三反，充類求之，古逸之可採者多矣」⑭。足見類書中引用大量原始文獻並載明出處，當某些古籍亡佚後，仍可於類書中知其梗概。由唐宋類書像藝文類聚、太平御覽中能輯唐以前的逸書；從南宋類書像錦繡萬花谷、事文類聚中能輯建炎南渡前後的逸書；從明代類書如永樂大典能輯宋金元人的逸書；由清代類書如古今圖書集成，可輯明代及金元的逸書。明張溥漢魏六朝百三名家集採自藝文類聚；清嚴可均全上古三代秦漢三國六朝文取自北堂書鈔、藝文類聚、初學記、太平御覽等；此外如王謨的漢唐地理書鈔、孫星衍的蒼頡篇、孫馮翼的皇覽等都是據古類書輯佚成書的。輯佚成果最豐的是清修四庫全書時由永樂大典中輯出五百多種（著錄者三八八種、存目者一二七種）。像東觀漢記、郝氏續後漢書、舊五代史、續資治通鑑、中興禮書、宋會要等，都賴以復顯於世。大典中有宋金元人詩文、宋元方志、宋人筆記，以及許多小說戲曲尚可輯錄。

于大成撰談類書一文論其功用有五：一、備詩文的尋檢，二、覈事典的出處，三、考故事的演化，四、輯故書的遺文，五、校傳本的譌謬⑮。張滌華論類書之利在便省覽、利尋檢、供采摭、存遺佚、資考證。類書雖有上述諸種功用，惟有利亦有其弊。四庫提要子部類書類小序已有論及，前人亦有兔園册之譏，再就體例言，部類往往重復，分部瑣碎，分合不當。在內容言，由於大都成于衆手，編纂匆促，訛誤

頗多。引用古書，羅列典故詩文，往往割裂原文，無法窺其全貌，有時不敷應用。且類書大都以前代類書爲基礎而修纂，內容經常輾轉迻錄，未經實際查校原書，若循類書所載翻檢原書，往往不同。甚至原書根本未有記載。以曹植蝙蝠賦爲例，藝文類聚以後諸類書記載，其賦文亦有不同。利用時可不愼乎！

貳、檢查事物掌故事實的類書

△一、北堂書鈔一六〇卷　　　（唐）虞世南撰；（淸）孔廣陶校注　民國六十年　臺北市　新興書局　22,798　影印本

　　本書尚有臺北文海出版社、宏業書局及藝文印書館影印本。新興書局本係據宋萬城富文齋刊本影印。

　　本書又名大唐類要、古唐類苑，或古唐類範，就內容言爲單純類事之書。四庫提要：「北堂者，秘書省之後堂，此書蓋世南在隋爲秘書郎時所作，劉禹錫嘉話錄曰，虞公之爲秘書，於省後堂集羣書中事可爲文用者，號爲北堂書鈔」⑯。原本分八十部，八〇一類，今本僅有十九部，凡分八五二類，恐係明人增改之故。其體例與「分條平列」，不撮標題式的皇覽、華林遍略、修文殿御覽、太平御覽不同，以與隋杜公瞻所撰編珠之例相同，採「標題隸事」之體。故較便省覽。所引各書均爲隋以前舊籍，對輯佚及治隋以前政

治、社會史極有幫助。日人山田英雄編有北堂書鈔引書索引，臺北文海出版社，民國六十四年曾予影印。茲誌各部名稱如下：帝王部、后妃部、政術部、刑法部、封爵部、設官部、禮儀部、藝文部、樂部、武功部、衣冠部、儀飾部、服飾部、舟部、車部、酒食部、天部、歲時部、地部。

　　△二、藝文類聚一百卷　　（唐）歐陽詢等奉敕撰；于大成主編　民國65年　臺北市　文光出版社　5冊　影印本

　　本書在臺另有民國49年新興書局影印本

　　本書既採「流別、文選」之文，又兼採「皇覽、遍略」之事，其體例為「事居於前，文列於後」。事指經史子各部資料，文指集部之資料。全書分四十五部，子目二一七。所引古書達一四三一種，其中今存者僅十分之一，故對輯佚、校勘甚有助益。文光本全書有標點，書前有敍言及書影，書末附日人中津濱涉編藝文類聚引書引得，及國人類書論文五篇，為最合實用之本。

　　△三、初學記三十卷　　（唐）徐堅等奉敕撰；（明）安國校　民國61年　臺北市　新興書局　3冊　影印本

　　本書臺北另有鼎文書局鉛印標點本，民國六十一年印行，附有諸本異同校勘表三十卷，此本係集合錫山安國及古香齋袖珍本及其他諸本編成並有句讀。全書分二十三部，子目三百十三，其體制為：前為敍事，次為事對，再次為詩

文。其與藝文類聚等前代類書之關係如下：

單純類事（皇覽、遍略）──────────┐
　　　　　　　　　　　　　　　　　　　├─藝文類聚─┐
單純類文（流別、文選、文館詞林）──┘　　　　　　├─初學記
　　　　　　　　　　　　　　　　　　　　　　　　　┘
單純類對（類對、蒙求）──────────────────┘

　　四庫提要評此書：「其所採撫，皆隋以前古書，而去取
謹嚴，多可應用。在唐人類書中，博不及藝文類聚，而精則
勝之。若北堂書鈔及六帖，則出此書下遠矣」[17]。日人中津
濱涉，於民國六十三年曾編有初學記引書引得，可資利用。
玆摘引初學記卷第十八，人部中，「離別」條，以明其例：

　　〔敍事〕

　　　楚辭曰：悲莫悲兮生別離。

　　　江淹別賦曰：黯然銷魂者，唯別而已矣。

　　　家語曰：富貴者送人以財，仁者送人以言（下略）

　　　東觀漢記曰：（下略）

　　　（下略）

　　〔事對〕（事對每條下，都詳註原文，玆從略）

　　　宿濟──餞郿（上下都見毛詩）

　　　浮雲──零雨（上李陵詩，下孫楚詩）

　　　牽衣──縱轡（上魏文帝詩，下陸機詩）

　　　（下略）

〔賦〕 （賦下所引原文甚長，茲從略）

　魏文帝「離居賦」

　梁孝儀「歎別賦」

　梁纘「離別賦」

　（下略）

〔詩〕 （詩下所引原文甚長，茲從略）

　古詩「行行重行行，與君生別離」

　李陵贈蘇武詩

　宋謝靈運相送方山詩

　（下略）

　可見，此書之體例，敍事居前，引楚辭、江淹別賦、家語、東觀漢記等書有關「離別」之記載；事對居中，羅列對語；「賦」、「詩」殿後為文，載錄有關「離別」之賦、詩等文。為合類事、類對及類文之類書。

　△四、太平御覽一千卷，另目次十五卷　（宋）李昉等奉敕撰　民國57年　臺北市　臺灣商務印書館　7 册　影印本

　民國48年新興書局曾據商務民國24年影宋刻本影印，一部十二册。大化書局以宋版蜀本為主，補以日本現藏的幾種宋本，於民國六十六年在臺影印出版，一部四册（4426面）。

　宋承五代擾亂，文獻蕩然，迄太宗繼位，天下安定，

崇尚文治，一面開科取士，拔擢人才，一面設館修書，敕纂
典籍。撰有太平御覽、太平廣記、文苑英華、神醫普救等
書，前三書與神宗時所編之册府元龜，留傳至今，稱爲宋四
大書。太平興國二年三月詔李昉、扈蒙、李穆、湯悅、徐
絃、張洎、李克勤等十四人，以前代修文御覽、藝文類聚、
文思博要及諸書，分門編爲一千卷，定名爲太平總類。全書
自修纂至完成，約近六年，書成前，更賜名太平御覽。全書
分五十五部，蓋取易繫辭：「天地之數五十五」之說，表示
包羅萬象，總括羣書之意，部中分類，類下有目，計四千五
百五十八類。各部詳略不等，分類不一，如雜物、奉使、休
徵、竹、香等部，每類有少至一二行者。以分類詳略而觀，
詳者職官部有四一四類，四裔部有三九〇類，皇親部有二五
七類，人事部有二三四類，皇王部有二二三類，鱗介部有二
〇七類，藥部有二〇三類，不超過十類者有七部。以卷數多
寡而觀，多者人事部有一四一卷，兵部有九十卷，職官部有
六十七卷，皇王部、禮儀部各有四十一卷，地部有四十卷，
不超過十卷者有二十四部。

　　書前有太平御覽經史圖書綱目，明胡應麟云：「太平
御覽引用書一千六百九十餘種，非必宋初盡存，大率晉宋以
前得之『修文御覽』，齊梁以後得之『文思博要』，而唐人
事蹟，則得之本書也」[18]。由於御覽引用多書，又成諸衆
手，不乏重複牴牾，誤引叠載，然所引經史，常可訂正今本
之謬誤，「存古訂僞」，爲御覽最大功用。清阮元云：「存

御覽一書，即存秦漢以來佚書千餘種，洵宇宙不可少之古籍也」。可知學者對此書之重視。

　　本書之索引有二種：1.太平御覽索引，錢亞新編，民國23年4月，商務印書館出版，81面。此索引據清鮑崇城刊本，將一書之目錄註明卷頁數，按四角號碼排列，書前並有研究一篇，述御覽之歷史、書名、編者、年代、內容、版本等。2.太平御覽引得，洪業編，民國24年，北平哈佛燕京學社出版，1冊，此書按中國字庋擷法排。其功用有二：(1)檢查御覽中的細目，不必檢閱原有目錄，依據檢字法一索即得。(2)輯佚某書時，亦可利用索引。

　　研讀此書，可參考郭伯恭撰宋四大書考，及黃大受太平御覽考乙文。

　　△五、册府元龜一千卷　　　（宋）王欽若、楊億等奉敕撰民國56年　臺北市　臺灣中華書局　20册（11741面）影印本

　　此書在臺尚有清華書局影印本，一部二十册，與中華版同，均據明崇禎黃國琦刻本影印。

　　宋眞宗景德二年（一〇〇五）詔編修歷代君臣事蹟，至祥符六年（一〇一三）完成。全書一千卷、目錄十卷、音義十卷，其中音義十卷，孫奭註撰已佚。宋版序謂全書分三十一部，部有總序，一一〇四門，門有小序。今傳本只有一一〇二門，未知原計有差，抑傳鈔訛誤。「册府」言往古帝

王「藏書册之府」，所謂藏之名山者也。「元龜」猶言「龜鑑」之義，所謂册府元龜，乃從歷代帝王藏書册之府中，擷取精義，分門別類，編成典籍，彙錄歷代賢君良臣之嘉言懿行，以爲後世君臣治國行事之典範，初名「歷代君臣事蹟」，書成後賜名册府元龜。

此書取材僅及經傳子史、不錄野史小說，前五百卷言君，後五百卷言臣。與專供詩文獺祭的類書不同，就史學家及考據家言之，此書所採，多北宋以前古本，加以當時校核頗精，實可用以校補現存史書之缺失。四庫館所輯之薛五代史、劉光淇校勘之舊唐書，均取材於此書。太祖開國之初建集賢院、史館、昭文館以藏書，本書編成未幾，三館大火，藏書損失大半，旋又經靖康之亂，文物蕩然無存，本書所錄均爲三館未遭回祿前之古籍也。

查閱此書之索引有二：1.册府元龜引得，陳鴻飛編，刊民國二十二年三月文華圖書館學季刊五卷一期，九十七至一二六面，此索引爲子目之筆畫索引。2.册府元龜奉使部外臣部索引，日人宇都宮清吉及內藤戊申編，民國廿七年，日本京都東方文化研究所編，約二〇三三面。此爲兩部人名、書名、專有名詞等之索引。

△六、永樂大典二二九三七卷　　（明）解縉、姚廣孝等修　民國51年　臺北市　世界書局　100册（中國學術名著第4輯，類書叢編第1種）　影印本

此書爲我國最大之類書。

永樂元年（一四〇三）成祖諭翰林學士解縉等曰：「天下古今事物散載諸書，篇帙浩穰，不易檢閱。朕欲悉采各書所載事物類聚之，而統之以韻，庶幾考索之便，如探囊取物爾。嘗觀韻府、回溪二書，事雖有統而採摘不廣，記載太略。爾等其如朕意：凡書契以來經史子集百家之書，至於天文地志陰陽醫卜僧道技藝之言，備輯爲一書，毋龐浩繁！」⑲。解縉等奉諭後，卽動手修纂，永樂二年，便告完成，賜名「文獻大成」。三年成祖加派太子少師姚廣孝等，開局重修，動員儒臣三千，輯入古今圖書七、八千種，包括經史子集、釋典、道經、戲劇、平話、工技、農藝等書，蒐羅完備。六年冬，全書告成，共二二八七七卷，外加凡例目錄六十卷，合共裝成一一〇九五冊，更賜名「永樂大典」。此書原本書面用黃絹硬裱，包背裝。

大典，用韻以統字，用字以繫事。以明樂韶鳳等奉敕撰之「洪武正韻」爲綱。凡天文、地理、人倫、國統、道德、政治、制度、名物，以至奇聞異見，庾詞逸事，皆隨字收藏。如天文志皆載入「天」字下，地理志皆載入「地」字下，若日月、星雨、風雲、霜霧，及山海、江河等類，則各隨字收載；名物、制度載在經史諸書者，亦隨類附見。原書在修纂之初，訂有凡例廿一條，計劃嚴密，無如急於成功，亦未盡守此條例。

大典雖有缺點，然宋元以前遺文秘典，多賴以保存。

清乾隆三十八年（一七七三），纂修四庫全書時，從大典中輯佚之書，卽達五百種。尤其大典照錄原著，不加改易，具叢書性質，此與四庫全書纂修時任意竄改刪削者不同。

　　此書原藏南京文淵閣，嘉靖四十一年（一五六二）世宗命儒臣一〇九人鈔錄副本，費時五年才完成，存於皇史宬。明亡之際，文淵閣被焚，正本毀。副本傳至清代。四庫開館時已殘缺二四二二卷，僅存九千餘本。咸豐十年（一八六〇）英法聯軍入北京，恣意盜取焚燬，損失慘重，大刼後，殘存八百餘册，至清末，學部發交京師圖書館時，僅存六十册而已。現在國內外公私所藏「大典」，約有八百餘卷，目前雖已輯印成書，然僅及原書的三十分之一。殊堪惋惜。臺北世界書局影印本計八六五卷。

　　關於本書之研究，可參閱郭伯恭撰永樂大典考；蘇振申撰永樂大典聚散考、及永樂大典年表；昌彼得撰永樂大典述略諸文。

　　△七、古今圖書集成一萬卷，目錄四十卷　　　（清）陳夢雷撰、蔣廷錫等奉世宗敕命重編校　　民國53年　臺北市文星書店　101册　影印本

　　△八、鼎文版古今圖書集成一萬卷，目錄四十卷　　（清）陳夢雷撰、蔣廷錫等奉世宗敕命重編校　　民國66年　臺北市鼎文書局　79册　（中國學術類編）　影印本

此書爲我國現存最大而完備的類書。這部大書在字數上，有一億四千四百萬字，五十萬頁，比三千八百萬字的大英百科全書幾乎要多四倍，在册數上超出了四倍，在體積上，幾乎多了五倍。它的偉大，正如英國漢學家 Giles 所說的是一部確實驚人的（Truly stupendous）中國百科全書。玆就其版本、撰者、體制、索引、文星版、鼎文版之比較等分述於次：

一、版本：

㈠銅模活字本：雍正六年（一七二八），每部五千册，附目錄四十卷，二十册。當初只排印六十四部。此本目前全世界僅存十一部。分藏於英國大英博物院、文津閣、文溯閣、文瀾閣、山東省立圖書館、清華大學、美國葛思德東方圖書館、故宮博物院、日本內閣圖書館。後二者各有兩部。

㈡匾體鉛字本：清光緒十年（一八八四）至十三年上海圖書鉛版集成局之鉛活字本，一部一六二〇册，目錄八册。共印一千五百部。所用鉛字，槪作匾形，與通行鉛字異，爲小字本。

㈢石印本：清光緒十六年（一八九〇）開始的石印本。此本係以銅版描潤照印底本。印裝一〇一部。此書爲清廷總理衙門委託上海同文書局於一八九五至一八九八年石印之本。

㈣照相影印本：迄今共有三種照相版。

　　1.中華書局本：民國二十三年至二十五年，上海中華書局據殿版影印本，一部八百冊，全書約五萬餘葉，合考證八冊，共八〇八冊。按原書九葉合一葉照相縮印，印製部數估計不超過一千部。

　　2.文星書局本：民國五十三年，臺北市文星書店合原版九葉爲一葉之縮印本，一部一百冊，另附地圖一冊。

　　3.鼎文書局本：民國六十六年印行，一部七十九冊，另計劃發行古今圖書集成學典乙部。

　　二、**撰者**：清康熙三十九年，皇三子誠親王胤祉命進士陳夢雷所纂，原名「古今圖書彙編」，四十五年四月書成，上之，帝命改名「古今圖書集成」，並命開館重輯。雍正初，胤祉獲罪，夢雷發遣邊外，別命蔣廷錫等賡續其事，三年全書成。夢雷，字則震，一字省齋，福建侯官人，少有才，博學能文，未冠卽登康熙九年進士，授翰林院編修，與李光第同省同年，同以請假回籍，適值十三年撤藩之變，爲耿精忠脅迫從逆。二人密謀破賊之計，並使光第急歸具疏，密陳清廷。康熙十五年精忠乞降，光第遂受優敍寵眷，夢雷於十九年始得入都自陳，不意爲光第所陷，廿一年減死戍遼東，康熙三十七年，聖祖東巡盛京，召還京，赦免其藩變之罪，命侍誠親王邸。誠親王胤祉爲博聖祖尚文好學之意，囑夢雷彙編此書，夢雷亦感懷知遇，殫精竭忠，博採羣書，遂成巨著。惜因聖祖再求完備，終其世未及刊行。而清世宗嫉

胤禛之纂修諸書，能得聖祖歡心，使其相形見絀，蓄恨已久，故卽位後，卽迫不及待的下諭將夢雷父子發遣關外。雍正四年御製序云：「特命尚書蔣廷錫等董司其事，督率在館諸臣，重加編輯，窮朝夕之力，閱三載之勤，凡釐定三千餘卷，增刪數十萬言」。全文對陳夢雷隻字不提，實欠公允。

三、體制：全書列爲六編，析爲三十二典，其部六一一七，有卷一萬。「始以曆象，觀天文也；次之以方輿，察地理也：次之以明倫，立人極也；又次之以博物理學經濟，則格物致知，誠意正心，治國平天下之道，咸具於是矣」（御製序）。「法象莫大乎天地，故彙編首曆象而繼方輿。乾坤定而成立，其間者人也，故明倫次之。三才旣立，庶類繁生，故次博物。裁成參贊，則聖功王道以出，次理學、經濟，而是書備焉」（見本書編次凡例）。玆誌其分類如下：

曆象彙編（內分乾象、歲功、曆法、庶徵四典）。

方輿彙編（內分坤輿、職方、山川、邊裔四典）。

明倫彙編（內分皇極、宮闈、官常、家範、交誼、氏族、人事、閨媛八典）。

博物彙編（內分藝術、神異、禽蟲、草木四典）。

理學彙編（內分經籍、學行、文學、字學四典）。

經濟彙編（內分選舉、詮衡、食貨、禮儀、樂律、戎政、祥刑、考工八典）。

各典下依蒐採資料及性質再分爲「部」，氏族典分部最多，達二六九六，草木典次之，凡七百部，曆法典分部

有六，最少。以卷數言職方典最多，達一五四四卷，藝術典次之，凡八二四卷，乾象典一百卷，最少。

每「部」之下按其內容分為以下幾項：

一、彙考：按各科性質與年代擷取中國典籍，可窺大要。

二、總論：一般性的論文和對某一問題的概述。

三、列傳：搜羅有關的傳記資料。

四、藝文：以詩詞歌賦為主的文學作品。短的全引，長的摘要。可供採擇之用。

五、選句：在特殊的佳作中選取佳句，亦可供採擇之用。

六、紀事：包含瑣細的史事與逸話亦可傳者。筆記小說中的故事，大量囊括。

七、雜錄：凡是典籍中零碎部分，考究欠真，難入「彙考」的；或議論偏駁，難入「總論」的；或文藻未工，難入「藝文」的，統收於此。

八、外編：古代作品及思想，荒唐難信的或譬喻臆造的，俱錄於此。

九、圖表：用來平行列舉，一目瞭然。如：星躔、官度、紀元等。

十、圖像：用來顯示文字所難表達的一切，如禽蟲、草木、器物、服飾等。

十一、地圖：專用在地理部份。

十二、考證: 糾正原書的錯誤。

以上各項，非每部均有，無者缺之，常有者僅爲彙考、總論、藝文、紀事、雜錄，其他資料多者，再以一、二、三等分之，如彙考一、彙考二……，總論一、總論二……等。列傳之多者，往往長達數十卷，有多至一二百卷者。

就全書之體制而言，係分類記事之書，惟其中氏族典六四○卷，按韻編次，爲其例外。

就內容言，本書將我國一萬五千多卷經史子集的典籍融合爲一。陳夢雷松鶴山房集卷二進彙編啓略有云： 「凡在六合之內，鉅細畢舉，其在十三經、二十一史者，隻字不遺; 其在稗史子集者，亦只刪一二」。內容確實浩瀚無比。

四、檢索: 本着卷帙浩大，檢閱不易，利用之法不外總目及索引。玆誌已編之目錄索引等工具如下:

㈠總目四十卷: 冠於書首。

㈡俞昭編圖書集成編目。

㈢日本文部省編: 古今圖書集成目錄，明治45年刊行。

㈣Lionel Giles: An Alphabetical Index to the Chinese Encyclopeadia· Chi'n Ting Ku Chin Tú Shu Chi Chéng. 民國前一年 (1911) 英國大英博物院 20,102 面。民國 58 年，臺北市成文出版社曾予影印。此書索引是將圖書集成目錄譯爲英文，再按字順

排，人名地名則按羅馬字拼音排列，英文之末附漢文。

　　㈤日人瀧澤俊亮編：圖書集成分類索引　民國22年
大連市：右文閣　62面。

　　㈥香港牟潤孫等編　古今圖書集成中明人傳記索引
民國52年　香港　明代傳記編纂委員會。

　　㈦臺北文星書店編：古今圖書集成索引　民國53年
臺北市　文星書店　第100册爲索引。此索引頗實用，
計分：(1)册號總表，(2)彙編、典、部、卷中英對照表，
(3)典、部總表，(4)中文分類索引部首檢目表，(5)中文分
類索引，(6)地方行政區劃統計表（職方典），(7)古今地
名對照索引，(8)今古地名對照索引，(9)考證索引，(10)考
證勘誤表，(11)英文索引。

　　㈧古今圖書集成引用書目稿（　曆象彙編乾象典　）
（日）枌尾武編集　民國61年至66年　東京　櫻美林大
學文學部中國語中國文學科研究室　3册　下册由汲古
書院發行。

　　㈨古今圖書集成學典：臺灣大學圖書館學系及師範
大學社會教育系圖書館組編。此書兼具編年、辭典之功
用。

五、單行與續編：本書卷帙浩大，在臺輯印其中某部單
行者如下：

　　㈠中國歷代經籍典　民國 59 年　中華書局影印　8

册

㈡中國歷代食貨典　民國59年　中華書局、學海出版社分別有影印本　5 册

㈢醫部全書　民國47年　藝文印書館影印本，影印博物彙編藝術典醫部卷21至540。

㈣考工典　民國50年　彰化大源文化服務社，12册。此書在日本亦有影印本，爲經濟彙編之考工典。

杜學知教授曾撰「古今圖書集成分部單行芻議」一文，認爲可將此一大部書，分部單行，化整爲零，更便利用。

民國六十六年鼎文書局鑒於古今圖書集成內容之時限大體止於明末，故於出版鼎文版古今圖書集成後，續編清代資料。名爲「續編初編」，內容有：歲功典、官常典、經籍典、選擧典、食貨典。

鼎文版與前此各版主要不同者有下列幾項：

㈠部册最少：除學典外，全部僅七十九册。

㈡各册標示撰者爲陳夢雷，考證乙書之輯者標示爲龍繼棟。書前增序例二卷。

㈢各册之前有簡目，部名不能詳見內容功能者，別加識語。

㈣氏族典、邊裔典、山川典、禽蟲典、草木典等另附通檢。

叁、檢查事物起源的類書

△一、事物紀原集類十卷　　　（宋）高承撰；（明）李
果訂　民國58年　臺北市　新興書局　744面　影印本

　　本書原名事物紀原。商務印書館叢書集成本、人人文
庫本均用原名。新興版作事物紀原集類。清人納蘭永壽曾予
以增補，計增八十條，補一一九條。

　　書前明正統十二年閻敬序云：「大而天地山川、小而
鳥獸草木，微而陰陽之妙，顯而禮樂制度，古今事務之變，
靡不原其始，推其自，而詳其實也，初學之士，得而閱之，
則事事物物之原，悉瞭然於心目之間，亦可知其概矣，其為
益也不既博哉」。閻序作記事一八四一件，而考其目錄實為
一七六四事。全表凡分五十五部。每部以四字標目，如天地
生植、學校貢舉、經籍藝文、草木花果等。

△二、格致鏡原一百卷　　（清）陳元龍撰　　民國61年
臺北市　商務印書館　8冊　影印本

　　本書另有新興書局本，6冊。

　　此書採輯分三十類，曰乾象、坤輿、身體、冠服、宮
室、飲食、布帛、舟車等，皆博物之學，故曰格致，又每物
必溯其本始，略如事物紀原，故曰鏡原。採擷極博，編次具
有條理。明人類書，多不載原書之名，擴古自益，本書考訂

所出，則必繫以原書之名。全書記事約一千三百餘種。商務本附有四角號碼索引。

　　紀事物原始之書除上二種外，他如釋名、博物志、小學紺珠、事物異名錄亦可用也。

肆、檢查文章辭藻的類書

　　△一、**淵鑑類函四五〇卷**　　（清）張英等奉敕撰　民國56年　臺北市　新興書局　7册　影印本

　　此書為康熙四十九年聖祖御定。以明代俞安期唐類函為基礎，廣其條例，博採元明以前文章事蹟，臚列綱目，薈為一編。使遠有所稽，近有所考。源源本本，一一燦然。卷數雖僅及御覽之半，而內容實有過之。

　　明俞安期採北堂書鈔、藝文類聚、初學記、六帖等存世之類書，刪其重複，合而為一。又益以韓鄂歲華紀麗、杜佑通典，以補所闕。命名唐類函。六朝以前典籍，頗存梗概。本書即以俞書為藍本，另增補太平御覽、玉海等類書十七種及二十一史及子集稗編等，仍沿「類函」之名。「淵鑑」之意則指浩瀚若事類之淵海。所不同者前者資料斷於唐，此書則補列五代至明之資料。前者分四十三部，後者增列二部，故為四十五部。

　　書分四十五部，部下再分目，多少不一，最多者為設官部，分三七九類；最少者為京邑部，僅有一類。此書之體

例如下：

　　一、釋名、總論、沿革、緣起：摘抄爾雅、釋名、經、史各書，以爲緣起或總論。

　　二、典故：雜鈔有關某類事實的故實。

　　三、對偶：羅列事對，以二字、三字、四字成對，其下有雙行小注。

　　四、摘句：鈔錄歷代詩文，短者全引，長者截取。唐類函原有者列前，以「原」字表示；增補者，則以「增」字標示。

　　此書爲最大一部，爲迎合帝王所好而編纂的。爲「獺祭」書之集大成。

△二、佩文韻府一〇六卷；拾遺一〇六卷　　　（清）張玉書等奉敕撰　民國 55 年　臺北市　商務印書館　影印本 7 册。另有新興書局、中華書局、高雄文光出版社影印本。

△三、駢字類編二四〇卷　　　（清）何焯等奉敕撰　民國52年　臺北市　學生書局　8 册　影印本　另有世界書局影印本。

　　佩文韻府正編與拾遺分別於康熙五十年及五十五年，由聖祖御定。正編係以元陰時夫韻府羣玉、明凌稚隆五車韻瑞爲本，蒐羅典籍，增補而成。拾遺係拾前書之所遺。

　　正編每字下皆先注音、釋義，次列成語複詞，再次爲對語摘句。所隸之事，凡陰氏凌氏已採者，謂之「韻藻」列

於前，兩家所未採者，別標「增」字列於後，皆以兩字三字四字相從，而又各以經史子集爲次。其一語而諸書互見者，則先引最初之書，其餘依次註於下。又別以事對摘句附於其末。 對語是平仄相對的辭彙， 摘句是前人用此字爲韻之佳句，舉例以經史子集爲序。二者均供採摘之用。全書所收字據汪汲韻府紀字所載凡一〇二五七字，各字齊尾，按一〇六韻編排，並析爲一〇六卷。拾遺之編例分韻與正編同。其補則爲例有四： 1.凡前編所有之字，則僅增韻書之音切， 2.凡前編未收之字， 從他韻增入者， 則兼註音義， 3.其文句典故， 爲前編所未載者， 謂之補藻， 4.前編已載，而所註未備者，謂之補註。茲舉正編卷二十九下平聲十四鹽韻：「廉」字爲例，摘錄之以明其體例：

廉 力鹹切儉也亦姓〔韻藻〕（立廉）〔禮〕絲聲哀哀以——廉以立志〔淮南子〕曾子——不飲盜泉……（不廉）……（淸廉）……（高士廉）〔增〕稜廉……〔對語〕尙德、尙廉、……弓九合、鐵三廉〔摘句〕聖世獎公廉……。

「廉」之字音爲「力鹹」切，儉之義，亦可爲姓氏。「韻藻」、「增」、「對語」、「摘句」均用陰文（墨地白文）。韻藻下羅列二字以上之辭藻，註明出典。「增」爲新增之辭藻。再次羅列與「廉」字有關之對語及摘句。

此書之檢索方法有四： 1.知韻者按韻檢字， 2.商務本附四角號碼索引， 3. 中華版書前有部首索引， 4. Vernon Nash 編三字典引得（二十五年五月北平燕京大學引得編纂

處編印，臺北成文出版社有影印本）。

　　駢字類編二四〇卷，康熙五十八年聖祖敕撰，雍正四年告成。此書與佩文韻府一齊尾字，一齊首字，互爲表裏，相輔而行，凡分爲十二門，曰天地、時令、山水、居處、珍寶等，又補遺一門曰人事。所隸標首之字，凡一六〇四，四庫提要云：「每條所引，以經史子集爲次，與佩文韻府同，而引書必著其篇名、引詩文必著其原題，或一題而數首者，必著其爲第幾首，體例更爲精密，學者據是兩編，以考索舊文，隨舉一字，應手可檢」⑳。惟考詞彙相同，首字有多達千條而又無一定次序，似不若提要所云之便捷。

　　查閱此書可利用：1.莊爲斯編駢字類編引得，民國五十五年，臺北市四庫書局印行，2.古典複音詞彙輯林，民國六十六年，臺北市鼎文書局印行，八冊。尤以後者查閱最方便。此書將辭彙之首字先分筆劃寡多，同筆劃者再分部首別先後，筆劃部首相同者，就其應在字典位置之先後依次臚列，以「中國通用檢字號碼表」編明號碼。詞彙下所引各表各篇名及引文，仍同駢字類編，用雙行夾注，凡引文中重記辭彙者，則以虛線「——」代之。

　　總之，佩文韻府及駢字類編二書，均爲查閱文章辭藻之作文辭典。其不同處有下列數端：1.後者僅收二字相連之詞（曰駢字）、前者則二至三、四字之辭均收；2.前者按韻編，後者依類分；3.前者爲齊尾字，後者爲齊首字。此外，前者內容較後者豐富，惟二書各有所長，可參稽互用，相輔

而行。

　　檢查文章辭藻之類書，除以上諸種外，它如：事類賦統編、子史精華、分類字錦諸書均屬之。

附　　註：

① 張滌華，類書流別，增訂本。另參見劉家璧編訂之中國圖書史資料集，頁639至654。

② 同上

③ 于大成，「談類書」，出版家雜誌50至51期（民國65年9至10月）。

④ （晉）陳壽撰，（宋）裴松之註，三國志（臺北市：洪氏出版社，民國64年），魏書卷二文帝紀，頁88。

⑤ 同上，魏書卷二十三，楊俊傳，頁664。

⑥ （唐）魏徵等撰，隋書（臺北市：洪氏出版社，民國63年），卷三十二經籍志第二十七，頁906。

⑦ 章學誠，校讎通義宗劉第二。見昌彼得編，中國目錄學資料選輯（臺北市：文史哲出版社，民國61年），頁559。

⑧ 楊家駱，校讎學系編（臺北市：鼎文書局，民國66年），頁系708。

⑨ 鄧嗣禹，中國類書目錄初稿，影印本（臺北市：古亭書屋，民國59年），目次。

⑩ 同註①

⑪ 馬端臨，文獻通考，萬有文庫（上海市：商務印書館，民國25年），第一冊，自序，考8。

⑫ 永瑢等，四庫全書總目提要，臺一版（臺北市：臺灣商務印書館，民國57年），第四冊，子部類書類一，頁2784。

⑬ 同上註，第四冊，頁2840。

⑭ 同註⑦頁569。

⑮ 同註③。

⑯ 同註⑫。

⑰　同註⑫第四冊，頁2786。

⑱　黃大受撰太平御覽考。刊於64年6月臺北市粹文堂影印本太平御覽書首。

⑲　郭伯恭，永樂大典考，人人文庫（臺北市：臺灣商務印書館，民國56年），頁6。另見明太宗實錄卷二十一。

⑳　同註⑫第四冊，頁2821，御定駢字類編二百四十卷條。

伍、政　書

一、概　說

政書為我國史書的一種，記載歷代典章制度的沿革變化以及經濟、文化的發展情況。正史着重政治、軍事史實，對於政治制度、軍事制度的沿革則缺乏貫通的敍述。至於經濟、法律、選舉、學術諸史及行政區域的變遷、邊疆民族的活動，尤被忽略。查尋這類的資料要利用歷代修纂三通、九通、十通、會要、會典、歷朝實錄、譜表。這些政書彙錄典章文物制度，記載詳實，也是文史研究常需翻撿的資料書。

先是世本有帝繫、氏姓、居、作等篇、迄司馬遷撰史記則有禮、樂、律、曆、天官、封禪、河渠、平準八書，班固漢書中復有律曆、禮樂、刑法、食貨、郊祀、天文、五行、地理、溝洫、藝文十志。世本、八書、十志及以後正史諸志皆有政書之性質，但材料分散，不够詳備，不易會通。因此，要查尋某一制度的沿革發展、及正史以外的資料，必需依靠政書。

錢溥秘閣書目有政書一類。四庫提要據以標目，於史部中有政書類、下分通制、典禮、邦計、軍政、法令、考工六目，玆就歷代政書區以十通、會要與會典、實錄、譜表，擇要述之如后：

二、十　　通

唐開元末有劉知幾之子劉秩，採經史百家之言，倖周禮六官所職，撰分門書凡三十五卷，號曰政典，自是乃有通古今分類敍述之典章制度史，唐京兆萬年人（今陝西西安）杜佑得此書，善之，惟以爲未備，乃決志自撰，推廣範圍，補其闕漏，備採歷代正史書志，廣采資料，彙爲一巨著，名曰通典二百卷，分九門，自此歷朝典章制度上下連貫，演進之蹟象旣明，利弊得失亦得窺見。開十通之先河。至宋代鄭樵有通志，元代馬端臨有文獻通考，合稱「三通」。清高宗敕撰續三通、清三通，並稱「九通」。外加劉錦藻所作清朝續文獻通考四百卷，即爲「十通」。

十通各書的體裁衍自正史，爲正史之支流。記事起自上古終於宣統三年，材料之繁富，可與正史相比，亦可與其相輔爲用。就體例言又與類書相近，分門別類載錄資料。新唐書藝文志把通典列入類書類，清人章學誠亦云：

「文獻通考之類…實爲類書」。十通各書選錄資料不像類書，一味貪多務博，照抄直錄，而是加以審訂選擇，「信而有證者從之，乖異傳疑者不錄」，這是與一般類書有別之

處。宋鄭樵的通志雖列三通之一，惟性質有殊，與杜馬不同。係將史記至隋書之正史拆開，予以重編改寫，其中本紀稱爲紀、年表稱爲年譜、書志改爲略，列傳稱爲傳，是紀、譜、略、世家，傳俱全的通史，每類依時序編列。其中二十略記典章文物甚詳，與杜馬並稱。明人已將此二十略單行，足見有其價值。四庫提要將通志列入史部別史類，不入政書，亦有其理。茲列十通各書如下：

△一、**通典二百卷**　　（唐）杜佑撰　民國48年　臺北市　新興書局　3冊　影印本　另有藝文、大化兩家影印本

△二、**通志二百卷，考證三卷**　　（宋）鄭樵撰　民國48年　臺北市　新興書局　10冊　影印本

△三、**文獻通考三四八卷**　　（元）馬端臨撰　民國47年　臺北市　新興書局　8冊　影印本

△四、**欽定續通典一五〇卷**　　清高宗敕撰　民國48年　臺北市　新興書局　3冊　影印本

△五、**欽定續通志六四〇卷**　　清高宗敕撰　民國48年　臺北市　新興書局　11冊　影印本

△六、**欽定續文獻通考二五〇卷**　　清高宗敕撰　民國48年　臺北市　新興書局　6冊　影印本

△七、**清朝通典一百卷**　　清高宗敕撰　民國48年　臺北市　新興書局　2冊　影印本

△八、**清朝通志一二六卷**　　清高宗敕撰　民國48年　臺北市　新興書局　2冊　影印本

　△九、**清朝文獻通考三百卷**　　清高宗敕撰　民國47年
臺北市　新興書局　8冊　影印本

　△十、**清朝續文獻通考四百卷**　　（清）劉錦藻撰　民
國48年　臺北市　新興書局　12冊　影印本

　　　　杜佑曾爲唐德宗、憲宗兩朝宰相，爲理財家，當時適
爲安史亂後、藩鎮跋扈、宦官專權，內憂外患，財政困難，
爲挽救危亡，乃以其才識撰成通典，「所纂通典，實采羣
言，征諸人事，將施有政」①。通典自序云：「夫理道之先，
在乎行教化；教化之本，在乎足衣食。易稱聚人曰財；洪範
八政，一曰食，二曰貨；管子曰：食廩實，知禮節，衣食
足，知榮辱；夫子曰：旣富而教，斯之謂矣。夫行教化，在
乎設職官，設職官，在乎審官才，審官才，在乎精選舉。制
禮以端其俗，立樂以和其心，此先哲王致治之大方也。故職
官設，然後興禮樂焉；教化墮，然後用刑罰焉；列州郡，俾
分領焉；置邊防，遏戎狄焉。是以食貨爲之首，選舉次之，
職官又次之，禮又次之，樂又次之，刑又次之，州郡又次
之，邊防末之。或覽之者，庶知篇第之旨也」②。可見其八
門分門編次，有其深奧之理。每門之下又分子目，每事以類
相從。起自上古下迄天寶末年的經濟財政制度、政治制度、
兵法、地理沿革、邊疆民族及外國的風土習俗等都詳予載
述，詳而不煩，簡而有要。取材不限正史，博及五經羣書及
漢魏六朝的文集奏疏，凡有關政治得失的材料，彌不蒐採。
且分門以食貨居首，爲前所未見。八門中又以禮典居半，故

對古代禮制闡述甚詳，爲查考唐以前禮文儀節、制度典章之淵藪。例如要找古代地方基層組織、戶口、賦稅、漕運等可查食貨典之田制。

通志二十略內容頗豐。「略」近於「志」，是大綱、概略之意。除了典章制度外，尚包括文化、藝術、學術史。起自上古，迄於唐代。內容爲：氏族、六書、七音、天文、地理、都邑、禮、謚、器服、樂、職官、選舉、刑法、食貨、藝文、校讎、圖譜、金石、災祥、昆蟲草木。其中六書、七音、藝文、校讎、圖譜、金石均爲通典所無。而藝文、校讎兩略，尤爲我國目錄學及校讎學之重要文獻。藝文略著錄宋以前圖書一〇九一二部，共一一〇九七二卷，分十二大類合乎周天之數，採用「三位分類法」。十二大類是：經、禮、樂、小學、史、諸子、天文、五行、藝術、醫方、類書、文。大類下又分子目，例如史類第五之下又分：正史、編年、霸史、雜史、起居註、故事、職官、刑法、傳記、地理、譜系、食貨、目錄，計十三個子目。大多數子目下再分小子目，例如傳記之下再分：耆舊、高隱、孝友、忠烈、名士、交遊、列傳、家傳、烈女、科第、名號、冥異、祥異，計十三個小子目。分類細緻爲目錄學史上的一大進步。這種分類法是依據其校讎略的理論而來的。校讎略裏鄭樵主張目錄學的任務是辨別和分清學術源流。故曰：「學之不專者爲書之不明也，書之不明者爲類例之不分也」「類例分，則百家九流各有條理，雖亡而不能亡也」③。並論及目錄編次及

圖書採訪方法，極有創見。通志卷七十五及七十六兩卷為昆蟲草木略，仿爾雅體例，滙釋草木蟲魚之名，為研究生物學史的可貴文獻。氏族略記姓氏來源，為譜系學史資料。都邑略記隋以前歷代建都及域外諸國。謚略論述古代二百一十種謚法。

馬端臨，宋末樂平人，宋末宰相馬廷鸞之子。入元，為柯山書院山長。撰文獻通考，欲與資治通鑑相配合，自序之：…「然公之書詳於理亂興衰，而略於典章經制，非公之智有所不逮也。編簡浩如煙埃，著述自存體要，其勢不能兩得也…」④。又依通典增減門類，補其缺略，詳加考證，費二十年成書。自序又云：「凡敍事則本之經史，而參之以歷代會要，以及百家傳記之書，信而有證者從之，乖異傳疑者不錄，所謂文也。凡論事，則先取當時臣僚之奏疏，次及近代諸儒之評論，以至名流之燕談，稗官之記錄，凡一話一言，可以訂典故之得失，證史傳之是非者，則採而錄之，所謂獻也。其載諸史傳之記錄而可疑，稽諸先儒之論辨而未當者，研精覃思，悠然有得，則竊著己意附其後焉。命其書曰文獻通考。」⑤可見此書之內容來源有三，一為歷代典籍，是為「文」，一為賢者之論述，是為「獻」，三為其個人所得。全書分二十四門，計：田賦、錢幣、戶口、職役、征榷、市糴、土貢、國用、選舉、學校、職官、郊祀、宗廟、王禮、樂、兵、刑、經籍、帝系、封建、象緯、物異、輿地、四裔。除經籍、帝系、封建、象緯、物異五門為新增

外，餘十九門均本之通典。通典全書之精華皆容於此。南宋嘉定末年（一二二四）以前，歷代政治、經濟、文化、藝術等之沿革變遷，悉在也。文獻通考的內容較通典豐富，體例較通志嚴謹。於宋代制度載述尤詳，可補宋史之疏漏。作者附加之按語，能够貫穿古今，易於明瞭，故明清以來史家對此書評價頗高。

三通以後，清乾隆朝敕編續三通及清三通，大致均以三通爲基礎，向後展延續補，子目亦有所增補損益。續三通記事至明代末年，亦爲通古今之作，惟清三通則僅錄有清一代典章制度，係斷代爲書。惟習慣上仍列入九通。民國十年，劉錦藻編纂完成清朝續文獻通考四百卷，記事起自乾隆五十一年終至宣統三年。於二十六門外，增外交、郵傳、實業、憲政四考，共三十門。子目凡一百三十六項。九通併此書、合稱十通。

清末，朱次琦云：「九通，掌故之都市也，士不讀九通，是謂不通」。此語雖嫌誇大，但亦顯示九通內容之繁富。九通在我國史書中有其地位，惟各書間重複之處甚多，清人汪鍾霖有見於此，刪汰繁複，融會貫通，斟酌部類，定爲二十二類，名爲九通分類總纂。今人楊家駱復取劉錦藻清朝續文獻通考之二十六考附其後，名曰：十通分類總纂，茲誌兩書於后：

△一、九通分類總纂二四〇卷　　（清）汪鍾霖撰　民國63年　臺北市　藝文印書館　10冊　影印本

　　△二、十通分類總纂　　楊家駱主編　民國64年　臺北市　鼎文書局　30冊

　　民國二十六年，商務印書館編有十通索引，爲檢索十通之工具書，四十八年，臺北新興書局再予影印行世。全部二冊，第一冊爲四角號碼索引，第二冊爲單字筆劃索引。日本東洋史研究會於昭和二十九年十二月編印出版文獻通考五種總目錄附通典通志，亦可參考。

三、會要與會典

　　會要與會典是斷代政書的總稱，會是「滙集」之意，要爲「概要」之意。會要是滙萃一代典章制度，分立門類，而扼要敍述，可觀一代典制，供後世取鑑也。會要的體例與正史諸志，以及前述類書、通典、通志、通考相近，而不全同，所載資料往往爲正史所未載。會要雖亦分門別類選錄有關資料，惟僅錄列一朝史實，體例不嚴謹，篇幅可長可短，敍事詳略不一。私人撰述者，大都稱爲會要，明清兩代官修者通稱「會典」，其書以吏、禮、兵、工、戶、刑六部爲綱，重在章程法令，其例導源於大唐六典，與會要性質有所不同。

　　舊唐書蘇冕傳云：「纘國朝政事，撰會要四十卷」⑥爲我國會要之始，唐德宗貞元年間（西元七八五年）蘇冕取唐高祖至唐德宗九朝的典章制度編纂會要四十卷。宣宗大中七年（西元八五三年）又命楊紹復、崔鉉、鄭言等人續纂四十

卷，成績會要四十卷，由德宗續至宣宗大中六年，續增七朝史實。宋太祖建隆二年（西元九六一年）司空平章監修國史王溥等以此兩書爲基礎補錄宣宗至唐末史實，題爲唐會要一百卷，故唐會要實纂於唐，而成於宋。溥復取五代之典章制度，撰爲五代會要三十卷。此爲現存最早之兩部會要。

宋代十分重視當代史實的整理。秘書省設立會要所專司其事，與國史、實錄兩院與日曆所互相聯繫。從事宋會要的編纂工作，較唐代詳備，有慶曆國朝會要、元豐增修五朝會要、政和重修會要、淳熙會要等，自太祖以迄寧宗凡十三朝均有之。歷南、北宋，前後重修及續修十次，成書二千二百餘卷，規模宏大，遠邁明清。惟宋會要於其時並未刊行。宋亡，全部會要鈔本爲元室運往燕京（即今北京），元修宋史本此。明初，此書尚存，修永樂大典時，曾採入分列各韻之下。宣德年間（一四二六至一四三五年），內廷失火，會要全部燒毀，清嘉慶十四年（一八〇九年），徐松入全唐文館，得見永樂大典，輯出宋會要五六百卷。民國二十二年才由北平圖書館影印出版，名爲宋會要輯稿。

宋代除宋會要外，南宋徐天麟依據漢書及後漢書的內容，撰成西漢會要與東漢會要。

遼人有契丹會要，元人孟夢恂有漢唐會要，均爲私家撰述，書已亡佚。元文宗天歷二年九月敕命仿唐宋會要纂爲一編，書成賜名皇朝經世大典，實即大元會要之異名也。

清人補撰了幾種前代會要。姚彥渠撰春秋會要四卷，孫

楷撰秦會要，楊晨撰三國會要二十二卷，龍文彬撰明會要八
十卷。

　　民國有林瑞翰、逯耀東合撰晉會要。

　　明清以來始有會典，純出於官修。性質與會要相同，記
一代典章制度，惟不若會要之以類相從，分門編裁。而以職
官制度爲綱，是其特徵。會典源於唐人張九齡等纂修之唐六
典，其書三十卷，題爲唐玄宗撰，李林甫奉敕注。內容分三
師、三公、三省、九寺、五監、十二衛等分目，共六大部
份，每一部份列其職司官佐，鈙其品秩，其沿革則附見於注
文中。類此者，元代有大元聖政典章附新集、至治條例（簡
稱元典章）。大明會典首用「會典」之名。體例亦以六部爲
綱。清代仿明會典之例，纂修大清會典，歷康熙、雍正、乾
隆、嘉慶、光緒五朝共修纂五次，故亦稱「五朝會典」。

　　蔡學海論會要之功用有四⑦，茲闡述如次：

　　一、貫串典章制度及史事：會要可詳一代典章制度，損
益因革之跡。會要體史書與編年體之實錄，紀傳體之國史，
鼎足而峙，皆足代表一代或一朝之故實。清人俞樾春秋會要
序云：「史之有體、有編年、有紀傳；編年昉於春秋，紀傳
昉於尚書。觀一人之始終，莫如紀傳，而甲與乙不相貫穿：
於是後人又有會要之作」。可見會要具有貫穿典章制度與史
事之功。

　　二、補正史之不足：會要之資料，固有取自正史者，如兩漢會要、三國會要、春秋會要、明會要、秦會要等；然亦有較正史為原始或未為正史所取者，如唐會要、五代會要、宋會要是也。前者除西漢會要全據漢書外，餘均兼採正史以外之資料，故能補正史之不足；後者成於正史修成之前，價值更高，何況，正史採用此等資料時，限於體例，無法全取，當可補正史之缺。會要體與紀年、紀傳不同，縱使內容有關，實亦可相互參稽。

　　三、史料索引：會要內容大多詳註資料出處，引書頗多，可作索引用。例如：西漢會要係據漢書類編而成，往往註明出自漢書何處，故可作為漢書之索引用。再如秦會要引用書頗多，左傳、呂氏春秋、戰國策、說文解字、史記、漢書、華陽國志、通典等悉予採入，引證諸書均注出處，可作為索引以求各家所載，俾進一步研閱之用。

　　四、史料考訂：會要有別於類書，類書採輯羣書，以類相從，排比堆砌，甚少附加案語及考訂訛誤。會要取材較為嚴謹，貫穿史事，較有條理。類目下往往附加案語，有所論斷。例如唐會要中蘇冕之駁議，東漢會要、明會要附加之案語、秦會要之訂補，皆為考訂之工夫。此實為會要之一大特色。

　　會典之體例與會要雖殊，惟亦記一代典制，其功用與會

要亦相仿佛。

歷代會要

△一、**春秋會要四卷、目錄一卷**　　（清）姚彥渠撰
民國49年　臺北市　世界書局　1冊　（中國學術名著歷代
會要第1期書第1冊）　與七國考合刊

△二、**七國考十四卷**　　（明）董說撰　民國49年　臺
北市　世界書局　1冊　（中國學術名著歷代會要第1期書
第1冊）　與春秋會要合刊，另有商務叢書集成本

△三、**秦會要二十六卷**　　（清）孫楷撰、施之勉、徐
復同補訂　民國45年　臺北市　中華叢書會　294面　今人
徐復加以訂正補充，有秦會要訂補二十六卷

△四、**西漢會要七十卷、目錄一卷**　　（宋）徐天麟撰
民國49年　臺北市　世界書局　722面　（中國學術名著歷
代會要第1期書第2冊）　另有商務國學基本叢書本，與東
漢會要合刊、九思影印本一冊

△五、**東漢會要四十卷、目錄一卷**　　（宋）徐天麟撰
民國49年　臺北市　世界書局　438面　（中國學術名著歷代
會要第1期書第3冊）　另有九思影印本一冊

△六、**三國會要二十二卷**　　（清）楊晨撰　民國47年
臺北市　世界書局　396面　（中國學術名著歷代會要第1期
書第4冊）

△七、**晉會要**　　林瑞翰、逯耀東同撰　國立臺灣大學

歷史學系學報第 4 期（民國65年 5 月）　頁35至194

　　△八、**唐會要一百卷、目錄一卷**　　（宋）王溥撰　民國49年　臺北市　世界書局　3 冊　（中國學術名著歷代會要第 1 期書第 5 至 7 冊）　另有商務國學基本叢書本、日本京都中文出版社影印本

　　△九、**五代會要三十卷、目錄一卷**　　（宋）王溥撰　民國49年　臺北市　世界書局　1 冊　（中國學術名著歷代會要第 2 期書）　另有商務國學基本叢書本、九思出版社影印本

　　△十、**宋會要輯本三百六十六卷**　　（清）徐松輯　民國53年　臺北市　世界書局　16冊　（中國學術名著歷代會要第 2 期書）　影印本　另有新文豐出版社影印本題: 宋會要輯稿

　　△十一、**宋朝事實二十卷**　　（宋）李攸撰　民國57年　臺北市　商務印書館　3 冊　（國學基本叢書）另有西南、文海與商務四庫珍本別集（145至147冊）影印本

　　△十二、**建炎以來朝野雜記四十卷**　　（宋）李心傳撰　民國56年　臺北市　文海出版社　2 冊　影印本

　　△十三、**明會要八十卷、例略目錄一卷**　　（清）龍文彬撰　民國49年　臺北市　世界書局　2 冊　（中國學術名著歷代會要第 1 期書第 9 至10冊）

　　以上歷代會要彙集各代典制，區分門類，酌定子目。查檢時需先查朝代，再到類目中找尋。

西漢會要分的十五門是：帝系、禮、樂、輿服、學校、運曆、祥異、職官、選舉、民政、食貨、兵、刑法、方域、蕃夷。每門之下各分若干子目，如食貨門下分：墾田數、限民名田、代田、勸農桑、水利、田租、口賦、鹽鐵、荒政等三十六個子目。又如「方域」門，輯錄有關行政區域劃分（都邑、郡國沿革）以及宮、殿、樓閣、道路、宮寺、街市、鄉里、城塞等資料。秦會要、東漢會要、三國會要等均有方域門，各書貫穿閱讀就能瞭解歷代行政區域劃分的情況。再如要明瞭西漢地震狀況，可查祥異門，其下有地震一目，記載自惠帝二年（西元前一九三年）至綏和二年（西元前七年）共有地震八次，其中宣帝本始四年（西元前七○年）之地震連及河南以東四十九郡，死亡六千多人。其他各代會要大都也有地震之記載，由此可以瞭解歷代地震之狀況及政府之措施。

東漢會要之分門與西漢會要略同，惟學校、運曆、祥異改爲文學、曆數、封建，體例嚴謹。明會要之分門亦與西漢會要相同，惟次第稍有變動。其「祥異」列於「刑」之末，改「蕃夷」爲「外蕃」。除春秋、秦兩代外，各代會要，大都倣效西漢會要之分門。

唐會要的分類共五百四十八目，不分大門類。徵引材料翔實，可補新舊唐書、文獻通考之不足。五代會要亦爲王溥所撰，取材於五代十國之實錄，可考五代史的訛誤與疏漏。此兩會要保存史料豐富，可信，爲重要之兩種會要。

　　清嘉慶間，徐松就纂修全唐文之便，私自由永樂大典中輯出宋會要約二百册，未及整理而卒，稿爲繆荃蓀所有，後又爲王秉恩私自藏匿。民國四年，劉翰怡以重金購得交劉富曾整理，不料爲劉富曾痛加刪併，任意刪改。二十年，北平圖書館從劉翰怡處買到原稿，再借劉富曾改本互相對勘，發現改本所有，已爲原稿所無，二十二年，由陳垣主持將原稿影印出版。卽今世界書局所據影印之本。此書共分十七類，內容十之七八爲宋史各志所未載。是研究宋代歷史的重要文獻，爲便檢索，日人靑山定雄編有宋會要硏究備要目錄、今人王德毅編有宋會要輯稿人名索引，可資檢索。查閱宋代典制，除了本書及前述文獻通考之外，下列宋人所撰各書亦具政書性質，可資利用：

　　一、宋大詔令集二百四十卷，缺四十四卷，爲宋綬之子孫所撰。

　　二、續資治通鑑長編五百二十卷，南宋李燾編撰。

　　三、建炎以來繫年要錄二百卷，南宋李心傳編撰。

　　四、建炎以來朝野雜記四十卷，南宋李心傳編撰。

　　五、三朝北盟會編二百五十卷，南宋徐夢莘編撰。

　　六、宋朝事實二十卷，宋李攸編撰。

歷代會典

△一、大唐六典三十卷　　（唐）李林甫等奉敕撰　民國51年　臺北市　文海出版社　〔6〕,522面

　　△二、**唐大詔令集一三〇卷**　　（宋）宋敏求編　民國
61年　臺北市　鼎文書局　41,712面　（國學名著珍本彙刊
史料彙刊之一）　另有華文影印本、張鈞衡適園叢書本

　　△三、**大元聖政國朝典章六十卷**　新集至治條例不分卷
（元）大著撰人　民國53年　臺北市　文海出版社　2冊
影印本　另有故宮博物院影印本3冊

　　△四、**大明會典二百二十八卷**　　（明）李東陽等奉敕
撰，（明）申時行等重修　民國66年　臺北市　新文豐出版
社　5冊　影印本　另有商務國學基本叢書本一部四十冊，
東南書報社影印本五冊

　　△五、（欽定）**大清會典一百卷**　圖二百七十卷　事例
一千二百二十卷　　（清）崑岡等奉敕編　民國52年　臺北市
中文出版社　24冊　影印本　另有商務影印本一百卷十冊、
無圖及事例、啓文及新文豐影印本二十四冊，有圖及事例。

　　　唐六典爲現存關於唐代官制最早的著作，唐大詔令集
收錄皇帝頒佈的詔令文件，都是新唐書所未載的。兩書都是
唐史研究的重要資料，具有政書性質。

　　　元典章現僅存前集六十卷，記元世祖卽位（一二六〇
年）至仁宗延祐七年（一三二〇年）之典章制度，內容許多
爲元史所未載。新集續載至元英宗至治元年（一三二一年），
二年（一三二二年）的法令文件。全書分詔令、聖政、朝
綱、臺綱、吏部、戶部、禮部、兵部、刑部、工部十門，爲
研究元代政治、經濟、法律、習俗的重要資料。雖無會典之

名，而有其實。

明會典爲明孝宗弘治敕命徐溥主編的，至弘治十五年（一五〇二年）成書，共一百八十卷，曾於正德年間刊行。嘉靖八年（一五二九年）續修，至二十八年成書五十三卷，但未刊行，至萬曆四年（一五七六年）重修，至十三年成書，凡二二八卷。全書以六部（吏戶禮兵刑工）爲綱，分述各級行政機構的職掌和事例。書中關於九邊形勢、冠服儀禮等還有插圖，是明修政書，記一代典制，內容詳盡，遠在明史諸志之上。

清會典的體例仿明會典。此書在清代前後纂修五次始自康熙二十三年（一六八四年），歷雍正、乾隆、嘉慶、至光緒二十五年（一八九九年）成書，資料截至光緒二十二年止。其體例是「以官統事、以事隸官」。按行政機構系統排列，每衙門下並逐年排比，記其職掌和事例。「事例」是指各部門逐年的因革損益、變遷改動的具體情況。此書爲研究清代典制的重要文獻。五朝所修，以光緒朝最詳。

四、實　　錄

事物紀原經籍藝文部實錄條：「三代之主，有左右史，記其言動，漢武有禁中起居，明帝有起居注，而無名實錄者，唐藝文志所載實錄，自周興嗣梁皇帝實錄爲始，則其事自玆以爲始也」⑧。可知漢以來，有起居注，掌侍皇帝起居，記述其言行。卽周左右史之職。唐以後每帝崩殂後，由

繼嗣之君，敕修實錄，沿爲定例。「實錄」亦史書之一體，爲官修編年體史料長編。唐五代宋遼金元之實錄均佚，僅存者爲唐韓愈之順宗實錄五卷、宋錢若水的太宗實錄二十卷，南宋劉克莊的寧宗玉牒初草二卷。

隋書經籍志於史部有起居注一門，舊唐書經籍志與新唐書藝文志都承襲此一體例。舊唐書並將實錄入起居注。可見，實錄與起居注有共同之處，均記皇帝言行。惟起居注記皇帝生活細節，爲宮中女史之職，記錄內容範圍較窄，實錄則除記皇帝外，並記國家大事及施政、內容較廣。由唐代起始，每一皇帝死後，由朝廷派專人入史館撰修實錄。實錄是就起居注、日錄、時政記等類之資料纂修的，以年經月緯、彙編而成，凡詔令章奏、悉予入錄。爲日後修纂正史之所本。據貞觀政要卷七所載，唐太宗欲覽起居注爲褚遂良朱子奢止之，而不可得，臣工乃刪略國史，撰爲實錄二十卷呈獻。可見起居注與實錄爲不同之著作，隋書經籍志著錄周興嗣梁皇帝實錄三卷及謝昊（唐志作昊）梁皇帝實錄五卷，均入雜史類，不入起居注，是有道理的。

正史雖取材實錄，惟受體例所限，不能全錄。只能割列部份，因此實錄內容自然較正史豐富而原始。尤其，正史之修纂是由後代爲之，往往因立場不同，隱瞞或歪曲史事，欲明眞象，則需求助於實錄。例如清初修纂明史，凡涉及清代皇族祖先的生活、活動都棄而不言，但明代實錄卻記載得很詳細。可知實錄的史料價值。

雖然如此， 實錄不免也有缺點。 其主要缺點是遺漏頗多，不可盡信。清代史學家萬斯同精研明實錄，他在羣書疑辨卷十二讀太祖實錄中寫道:「高皇帝以神聖開基，其功烈固卓絕千古矣。乃天下既定之後，其殺戮之慘一何甚也！當時功臣百職，鮮得保其首領者。……蓋自暴秦以後所絕無而僅有者。此非人之所敢謗，亦非人之所能掩也。乃我觀洪武實錄，則此事一無所見焉。縱曰爲國諱惡，願得爲信史乎？至於三十年間， 藎臣碩士， 豈無嘉謨嘉猷， 足以傳之萬祀者？乃一無所記載，而其他瑣屑之事，如千百丈長之祭文，番僧士酋之方物，反累累不絕焉。是何暗於大而明於小，詳於細而略於巨也？」。 再以清實錄爲例， 其史料價值亦不高，因其內容常爲清廷竄改，太祖、太宗、世祖三朝實錄，就爲雍正敕命改寫。僞滿時期曾將清太祖努爾哈赤到德宗的十一朝實錄，加上宣統政紀一併影印出版，全書一百二十二帙，一千二百二十冊，外加目錄一帙十冊。爲了隱瞞清廷之殘暴，內容大加竄改，已非原來面目，其史料反不如乾隆朝纂修之東華錄。

△一、**明實錄附校勘記**　　中央研究院校刊　民國55年9月　臺北市南港　該院　133冊，附錄21冊，校勘記29冊。

△二、**十二朝東華錄五○九卷**　　　（清）蔣良驥、王先謙纂輯　民國52年9月　臺北市　文海出版社　30冊。

△三、**大清歷朝實錄**　　民國67年　臺北市　新文豐出版　94冊（含總目一冊）

　　文海出版社亦有影印本。

　　明代實錄自太祖到熹宗凡十三朝（其中建文帝附於太祖，景泰帝附於英宗），均已修成，共二七○九卷，崇禎一朝則有後人補輯之十七卷。但歷來無刊本，僅靠鈔本流傳。前南京國學圖書館（又名龍蟠里圖書館）藏有鈔本明實錄一部，分十六朝，計有：一、太祖洪武（惠帝建文附），二、太宗（成祖）永樂，三、仁宗洪熙，四、宣宗宣德，五、英宗正統，六、代宗景泰（明廢帝），七、英宗（復辟）天順，八、憲宗成化，九、孝宗弘治，十、武宗正德，十一、世宗嘉靖，十二、穆宗隆慶，十三、神宗萬曆，十四、光宗泰昌，十五、熹宗天啓，十六、懷宗（諡思宗）崇禎。全書共二九二五卷。民國二十九年有梁鴻志將江蘇省立國學圖書館本明實錄影印本行世，凡五百冊。

　　中央研究院歷史語言研究所校刊本以國立北平圖書館紅格本的晒藍本爲底本。校刊工作始於抗戰前，中經戰亂播遷，停頓數次，遷臺後始再繼續。至民國五十，陸續校完，開始影印紅格本實錄及排印校刊記。史語所校勘明實錄與民國十九年該所監理內閣大庫舊藏明清檔案有關。是時發現有內閣進呈熹宗實錄散頁。傅所長孟眞想從散頁中找尋缺卷，並改正紅格本的脫誤，乃一方面整理內閣大庫檔案，編印明清史料，並籌劃校勘明實錄。二十年借得紅格鈔本予以晒藍。二十二年獲得廣方言館贈予舊藏鈔本（僅闕熹宗一朝）。因爲明十三朝實錄計三○四五卷，正文約二萬八千餘頁，一

千六百餘萬字，非一人所能校，故動員人力頗多，參校者先有李晉華、那廉君、鄧詩熙、潘愻，後有王崇武、吳相湘、姚家積等人。初校以晒藍本爲底本與廣本對校，兩本有缺時，再以他本校勘。史語所遷來以後，接續前人未盡事業，由黃彰健等人重予整理校刊，始克蕆事。

清實錄共十二朝，新文豐本有：一、滿州實錄，太祖高皇帝實錄共十卷；二、太宗文皇帝實錄六五卷；三、世祖章（順治）皇帝實錄一四四卷；四、聖祖仁（康熙）皇帝實錄三百卷；五、世宗憲（雍正）皇帝實錄一五九卷；六、高宗純（乾隆）皇帝實錄一五〇〇卷，七、仁宗睿（嘉慶）皇帝實錄三七四卷；八、宣宗成（道光）皇帝實錄四七六卷；九、文宗顯（咸豐）皇帝實錄三五六卷；十、穆宗毅（同治）皇帝實錄三七四卷；十一、德宗景（光緒）皇帝實錄五九七卷；十二、宣統政紀實錄七〇卷。記自太祖天命元年一月至宣統三年十二月史實。清代，每一皇帝卒，卽設實錄館，負責修實錄，事畢撤銷，與常設機構國史館不同，修妥的實錄以滿、漢、蒙三種文字繕寫，每種謄五部，分藏五處。清實錄內容雖頗豐富，但因常爲皇帝敕命修改，故內容失眞，不若東華錄可靠。

東華錄是蔣良驥、王先謙等摘鈔實錄而成。清代國史館在東華門，蔣氏時任纂修，就實錄及其他文獻摘鈔太祖、太宗、世祖、聖祖、世宗（自天命元年至雍正十三年）等朝的史料，或東華錄三十二卷。光緒初年，王先謙續鈔乾隆、

嘉慶、道光三朝史料，並就蔣書加以增補，於光緒十一年成書，凡一百二十卷。王氏又以潘頤福輯咸豐東華錄六十九卷，加以增補；又另自輯同治朝東華錄，自乾隆下迄同治五朝合稱「續錄」。清初三朝實錄屢經改修，已失其眞，故實錄之初修本實較重修本爲優，蔣書多取材於初修本，王錄則以涉忌諱而刪去，故蔣書所錄史實和文件，往往爲傳本清實錄所無，是其特點。然而，王氏續錄晚出，記載詳盡，蔣書所據實錄後經竄改多次，面目已非，故王錄亦有其優點。繼王書之後，朱壽朋撰光緒東華錄二百二十卷，於宣統元年出版。此書又名東華續錄。內容多據邸鈔、京報及其他新聞資料輯成，體例與蔣、王兩書相同，此書較德宗（光緒）皇帝實錄先出，資料較德宗實錄多出四分之一，德宗實錄所無，往往見之此書，故史料價値頗高。

清實錄較明實錄爲完備。明清兩朝實錄卷帙浩大，與正史並存不廢。

五、表　　譜

史記三代世表索隱：「表者，錄其事而見之」，列記事件以便觀覽者謂之「表」。釋名釋曲藝：「譜，布也，布列見其事也，亦曰緒也」，紐樹玉說文新附考：「譜，通作普，或作表」。故列表或列記事件以便觀覽者謂之「表」或稱「譜」，或以「表譜」連稱。錯縱複雜之事，藉「表」、「譜」得以明之。

政書的形態除已述之十通、會要、會典等外，尚有以「表」、「譜」形式撰寫的專著。這是由正史中的「表」因襲而來。例如漢書有百官公卿表，新唐書有宰相世系表。茲舉要者如後：

職　官　表

辭海：「職官，文武百官之通稱；職，事也，設官以治事，故曰職官。通典有職官典，宋史有職官志」。我國歷代，政府分職設官以治事，職官之興廢、品級、職掌、員額，屢有變遷，極為複雜。要明其沿革可查閱正史的「志」或九通的「職官」部份，明清會典亦提供不少的資料，然而，官制資料往往不相連屬，不易會通。職官表卽彙集一代或各代職官，列表以官制為綱，以年為次，使查閱者一目了然，獲知完整的知識。

△一、**歷代職官表七十二卷**　　（清）永瑢等奉敕纂修　民國55年　臺北市　商務印書館　2045面　（叢書集成簡編）影印本

△二、**歷代職官表六卷**　　（清）紀昀等奉敕撰；黃本驥重編　民國62年　臺北市　樂天出版社　824面　影印本
　　此書有官修本及黃編本兩種。前者七十二卷，後者六卷。廣雅書局、商務印書館、鼎文書局國學名著彙刊史料叢

刊本、四部備要本爲官修本。三長物齋叢書本、樂天出版社、鼎文書局中國學術類編本爲黃編本。

乾隆四十五年命四庫館臣編纂歷代職官表七十二卷，以當時官制追溯前代官制沿革，用表的形式作綱領，而以說明考證羅列於後，內容頗爲豐富，惟有幾項缺點如下一、卷帙多，檢索不便；二、淸代的職官未備，有些臨時性、定期性與兼任性職官多未立表，連帶遺漏前代職官；三、以淸制爲綱，則古有今無的官名無從表現，各朝特有官制無所附麗，古無今有的官名，爲設法與古官名相比附，顯得牽強；四、若干處引書不確、文義竄改、字句脫誤、書名及人名參差謬誤，寫刻烏焉亥豕，使得實際應用上，增加不少困擾。

道光二十五年，黃本驥以官修本內容繁累，遂刪釋文，僅存諸表及簡略的淸代官制說明，縮爲六卷，使用上較前書爲便。惟改編工作不夠細密，其缺點有：一、原本錯誤多未訂正；二、誤解原文，改寫錯誤；三、刪改失當，四、脫誤甚多。一九六五年中華書局重予校勘整理，訂正訛誤並加標點。臺北市樂天出版社、鼎文書局中國學術類編本均爲此種新編本。書前有瞿蛻園撰「歷代官制概述」，書末附「歷代職官簡釋」及「歷代職官表及簡釋綜合索引」，索引按職官名末字之四角號碼排列。鼎文版另附「淸史稿職官志」。

此書仿周官六部之例，由中央至邊疆、藩屬之各官職均加蒐探，如宗人府、內閣、吏部、戶部、禮部、兵部、刑

部、工部、理藩院、都察院、五城、通政使司、大理寺、翰林院，經筵日講起居注官、文淵閣閣職、詹事府等。每一職官首列清制，再依次臚列與清代建置相當的官職名稱，列表起自三代終於明朝。如表中空白即表示該朝無此建置。如清代的「知縣」，明代亦稱知縣，相當於五季、宋、遼、金之「縣令」，元之「達嚕噶齊」及「縣尹」。後漢至後周稱爲「令」、「長」或「相」。相當三代之「縣正」、「邑宰」隋代則未有建置。

官修本記職官，前爲職官「表」，表末有「謹案」兩字爲總序，綜述歷代建置沿革。次爲「國朝官制」，記清代官制，以吏部表而言，記吏部以下，吏部尙書、吏部左右侍郎、文選司郎中、文選司員外郎至筆帖式各官之品級、員額及職掌，自清初至乾隆間之建置、沿革均予敍述。再次爲「歷代建置」，按朝代順序，博引羣書，考證歷代這一部門之機構和官職的建置、沿革情況、最後附加「謹案」之案語，以與前代建置、職掌等作一比較。黃編本將各職官之「國朝官制」、「歷代建置」及案語等刪汰頗多，列表精要，頗便查閱。

今人魏秀梅編有清季職官表附人物錄一書，以清季官職爲經，歷任官制爲緯，按時間序列，記中央及京外高級職官歷年任職姓名、任職時間、類別、離職時間、原因等，列表記述甚詳，書末並有人物錄，簡述其生平，蒐採豐富，亦可參考。

　　△三、新修清季史三十九表　　錢實甫等編　民國62年
臺北市　鼎文書局　1冊　影印本

　　△四、中華民國職官年表（第一輯）　　劉壽林編　民
國67年　臺北縣永和　文海出版社　653面　影印本

　　新修清季史三十九表一書係下各書之合刊：一、錢實
甫編：清季重要職官年表，一九五九年出版，二七〇面；
二、清季新設職官年表，一九六一年出版，（臺北文海出版
社於民國六十八年影印）；三、清季各地將軍都統大臣等年
表，章伯鋒編，一九六五年出版（民國六十八年臺北文海出
版社有影印本）；四、清季中西曆對照表，榮孟源編；五、
民國以來北洋政府職官任免年月表。

　　歷代職官表僅記至清乾隆朝，以後官制之沿革變遷則有
賴錢實甫以後諸表。清季重要職官年表，便於瞭解清末若干
重要職官的人事變化情況。分爲大學士年表、軍機大臣年
表、部院大臣年表，總督年表、巡撫年表五種。各表起自道
光十年（一八三〇年）至宣統三年止。也可看出清末中央及
地方職官的建置和職掌。書末附有人名錄，按筆劃爲序。清
季新設職官年表，爲此書之補編及續編。體例同前。

　　清代邊疆和水陸險要等地設有駐防滿州、蒙古、漢軍
各旗官兵，置將軍、都統、副都統、城守尉各官統轄。並在
西部、北部邊疆地區設有參贊、辦事大臣等，地位頗高。章

書卽在檢查這些職官的建置、沿革等變動情況。記民元以前的狀況。

榮表記道光十年至宣統三年之曆法，包括中西曆及干支。民國以來北洋政府職官任免年月表，記民元至七年中央及地方之職官及任職人物。

文海出版社之中華民國職官年表原名辛亥以後十七年職官表，記民元至十七年六月止（各省截止時間略有不同）之職官及人物，分中央、地方、國會議員三部，各表繫年排列。

此外，外交部編有中國外交機關歷任首長銜名年表，中國駐外各公大使館歷任館長銜名年表，亦屬職官表。

以上所述除歷代職官表乙書僅記歷代職官沿革變遷外，餘均並及職官之人物。

廿一史四譜

△二十一史四譜五十四卷　　（清）沈炳震撰　民國57年　臺北市　商務印書館　（國學基本叢書356—361冊）另有廣雅叢書本、萬有文庫二集本

卷一至四為紀元譜，卷一及卷二為正統，以大一統為正，割據僭偽附焉。起自漢文帝，記帝王建元年號和使用年數，附帶說明帝王卽位、禪位或興廢經過，以及建元、改元的由來和年號建立的意義等，具政書性質。如記漢武帝在位五十四年，改元十一次，分別為：建元、元光、元朔、元

狩、元鼎、元封、太初、天漢、太始、征和、後元。其下並
註明改元由來，如「元光」下註明「漢書武帝紀注，臣瓚
曰，以長星見，故爲元光」。卷三記亂賊及外國。卷四爲總
類，將建元年號依詩韻歸類，以利檢索。

卷五至廿八爲封爵譜，先述歷代封爵制度，再把封爵
名稱的首字依詩韻排列。同一封爵（名稱相同），再分王、
公、侯、伯、子、男，以及郡侯、亭侯、鄉侯等項，茲舉卷
六上平聲「中牟」爲例如下：

中牟

王　　濟南王曹楷　魏書宗室傳，初襲任城王，文帝
　　　黃初四年改封，復封任城王。

公　　熙公段誼　後燕錄慕容寶傳，慕容垂時封。

侯　　共侯單父聖　史記表、高帝十二年封，漢書表
　　　作單右軍。（以下從略）

伯　　鄭衆　宋史禮志，漢人，神宗熙寧中追封。

男　　豆盧署　新書宰相世系表。

卷廿九至三十八爲宰執譜，首敍歷代宰執制度，次將
上古至元代之重要行政長官，如宰相、丞相等。依朝代先後
列出姓名。並註明史傳的出處及任免年月等。例如：

蜀漢昭烈帝

丞相　　諸葛亮　蜀志先主傳，章武元年拜，後主建
　　　　興十二年薨。

司徒　　許靖　蜀志先主傳，章武元年拜，二年薨。

三十六及三十八卷是「類姓」，即索引，把所有擔任過宰相
職務的官員，按其姓氏，依詩韻編排，每一姓氏又以朝代爲
序，其下註明帝王名稱及簡歷。

　　卷卅九至五十四爲謚法譜，首述歷代謚法制度。次將
上古至元代之帝王廟號、謚（諡）法列出，依年代爲序。再
次爲歷代通尊、后妃及公主、諸臣譜。最後爲「類姓」，把
史傳中得謚者按姓氏之詩韻排列。

附　　註

① （唐）杜佑纂，通典（上海：商務印書館，民國24年），卷一食貨
　　一，典9。

② 同上。

③ （宋）鄭樵撰，通志（臺北市：新興書局，民國54年），卷七十
　　一，志831。

④ （元）馬端臨撰，文獻通考（上海：商務印書館，民國25年3月），
　　上冊，考3。

⑤ 同五。

⑥ （唐）劉昫纂，舊唐書（臺北市：成文出版社，民國60年10月），卷
　　139下，頁16063。

⑦ 蔡學海，「會要史略」，新時代第12卷第5期（民國61年），頁34—
　　35。

⑧ （宋）高承撰；（明）閻敬校刊，事物紀原集類（臺北市，新興書
　　局，民國58年11月），頁263。

陸、百科全書

一、概　說

　　與我國類書相當的，西洋稱爲 Encyclopaedia，國人譯稱「百科全書」，英文此字又源自希臘文 "En" "Kyklios" 及 "Paideia" 三字。"En" 就是「在……之內」，"Kyklios" 爲「環或圓形」，"Paideia" 即「教學或教育之義」。貫合起來，即所有的學術環繞在內。西元一五五九年，德國人斯卡力奇 (Paul Scalich) 首先採用此字作爲書名，其後才漸漸被借用爲包涵人類所有知識的參考工具書，但此字的用途仍偏重於教育或哲學上的釋義，而這種容有各類知識以供參考的工具書在十八、九世紀時，仍時常被冠以 "Dictionary" 或 "Lexikon" 作爲書名。時至今日，"Encyclopaedia" 已廣泛被用作書名，此字有時書寫爲 "Encyclopedia"，其中譯名也有人稱爲「學典」。

　　中華百科全書「百科全書」條的解釋是：「廣泛搜集各學科或某一學科或主題之重要學說、資料，用簡明文句載述，依特定方法排列，以便檢索之參考工具書稱之」。英國圖書館學家柯力遜 (Robert L. Collison) 著有 Encyclopaedia 一書，書內論及廿世紀的百科全書應具有下列條件：

一、以出版國的語文寫出。

二、內容依字母順序排列。

三、無論任何題物，均由專家執筆。

四、聘有各科專家作爲全職或兼任的編輯。

五、應包含有活者名人的傳記。

六、應具有插圖、地圖、表等。

七、在重要論題或較長論題之後，應附有書目。

八、應備有人名、地名或小論題的分析索引。

九、應出版補編，以保持資料的新穎。

十、內文應具有足够而合宜的「見」及「參見」款目。

　　早期西洋百科全書是按分類方法編排的，自十四世紀發明依字母順序排列法之後，逐漸改以字順排列。目前歐美出版的各種百科全書，大都將知識分款目（Entry）撰寫，按款目字順排列，運用「互見」（Cross Reference）的方法彼此貫穿，並於書末附編詳細的索引。這種方式實較分類式的百科全書易於查尋，亦便於增補修訂。

　　沈寶環先生在其所著「西文參考書指南」一書中，認爲百科全書是西文參考書的骨幹，十分重要，其理由有三：

　　一、普通與淺易的參考問題，多半可由百科全書裏取得圓滿的答案。據 Helen Carpenter 氏調查每五一〇個參考問題中，約有二九〇個問題，可以從百科全書裏找到能使詢問者滿意的材料。以後經 Chait Cole 和 Van Hoesen 的

幾度研究，都有類似的結果報導。

　　二、除了若干最具專門性的問題，幾乎所有參考問題尋求答案都可從百科全書着手。百科全書雖不能解答所有問題，但作爲研究一項問題的良好開始，則綽有餘裕。

　　三、參考書有其獨具一格的體制和形態，而這些體制和形態又多半由百科全書創始，因此了解百科全書的結構組織，便能了解多數參考書的結構和組織，通曉使用百科全書的方法，也就能舉一反三的利用別的參考書了。

　　格魯根 (Denis Grogan) 認爲百科全書的功用有四:

　　一、圖書館雖然有某一主題之圖書，但讀者所需要的僅是一扼要簡明的敍述，可用百科全書。

　　二、圖書館未藏有某一主題之圖書，或此一主題過分窄狹，不足以著書立說，或尚未有專著論及時，可用百科全書。

　　三、圖書館藏有某一主題之圖書，種類數量頗多，惟均非最新的資料，此時可利用百科全書。

　　四、對某一問題，擬作深入之研究，需有一概念，可利用百科全書。

　　總之，百科全書是查尋各類資料的有效工具。是答覆各種背景問題 (Background Questions) 的工具書。

　　百科全書的內容包羅萬象，但並非將人類知識蒐羅無遺。百科全書是因應不同的需要與對象而編纂的。就其類別

言，有普通的百科全書（Encyclopaedia）及專題的百科全書（Cyclopedia）兩種，前者取材範圍較廣，後者取材範圍較窄，或稱百科事典。薛爾斯（Louis Shores）將普通百科全書又分爲五類：一、成人用大百科全書（Comprehensive Adult）二、成人用通俗百科全書（Popular Adult）三、成人用單行本百科全書（Adult One Volume）；四、中小學用百科全書（School）；五、英文以外文字百科全書（Foreign）。墨菲（A. J. Murphey）在其所著 How and Where to Look it Up 一書中則分爲：一、主要百科全書（Major General）；二、簡編百科全書（Abridged）；三、其他文字百科全書（Foreign）。

我國類書事業發展至清代達於頂峯，惟清中葉以後逐漸式微，清末以來取法西洋，編纂百科全書。其名稱亦有稱「學典」或「全書」者。第一部中文百科全書是民國八年王言綸等編的日用百科全書。此書初版共二冊，分類敍述，包括哲學、宗教、社會學、統計學、外交、法律、財政、語文、算學、曆象、理化博物、醫藥衞生、歷史、地理等類。十四年出版補編一冊，由何崧齡編撰，至二十三年由黃紹緒、江鐵等三十人重予修訂、題名重編日用百科全書，一部三冊，並於書末附編四角號碼索引，體例尚稱完整。十四年，又有王昌漢等人依據外國出版之 Book of Knowledge 一書編譯成中文百科全書，名爲少年百科全書。以上兩書均由商務印書館出版。二十五年，楊家駱編撰中國文學百科全書，全

部八册，爲專題百科全書，此書收錄我國文學有關之書名、題名、人名、事典、術語等六萬餘條，按四角號碼編列，體例至善，與西洋百科全書相彷彿。

　　政府遷臺以來，初期無甚進展，一般常見者有：東方百科全書、蘇俄簡明百科全書、少年科學百科全書、日本簡明百科全書、育兒百科全書等。六十四年以來，百科全書出版漸多，尤以專題百科全書日益增加，例如：中華常識百科全書、自然彩色百科全書、科學彩色百科全書、青少年世界知識百科全書、健康家庭醫藥常識百科全書、現代生活法律顧問百科全書、中文聖經百科全書、世界動物百科全集、財務管理人員百科全書、最新現代女性百科全書、現代生活百科全書、中華兒童百科全書、學習音樂百科全書等。這些百科全書在內容上，往往以國外出版百科全書爲藍本，編譯而成，例如：青少年世界知識百科全書係據 Leanard George William Sealey 所撰 Our World Encyclopedia:；世界動物百科全集係據英人 Dr. Maurice Burton 的原著 The World Encyclopedia of Animals；財務管理人員百科全書以美國 Prentice-Hall 出版的 Corporate Treasurer's and Controller's Encyclopedia 爲藍本。民國以來出版的中文百科全書，大部份未能達到前述柯力遜 (R. L. Collison) 所開列應具的條件。國人自編的百科全書（非翻譯作品）其體例，多半採用分類敍述，而非以條目式編排，書末更乏索引，查檢利用感感不便。一般言人，尚難與大英百科

全書，大美百科全書相比。

百科全書與我國傳統類書相似但並不相同。兩者皆廣徵博引，取材豐富，近人常取百科全書與類書並稱，不無理由。二者均爲學術研究、查尋資料之工具。惟在產生、內容、功用、體例等方面諸多不同，黃鴻珠撰有「中西百科全書的比較研究」一文，玆據以闡述如下：

一、產生：類書的起因，有幾點因素，㈠帝王之嗜好：上有好者，下必有甚焉者矣。帝王心目中欲得此一書則上下古今無所不知，超出一切凡夫之上，因此不惜任何代價，役使數千儒臣，代其讀書，一可獲「稽古右文」之令譽，復可藉以籠絡文人，使其「磨精敝神於几案之間」，消弭反抗，天下遂垂手可治。㈡講求用典：自魏文帝父子提倡辭賦，文學領域裏，講究典故之應用，一字一詞講求「有出處，有來歷」，「捃拾細事，爭疏僻典，以一事不知爲恥，以字有來歷爲高」。讀書作文所需涉獵經、史、子、集的典籍，一人之力何能及之，於是有類聚事文之書應運而生。㈢隋唐以後，開科取士，以詩賦爲科目，助長了類書的產生。以上三點與西方百科全書之產生迥異。西方的百科全書是受到學校的影響，爲教學而產生，以後再演變爲參考之需要，因此是「寓教學於參考中」。

二、內容：類書摘自古書，擇要彙編。百科全書爲各科

專家共同執筆，內容新穎。因此，要找尋往昔知識需借重類書，要查尋現代新知，則非利用百科全書不可。

三、功用：類書是查尋歷代典籍所載各種資料的淵藪，大凡考覈事典、稽查史事、尋檢詩文、考索故事演化、乃至天文、地理、博物、嬉戲等各類知識，都可先由類書中尋找。並可供輯佚、校刊古書之用。類書爲類聚古代典籍之資料彙編，爲檢索之工具，排比雖有系統，惟對事物之敍述係抄撮成篇，缺乏整體之概念。百科全書非堆砌成文，實是對事物作一明確詳盡之敍述，閱者易獲瞭解，便於學習。可做爲解答疑難問題，查尋資料及自我敎育之工具。

四、體例：類書有以字分及以類分兩種體例，以字分者往往以韻編排；以類分者則按所收資料內容之性質歸類。百科全書之體例大別之亦有二，一爲按其條目之排檢法爲序，一般均用字順法排列，此爲百科全書體例之主流。二爲分類敍述，按其內容性質區分類別，不分條目。

五、書目與索引：由我國類書之體例觀之，韻編已具現代索引之功用，類編之書，係按標題隸事，分類繫屬，亦近於今之標題索引。然而，歷來類書彙錄古籍資料極夥，但本身缺乏便於輔助尋檢之索引。西洋百科全書，不論其爲分類式或條目式，書末往往有全書之總索引，可查本文之內容，十分方便。百科全書著錄之條目，其解釋十分詳盡，提供完

整之概念，與類書實有區別，尤其各條目末經常附有參考書目（Bibliography），供閱者參考研究之用，此體例爲我國類書所不及。

六、增修： 我國歷代修纂類書，往往以前代類書爲本，例如清代修纂的淵鑑類涵，實據明人兪安期的唐類函而來，玉海引宋太宗皇帝實錄云：「……同以前代修文御覽、藝文類聚、文思博要及諸書，分門編爲一千卷」，可見亦以前代類書爲本。佩文韻府可說是元人陰時夫韻府羣玉及明人凌雅隆五車韻瑞的增補本。凡此種種也可視爲一種增修，只是增修後卽成爲另一類書，與西洋百科全書的方式不同。西洋百科全書的增修方式有三：一、全盤修訂；二、活頁式修訂；三、經常修訂。部册較大的百科全書，定期，編有年鑑（Yearbook）或隔若干時出版補編，作爲日後增修之依據。

二、百科全書舉要

△一、**中華新版常識百科全書**　　中華新版常識百科全書編輯委員會編　民國65至66年　臺北市　中華書局　3册（4094面）

　　本書內容以常識性知識爲範圍，旨在供社會人士及中上學校學生查閱之用。爲分類式之百科全書，全書約有一七五篇，按標題分章敍述，體例與西洋百科全書迥異，前二册於六十五年六月出版，包括政黨與政治、國家慶典、當代天

文槪略、曆法與節序、中國文學槪述、西洋文學槪述、世界
地理簡要、哲學、倫理學等。第三册爲增訂本，六十六年十
二月出版，凡分就業輔導、社會服務、防竊常識、日用品製
造法、稻米、甘蔗、中國文字、地政常識、寶島臺灣等。本
書沒有索引，查閱欠方便，內容亦有闕陋。中華書訊六十五
年八至十二月號及六十六年十一月及十二月號、圖書與圖書
館第三期、書評書目四十三及五十九期評述其優劣，可資參
考。

　　△二、中國文學百科全書　　楊家駱編　民國56年　臺
北市　中國學典館復館籌備處　4 册　影印本

　　　本書據廿五年八月中國辭典館初版本影印。原書收錄
中國文學條目六萬條，裝爲八册。本書爲其前四册。全書採
條列式編纂，條目性質有：書名、題名（作品）、人名、事
典（典故）、槪論、專題、術語。各條目按四角號碼法編
排。卷首有民國以來所出版文學論述書目乙文，收錄民元至
二十六年夏之論著。

　　△三、中華兒童百科全書　　臺灣省政府敎育廳兒童讀
物編輯小組主編；潘人木總編輯　　民國64年起　　　臺中縣
霧峯　該廳

　　　全書預計出版十二册。採用題則（相當於「款目」
(Entry) 撰寫方式。各題則按國音爲序，內容以常識範圍

之重要人、事、物、地及學理、學說、著作爲限，並非有聞
必錄，係以國小、國中課本及各科常識書籍中選擇編列。由
專家學者及敎師撰寫，或據外國百科全書翻譯改寫。本書以
橫排編印，體例精善，較之西洋百科全書亦無遜色。書末附
索引兩種。一、總索引，按標題次序編排，著錄題則名稱、
所在冊數及頁數、簡單的註明等三項，條目間有「見」款
目，爲我國第一種之事項索引（Fact-Index）。二、分類
索引，各條著錄冊數及頁數。

　　△四、**中華百科全書**　　中國文化大學及中華學術院中
華百科全書編纂委員會編；張其昀監修　民國70年至72年
陽明山　中國文化大學出版部　10冊

　　　　本書旨在彙集當代學術之精華，一面闡揚中國固有思
想學術文化，一面闡明現代各科思想學術文化，並介紹外國
重要思想學術文化，包羅宏富，可供一般國民治學求知的入
門要籍。全書預計出版十冊，編纂之初，先就中華學術文化
分爲四十門，分擬辭目，再予整合。此四十門爲：三民主義、
革命史蹟、哲學、宗教、文學、史學、傳記、英文、法文、
德文、日文、韓文、南洋與阿拉伯文、俄文、政治、經濟、
法律、社會、科學、地學、中外地志、海洋、軍事、美術、
音樂、戲劇、體育、家政、圖書出版、歷史文物、教育、大
學、新聞、工學、農學、商學、醫學、藥學、圖片、地圖。
分條纂寫，各辭目以筆劃少多爲序。全書辭目約一萬五千餘

條。每條文末標明執筆人姓名。每冊書首有辭目目次，依筆劃爲序，並有「參見」。全套都採分冊編印發行。第十冊附刊：全書總目錄、中華大事記、辭目分類索引、英漢辭目對照表四種。張其昀序中揭示此書之體例特色凡四：貫通古今之全、溝通中外之全、包容百體之全、聯繫百科之全。

民元以來，我國雖有專題之百科全書出版，惟缺乏內容豐富之普通百科全書、中華百科全書之編纂已較有進步，體例尚稱良好。同此時期，國內編纂百科全書之風氣漸盛，中華世界資料供應出版社編纂中華世界百科全書 (Encyclopedia Chinese)，由楊子江編纂，預計出版三十七冊。已出之第一冊顯示，分條敍述，按部首法編排，書前有詞目檢閱表，單字下各辭按所含字數多少爲序。第一冊於七十年七月出版。另由百科文化事業公司出版之廿一世紀世界彩色百科全書，一部十冊，包括歷史、文化、社會、軍事、科技、天文、地理等卅大部門，四萬五千餘條目。此書原爲義大利出版之 Colorama: L'Enciclopedia Tutta A Colori 由義大利 Arnold Mondari Ed. 出版公司出版。每頁都有彩色印刷，計有彩色圖片一萬八千幀。日本主婦與生活出版社出版其國際日文本，我國百科文化公司獲得授權出版此一國際中文版。百科文化公司於六十七年初卽從事編審此書，增加有關我國的資料一萬五千餘條，增加六千幀珍貴圖片。

第六章　傳記參考資料

壹、傳記參考資料的形式與重要性

中文大辭典傳記條云：「專指記述個人事蹟之文字，四庫全書史部有傳記類，凡聖賢年譜，名人諫錄，名臣事略皆屬之……」。「傳記」一辭，見諸史籍，不盡相同，有謂之「傳」者，如劉向撰有列女傳；有謂之「記」者，如杜預撰有女記；有「傳記」併稱者，如鍾離岫有會稽後賢傳記；亦有或作「紀」或「志」者，如劉涉有齊紀、陳壽有三國志①。章學誠文史通義傳記篇云：「錄人物者，區之爲傳；敍事蹟者，區之爲記」②。四庫提要傳記類雜錄之屬又云：「案傳記者，總名也，類而別之，則敍一人之始末者，爲傳之屬，敍一事之始末者，爲記之屬……」③。可知，「傳」「記」原意有別，至於「志」、「紀」、「記」，古代音義相通，實爲一字。降及後世，「傳」與「記」多連用，表示記載人物生平事蹟之文字。

傳記有自傳及他傳兩類，由作者自述者，如：自敍、自述、自紀、自狀、自訟、回憶錄、日記等屬自傳類。由他人

代爲記述者，如本紀、世家，列傳、合傳、別傳、行狀、年譜、人表、評傳等爲他傳類。以被傳人數量言，有分傳及總傳兩類。分傳爲個別人物之專傳，余鶴淸史學方法云，汲冢所見穆天子傳爲最早之傳記書，總傳爲羅列衆人之列傳，如劉向的列女傳。以撰述方式言，有專傳、合傳、類傳、附傳及夷狄傳（史記體例）。以正史列傳內容言，形形色色多達三十餘種，如：后妃、宗室、公主、外戚、宦官、閹黨、恩倖、賊臣、逆臣、藩鎭、黨錮、循吏、酷吏、刺史、游俠、列女、忠義、儒林、貨殖、文苑等。四庫提要收錄歷代重要傳記圖書頗多，分爲聖賢、名人、總錄、雜錄、別錄五類。

　　傳記參考資料包括範圍至廣，就狹義言，是以傳記參考工具書爲範圍，以彙錄衆人傳記爲一篇，按一定體例編排，以利查索的書。就廣義言，大凡有人物傳記之書籍、資料均屬之。以集體傳記爲範圍之工具書，一般言之，其著錄款目資料有：姓名、年里、家世、異名、生卒、和生平事蹟。生平事蹟一項包括範圍尤廣，如：仕學、思想、道德、文章、功業、行踪、交遊等。

　　人、地、時、物爲歷史演進的要件，其中又以「人物」最爲重要。梁啓超在中國歷史研究法補編一書中有言：「正史就是以人爲主的歷史」，「若把幾千年來，中外歷史上活動力最強的人抽去，歷史到底還是這樣與否，恐怕生問題了」。試看司馬遷的史記，本紀世家列傳幾占全書之十分之七，西洋 Cassell's Encyclopedia of World Literature

一書三分之二的篇幅爲文學家傳記。可見，「人物」在文獻中幾乎無所不在。人物資料如是重要，因此，圖書館的參考工作亦一向以此爲重心。我國歷史悠久，文獻浩繁，正史、方志、別集等載錄人物不知凡幾！欲查尋一人之生平事蹟，如不知方法，往往耗費時日，仍不可得。傳記參考工具書，如人名辭典、人名引得等書卽爲檢索所需，實爲查尋人物資料的主要媒介。

貳、種　　類

傳記參考資料可分爲三種:

一、一般性（General）：包括古今中外的著名人物傳記，如 Webster's Biographical Dictionary 及 Chambers' Biographical Dictionary；我國劉炳黎編中外人名辭典、潘念之思想家大辭典等是也。

二、追溯性（Retrospective）：僅以故去之名人爲範圍，如 Dictionary of American Biography, Dictionary of National Biography；我國正史列傳屬此。

三、現時性（Current）：收錄當代名人傳記爲範圍。如 Current Biography, International Who's Who; 我國出版的中華民國當代名人錄屬此。

若以查尋利用的方向與形式言，可分爲三大類:

一、**查普通傳記資料者**：查尋人物之姓名、年里、家世、異名、生卒和生平事蹟等，而非查尋其特定之傳記資料者，可用以下各形工具書。

㈠書目：書目之功用在便於郎目求書、因書就學，傳記書目在指引讀者有何資料可用。如國立北平圖書館所藏姓氏書總目、吳文津編 Leaders of 20th Century China: An Annotated Bibliography of Selected Biographical Works in the Hoover Library. 此外，公私書目中所列傳記類書目亦可利用。

㈡人名辭典：普通辭典兼採人名，惟不若專門性人名辭典完備。人名辭典採自正史列傳、方志人物、諸史典籍，專釋人物、內容簡潔，雖非原始資料，但蒐採完備，排檢便捷，隨手翻閱、應手可檢。故為學者解答疑難、圖書館答覆諮詢之工具，以類言，又有一般性及專門性兩種，前者如中國人名大辭典、後者如中國佛學人名辭典、中國畫家人名大辭典是也；以時代言，有通記各代者，如中外人名辭典，有專錄一代者，如民國名人辭典、明代名人傳是也。

㈢人名引得：引得為指引型之工具書，故其本身未載人物之生平事蹟，通常以數碼符號指示傳記資料之出處，循其所引，可獲詳細而較原始之文獻。例如二十五史人名索引、廿四史傳目引得是查尋正史人物之工具；宋元方志傳記索引、明代地方志傳記索引稿為查尋方志人物之工具。

以上為查尋普通傳記資料的專門性工具書，除此而外，

普通之辭典、索引、類書、亦兼採人物資料，可爲輔助。以古今圖書集成爲例，載錄之傳記頗多，其各部下之「列傳」，以及氏族典、皇極典、宮闈典、學行典，絕大部份均爲傳記資料。

二、查特殊傳記資料者：此爲查尋人物之特定傳記項目之用，如查生卒年、或別號、或居里等。查考此等資料宜用下列各型工具書：

㈠異名錄：人物之異名有：筆名、字號、諡號、廟號（帝王）、室名（或稱齋舍名）、諱字、行第、釋氏、疑誤名、綽號、尊號以及職官封候等名。往往一人而有數名，易生誤會。異名錄之作，旨在廓清釐正、便於省覽。如古今人物別名索引、室名別號索引、唐人行第錄等屬之。

㈡同姓名錄：人物命名、時有雷同，一名而數人，易相混淆。同時代或各異時代均有此可能。因之，可仿異名錄之例，分別鈎稽，而利查考。例如：戴震之名實有三人：一爲明崇禎歷常山知縣、一爲清四庫館總裁，又一爲民國陸軍軍醫學校軍需官。同名異人，不可不考，梁元帝時已有同姓名錄之作，清人汪輝祖等輯九史同姓名錄，民國人彭作楨據此增纂，成古今同姓名大辭典，爲此類著作之大成。

㈢姓錄：姓氏書始於世本，氏姓居其一。潛夫論有氏姓志、風俗通義有姓氏篇、通志有氏族略、遼史有部族表、續文獻通考有氏族考、新元史有氏族表、皆祖於世本。記姓

專書，無代無之，計其約數不下千種。元和姓纂、古今姓氏
書辨證、萬姓統譜爲其大者，今人王素存爰就歷代各書編纂
中華姓府，集姓氏達六三六二種，各姓氏皆注其音讀，詳其
源流，極爲可觀。

　　㈣生卒年表：此類書籍詳錄人物年里生卒，事功著述
等皆不備載。以姜亮夫歷代人物年里碑傳綜表爲例，收錄人
物凡一萬兩千，著錄姓名、字號、籍貫、歲數、生卒、備
考。其於生卒一項記載尤詳，包括帝號、年號、年數、干
支、公元之不同記年法，尤便參考。梁廷燦歷代名人生卒年
表、功用體例與此類似。二書皆取材自錢竹汀、吳子修、錢
瀚鄉等諸家疑年錄。列表以年爲次，索閱方便。

　　以上四種均詳其專項，而略其餘，查尋特定之人物資
料，利用此書較普通人名辭典、引得方便得多。

　　三、傳記參考文獻： 前述諸書均爲彙錄衆人資料爲一
編、體例精善之工具書。取材或自原始資料，或自第二手資
料纂輯而成。檢字雖便，惟其正確性及詳備性往往不能滿足
所需。因此，查尋人物傳記，除應利用前述各書外，尚需注
意以下文獻，以爲輔助。

　　㈠正史傳記：正史以人物爲本。本紀載帝王、世家
（或載記）記諸侯，列傳錄名人。「列傳」體始於史記，後
世諸史沿其例，不僅詳載名人生平事蹟，同時亦反應時代，
極有參考價值。其例爲合傳體，有兩人平等敍列者，如管晏

列傳、屈賈列傳；有一二人爲主，其他爲附者，如孟荀列傳、兼述鄒子、田駢、愼到諸人；有多人平敍者，如仲尼弟子列傳；有專敍外國者，如大宛列傳、南越列傳。此類傳記資料較人名辭典詳備，因出自史家之手，自較其他野史稗編可信。

（二）方志人物：全國者爲史，一地者爲志。正史着重全國之政治人物，方志爲一隅之史地，人物雖非全國之顯赫人士，但均爲一地之重要人物，尤多學術文化上有貢獻者。可知，方志人物可補國史列傳之不足。相互參稽，功用尤大。朱士嘉中國地方志綜錄著錄吾國方志達七四一三種，可以想見方志人物之豐富。

（三）人物總錄：正史列傳以下，歷代學者修纂之人物總錄亦多。考其體例雖不如前述工具書精善，然究其內容，實爲諸家傳記彙編，自可利用。如漢劉向古列女傳、宋朱熹伊洛淵源錄、元蘇天爵國朝名臣事略，明焦竑國朝獻徵錄等，不勝枚舉。

（四）年譜：年譜爲一人之史。宋呂大防韓文年譜，杜詩年譜，首開風氣。「列傳」敍述人物事蹟，但順着行文之便，自由撰述，可不依時代爲序。「年譜」亦敍述人物事蹟，惟全按時代先後排比，不依文章通行章法。普通的年譜，始自人物之出生，終於卒歿。重要人物之年譜，往往追溯其世系，稱爲「譜前」，並記其卒後之事，謂之「譜後」，王寶先歷代名人年譜總目，王德毅中國歷代名人年譜總目，

收錄名人年譜甚多，如需查考某人傳記，其有年譜者，可於此二書中尋得。年譜與宋代始有之名人言行錄相似，惟言行錄以人爲綱，雜敘個人言行爲主。年譜則以年爲經。分敘其行歷。

㈤題名錄：唐宋以後，彙刻同榜同列等之姓名、年籍於一書者曰「題名錄」，或「題名記」、「登科錄」。如明俞憲皇明進士登科表、明吳啓成化元年山東鄉試錄、明呂震永樂十年進士登科錄、明代登科錄彙編、皇明進士登科錄等皆屬之。

㈥文集：張文襄輶軒語：「國朝文集有實用，勝於古集。方苞、全祖望、杭世駿、袁枚、彭紹升、李兆洛、包世臣、曾國藩集中多碑傳志狀，可考當代掌故，前哲事實」④。以王有三清代文集篇目分類索引爲例，收有清代別集四二八種，總集十二種，載錄傳記文頗多，凡傳狀誌贈序、哀誄銘讚皆有。足見文集不乏傳記文獻。

㈦譜牒：譜牒者，家族之歷史也。記載一姓世系及家人事跡之書，係家族活動之記錄。可考家族之淵源流別、遷徙活動。族譜、宗譜、家譜、家乘、玉牒等屬此。如清孔尙任孔子世家譜、明吳嘉譽武峯吳氏族譜、清吳達法潘徑吳氏家乘等屬此。昌彼得臺灣公藏族譜解題一書收錄臺灣公藏譜系一三三種，可資參考。

㈧行述：或稱「行」，或稱「行狀」、「事略」，凡爲文記述死者之生平行誼者曰行述。有褒無貶，被傳人之爵

祿、鄉里、生卒都有採錄。如明倪思輝都御史謝公行述，清李廷鈺李忠毅公行述等皆屬之。

　　㈨日記：日記為某人逐日之自述，為第一手資料，對於瞭解某人行誼至關重要。如清陳鶴讀書改過齋叢錄、清趙烈文能靜居日記、李慈銘越縵堂日記等屬之。

參、人名辭典

△一、中國人名大辭典　　方毅等編、許師愼增補　民國66年　臺北市　商務印書館　1808,25,132,139,259面

　　本書於民國十年出版，二十五年四月另編四角號碼索引。在臺影印本於書末增列此索引。原書收錄資料起自上古，迄於清末，六十六年版增輯民元至六十五年名人一八一〇人。原書由方毅、臧勵龢等二十餘人，費時六載成書，收錄名人四萬。我國人名專書始於明代凌迪知之萬姓統譜，及尚友錄，此二書所收以賢良忠義人士為限，以韻編次。此書所錄，凡經史志乘、私家撰述，金石文字所收人名，無論賢奸，悉為採錄，古來之匈奴、渤海、回紇、吐蕃，南詔諸人並加蒐入。全書依人名筆劃為序，查閱便利。缺點有：1.僅記人物之朝代，不記其精確之生卒月日，生卒年且錯誤亦多，2.引用資料未註徵引文獻出處，3.遺漏名人頗多，尤以清人為最，因是時清史編修未峻，各縣續修新志未成之故。因此，查尋清人之傳記資料尚需借助三十三種清代傳記綜合引

得等書。民國卅一年 M. Jean Gates 編有 A Romanized Index to the surnames in the Chinese Biographical Dictionary 乙書，亦可資參考。廿三年，上海光明書局出版，譚正璧編中國文學家大辭典，所收人物範圍較本書爲小，人物僅六八五一人，然各條著錄資料較本書詳備，二書可相輔爲用。

△二、中外人名辭典　　劉炳藜等編　民國56年　臺北市　中行書局　1314面　影印本　另有國風出版社、新醫出版社、雲海出版社影印本，均題「最新世界人名大辭典」，文海出版社影印本題「世界人名大辭典」。

此書據二十九年三月中華書局本影印。全書採錄中外名人約一七五〇〇人。外國人士均有中譯，連同我國名人一律按筆劃多寡爲序。首列朝代、次里籍、字號等。外國人原名列於中譯名之後，以便參考。

以上爲通記各代之辭典、專釋一代者，重要的有：

△三、Sung Biographies（宋代名人傳）　Franke, Herbert 編　民國65年　Franz Steiner Verlag GMBH, Wiesbaden　2 册　（1271面）　民國67年10月　臺北南天書局影印本。

△四、Dictionary on Ming Biography 1368—1644

（明代名人傳）　　Goodrich, L.Carrington 及房兆楹合編　民國65年　美國紐約哥倫比亞大學出版部　1751面

△五、Biographical Dictionary of Republican China （民國名人辭典）　Boorman, Howard L.編　民國56至60年　美國紐約哥倫比亞大學出版部　4 册

△六、民國名人圖鑑　　楊家駱編　民國26年　南京辭典館　2 册

△七、中國文化界人物總鑑　　（日）橋川時雄編　民國29年10月　北京　中華法令編印館　〔86〕,815,〔48〕面臺北有影印本

　　至於各科專題辭典亦多，如中國佛學人名辭典、中國畫家人名大辭典、唐宋畫家人名辭典、中國作家傳記和書目辭典等是也。

肆、人名引得

△一、廿四史傳目引得　　梁啓雄編　民國49年　臺北市　中華書局　〔34〕,440面　影印本

△二、廿五史人名索引　　廿五史編纂執行委員會編

民國50年　臺北市　開明書店　518面　影印本

　　　正史人名索引較早的是清人汪輝祖的史姓韻編六十四卷，是書爲二十四史之人名索引，爲淸代我國索引之傑作。依韻編次，不載帝王妃后及外國諸傳人名。不合今日使用。廿四史傳目引得，亦以廿四史爲範圍，民國廿四年初版。正編按人名筆劃爲序，類編則分列女、后妃、宗室、諸王、公主、釋氏、外紀、雜目、叢傳八類。全書雖不及廿五史人名索引完備，但類編部份頗爲實用。廿五史人名索引爲查閱開明版廿五史之人名引得，全書按四角號碼排列，亦可兼作檢查舊本十七史、二十一史、二十四史及新元史之用。人物包括本紀、世家、列傳和載記正附傳。最切實用。

　　△三、**四十七種宋代傳記綜合引得**　　哈佛燕京學社編民國55年　臺北市　成文出版社　24,199面　影印本　（引得叢刊第34號）　　另有東方學研究日本委員會影印本及文海出版社影印本（加古今紀要逸編一種，題四十八種宋代傳記綜合引得）

　　△四、**遼金元傳記三十種綜合引得**　　哈佛燕京學社編民國55年　臺北市　成文出版社　24,207面　影印本　（引得叢刊第35號）　　另有東方學研究日本委員會及臺北市鼎文書局影印本

　　△五、**八十九種明代傳記綜合引得**　　田繼琮等編　　民國55年　臺北市　成文出版社　3冊　影印本（**引得叢刊第24號**）

　　△六、**三十三種清代傳記綜合引得**　　杜聯喆、房兆楹合編　民國55年　臺北市　成文出版社　〔21〕,392面　影印本　（**引得叢刊第9號**）　另有東方學研究日本委員會及臺北市鼎文書局影印本。

　　以上四種爲查尋某一朝代人物資料的「綜合」索引，「綜合」之意爲收錄各種傳記專書，編纂而成，爲羣書之索引。按中國字庋擷法編排，書前有筆劃及韋氏拼音檢字以爲輔助。循其所引，一人之傳見於諸書者，一索卽得。各引得收編羣書，可見引得書前之「傳記表」。每一條目著錄之資料包括姓名、別名、字號、某傳記書的號碼代號、卷數、頁數等。例如：馬哥波羅，馬可保羅、謨克博羅　22/154/19b其意爲馬哥波羅，別譯爲馬可保羅、謨克博羅、（由此二名亦可查得），其事蹟見於新元史（數碼二十二，對照「傳記表」卽可查知）卷一五四，葉十九下頁。

　　△七、**宋人傳記資料索引**　　昌彼得、　王德毅、　程元敏、侯俊德編　民國63年至65年　臺北市　鼎文書局　6冊

　　△八、**明人傳記資料索引**　　國立中央圖書館編　民國

54年　臺北市　該館　2冊　另有文史哲出版社重印本一巨
冊

　　　參考已編之宋明傳記資料索引編纂成書。前者收集宋
人一萬五千人，採錄宋人文集三四二種、元人文集十九種、
總集十二種、史傳典籍八十一種、宋元地方志二十八種、金
石文八種，凡四百九十種。後者收錄明清文集五二八種、史
傳及筆記類典籍六十五種。二書均為筆劃索引。其體例大致
相同。每一人物均有小傳，註明生卒年、字號、籍貫、親
屬、科第、事功、封贈、著作等。傳記資料的排列，首文
集、次史傳及方志等。

　　　△九、宋元方志傳記索引　　朱士嘉編　民國64年　臺
北市　古亭書屋　9,182面　影印本

　　　此書收錄三十三種宋元方志中的人物傳記，凡三九四
九人。每一人名之列有別姓、別名、字號、引用方志簡稱、
卷數、頁數。書前有引用方志簡稱表，書末有四角號碼索
引。其功用在便於尋檢宋元方志中的人物資料。

　　　方志索引，除此外尚有日人山根幸夫的明代地方志傳
記索引編。民國五十四年，東洋文庫明代史研究室油印發
行。一般而言，我國方志數量頗多，惟乏索引可用。

　　　△十、清人別集千種碑傳文引得及碑傳主年里譜　　楊
家駱編　民國54年　臺北市　中國學術研究所續修四庫全書

編纂處　〔7〕，410面　影印本

　　此書實據陳乃乾清代碑傳文通檢乙書影印，而改題書
名及撰人。全書收集清代碑傳文有關文集一〇二五種，收錄
人物一萬三千餘，凡明人卒於崇禎十七年（一六四四）至民
元前一年（一九一一）其碑傳文見於清人別集內者均予採
錄。人物按姓名筆劃多少排列。每一條目列有人名、異名
（字、號）、籍貫、生卒年、出處等。書末有異名表、生卒
考異、清人文集經眼目錄等附錄。

　　此外，日人在編纂的人名引得頗具貢獻，如：1.梅原
郁、衣川強的遼金元人傳記索引。2.神田信夫等編的八旗通
志列傳索引。3.青山定雄編的宋人傳記索引等。

伍、異名錄

　　陳乃乾別號索引序：「吾國人名號最繁，有名有字有
號，未已也而又有別號，古者生而命名及冠則諱之，故有
字」。「周秦間有以別號著稱而晦其姓名者，宋元以後浸而
滋盛，乃有因地而起之號，有因事而起之號、有託物寄興之
號，有遊宦紀恩之號。境遇遷變別號卽隨之以起，故一人之
號或多至數十，而每一號則自二字三字乃至二十餘字無不
可，蓋其繁瑣無定則若此，祝希哲有云近世惟農夫不然，餘
人未嘗無別號，其言或稍過，然可以覘明季士夫之風尚矣」。
「夫別號之稱不僅行於當時也，始則施諸尺牘入諸記載，而

他書之轉相稱引，好為藻飾，則往往但稱別號而不著姓名，後人讀之，駭其稱謂錯雜，輒不辨為誰某，雖經考求，亦復苦難省記，在自號者但以一時意興所寄，而不知後世學者之耗日力於此乃無限也。」⑤

常見之人物異名有下列幾種：

一、字：禮曲禮上：「男子二十冠而字。……女子許嫁笄而字」。字者表其取名之義。如孔子之子曰鯉。字伯魚是也。儀禮士冠禮：「冠而字之敬其名也」。「君父之前稱名，他人之前則稱字也」⑥。按我國習俗，名和字是由父母或首長代為擬定的。自立以後，文人學士之流，往往以自己之性格，愛好和人生觀取一個或很多的別號。

二、別號：本名之外，別有之名，或稱別字。別號始於何時說法不一。史記秦本紀云「帝令處父不與殷亂」，小司馬索隱曰：「處父，蜚廉別號」。此為別號之始；陔餘叢考，別號：「月令、大雩帝，鄭康成註云，帝，上帝也，乃天之別號，別號二字，始見於此。世之有別號、古不經見，吳萊三墳辨謂，歸藏，本黃帝之別號，則別號起於上古」⑦。漢以前有別號者，畢竟少數。魏晉南北朝時，有別號者多為隱逸之士，欲自諱其姓名，非如後人反借以自標異也。達官貴人之有別號，蓋始於宋之士大夫，亦謂之道號，如長樂老、六一、老泉、半山、東坡之類，相習成風，遂至販夫牙儈，亦莫不各有一號。

三、室名：或稱齋舍名、居處名。陳乃乾室名索引云：

「居處題名其始取進德之義，繼是有紀事之舉，陸淸獻公曾祖溥，爲豐城縣丞，嘗督運，夜過采石，舟漏，跪祝曰舟中一錢非法，願葬魚腹，漏忽止，且視之，則水荇裏三魚塞其罅，溥子東遷居泖上築堂，名三魚，是紀祖德也」⑧。

四、廟號：舊制黃帝崩升祔太廟，追尊爲某祖某宗，謂之廟號。如宋太祖爲趙匡胤之廟號。自漢迄淸，幾乎每代皇帝皆有之。

五、謐號：人死將葬，誄列其行而爲之立號以易名也。帝王、諸侯、卿大夫、高官大臣卒歿，由朝廷封謐，以襃貶善惡。如周平王、齊桓公、趙孝成王是也。再者，有名望的學者死後，其親友門人所加之謐號，稱爲私謐。如晉代陶淵明卒後，顏延年爲之作誄，謐靖節徵士，宋張載死後，門人謐爲明誠夫子。上古有號無謐，周時始制謐法，秦始皇時，以爲子溺父，臣溺君，廢之，漢時仍復舊，至淸不廢。

六、筆名：今作家於發表作品時，以別名發表，而隱其原名，此種別名稱爲筆名。如國父姓孫名文，字逸仙，有號中山樵，也稱中山先生，其筆名有南洋一學生、南洋小學生等。

七、尊號：唐起，皇帝有尊號，有生前加的，亦有卒後加的。唐高祖卒後，至天寶十三年（七五四）上尊號爲「神堯大聖大光孝皇帝」。明朱元璋的尊號特長，稱爲「太祖開天行道、肇紀立極、大聖至神、仁文義武、俊德成功高皇帝」。此類尊號完全是頌揚贊美之詞，實際上是阿諛奉

承。

　　此外，職官封侯之名、行第、疑誤名、避諱改名、釋氏、地望等，均屬異名之範疇。

　　△一、古今人物別名索引　　陳德芸編　民國54年　臺北市　藝文印書館　2,630面　影印本　另有新文豐出版社影印本

　　△二、歷代人物別署居處名通檢　　民國51年　臺北市　世界書局　20,351面　影印本　（中國學術名著第5輯史學名著第6集第3冊）

　　△三、現代中國作家筆名錄　　袁湧進編　民國62年　臺北市　文海出版社　143面　影印本　（近代中國史料叢刊第98輯）

　　　前二書採錄各代人物之別名，後者專記現代人物。古今人物別名索引採入古今人物四萬餘，採入別名七萬餘，凡屬別字、別號、原名、謚號、齋舍名、疑誤名、尊稱名號、帝王廟號、書畫家題識、文學家筆名，以及婦女從夫稱謂等，起自上古終於民國悉予採錄。以德芸檢字法（橫直點撇曲捺趯七筆）編排，書末附筆劃檢字索引可資對照。歷代人物別署居處名通檢乙書，實據民國四十六年室名別號索引影印。民國廿三年陳乃乾編有室名索引，卅五年又有別號索引，均由開明書店出版，各錄別號室名約五千餘，不錄民國人物。四十六年予以合編。此書另有香港太平書局影本，題「歷代人物室名別號通檢」、臺北時潮出版社影印本題「歷

代作家室名別號（筆名）索引。

　　袁書收錄現代人物五五〇餘，別號一四六〇餘，爲筆劃索引，以眞名筆劃爲序，筆名列於眞名之後，可知其人之筆名若干。書末另有筆名索引，可資查對。此書可由異名查其原名，亦可由原名查知人物之各種異名，較前二書僅能由其異名查知原名便捷。此書缺漏甚多，張泰谷重編筆名引得、舒紀維 Modern Chinese Authors, A List of Pseudonyms 二書可爲之補。

陸、同姓名錄

　　同姓名錄之書，起源頗早，梁元帝（蕭繹）曾撰古今同姓名錄，唐陸善經、元葉森次第續補。明代余寅曾撰同姓名錄十二卷，淸代有陳棻的同姓名譜、劉長華的歷代同姓名錄廿二卷、汪輝祖輯編九史同姓名錄七十二卷及遼金元三史同姓名錄四十卷。

　　△古今同姓名大辭典六卷　　彭作楨編　民國59年　臺北市　學生書局　1240面　影印本

　　此書以歷代修纂之同姓名書及參考他書編纂而成。計收姓數四〇三，名數一萬六千，人數五六七〇〇人。所收人物迄於民國。人名依姓氏筆劃爲序，再按名號部首爲次。每一同姓名都著其籍貫、字號及略歷，並詳註所引之書名，以便覆檢原書。

柒、姓　　錄

　　上古有姓有氏。姓是一種族號，氏是姓的分支。不少古姓如姜姬姚嬴姒等都加有「女」旁，這表示先民曾有過母權社會。後來由於子孫繁衍，一族分為若干分支散居各地，每一支有一特殊的稱號作為標誌，這就是氏。例如舊說商人的祖先是子姓，後來分為殷、時、來、宋、空同等氏。這樣，姓就成了舊有的族號，氏就成了後起的族號了。通鑑外紀云：「姓者統其祖考之所自出，氏者別其子孫之所自分」。可見姓和氏是旣有區別又有聯繫的。周代的姓氏制度和封建制度、宗法制度有密切聯繫。貴族有姓氏，一般平民沒有姓氏，貴族中女子稱姓，男子稱氏，這是因為氏是用來「明貴賤」的，姓是用來「別婚姻」的，二者的作用不同。戰國以後人們以氏為姓，姓氏逐漸合而為一，漢代則通稱謂之姓，天子以至庶人都有了姓。後世有非漢族的複姓，例如長孫、宇文、慕容、賀蘭、獨孤、拓拔等等。又有三字以上的複姓，大抵是六朝以後的胡姓。

　　五胡亂華以後，歷隋唐、宋元、明清。數以萬計的塞外民族進入中原，漢胡雜居，日久漢化，改胡姓為漢姓，於是姓氏愈形複雜不可究，故今日姓氏欲求其純粹系統，已不容易。宋本百家姓載姓四百餘，鄭樵氏族略載二一一七姓，至明續文獻通考則已增至四六五七姓。此類姓氏書，可供考

索姓氏淵源流別之參考。

　　△一、**中華姓府**　　王素存編撰　民國58年　臺北市
中華叢書編審委員會　2 册

　　△二、**中國姓氏集**　　　鄧獻鯨編　民國60年　臺北市
至大圖書文具教育用品公司　656面

　　　王素存以歷代姓氏書爲基礎，於民國四十九年編印姓
錄一書，收錄我國姓氏五、三〇〇餘。五十八年再予增輯。
計收單姓三七三〇，二字複姓二四九八，三字複姓一二七，
四字複姓六，五字複姓二，可謂集大成之作。全書詮釋精
要，惜僅有目錄，未編索引，查閱不便。

捌、生卒年表

　　昔賢彙錄歷代人物生卒爲一書者，始於淸錢大昕疑年
錄，姚鼐爲之序曰：「人之生死，其大者，或係乎天下之治
亂盛衰與道德之顯晦；其小者，或以文章，字畫之工名於當
世，以年之少長爲藝之進退，亦考論好事者所欲知也」錢氏
所收縂二二九人，闕略甚多，於是繼作紛起，蔚爲大觀。

　　續作之類別有以下幾種：

　　一、續補者：吳修續疑年錄四卷、錢椒補疑年錄四卷、
陸心源三續疑年錄十卷補遺一卷、楊寶鏞三續疑年錄補正一
卷、張鳴珂疑年廣錄二卷、閔爾昌五續疑年錄五卷附錄二卷、
張惟驤疑年錄彙編十六卷補遺一卷分韻人表一卷、張惟驤疑

年錄彙編補遺十卷附分韻人表一卷、 章炳麟疑年錄拾 遺 一卷、姜寅清六續疑年錄。

二、斷代爲書者: 如漢書疑年錄一卷、三國魏志疑年錄一卷等。

三、專限一地者: 如張惟驤毘陵名人疑年錄六卷。

四、專限一類者: 如張惟驤歷代帝王疑年錄一卷、陳垣釋氏疑年錄十二卷通檢一卷。

五、錄生忌日者: 如孫雄撰、張惟驤補名人生日表一卷。

六、譜生卒年爲表者: 清吳榮光歷代名人年譜、民國梁廷燦歷代名人生卒年表、陶容及于士雄歷代名人生卒年表補、何子培明儒生卒年表一卷、蕭一山清代學者年表、錢保唐歷代名人生卒錄、姜亮夫（寅清）歷代名人年里碑傳總表等。

記生卒之書除上述者外，他如錢穆先秦諸子繫年、中國書畫研究資料社編宋元明清書畫家年表、麥仲貴明清儒學家著述生卒年表，及宋元理學家著述生卒年表諸書兼及生卒記載，亦可利用。

△一、**歷代名人生卒年表**　　梁廷燦編　民國59年　臺北市　商務印書館　279面　影印本

△二、**歷代名人年里碑傳總表**　　姜亮夫編　民國54年臺北市　商務印書館　〔13〕,589,〔56〕面　影印本

此二書均以諸家疑年錄爲基礎纂修而成。梁書十九年

出版，收錄人物上起孔子，以迄清光緒年，凡五千人按生年排列。每人記其姓名、字號、籍貫、生卒、歲數。書前有人名筆劃及四角號碼索引，書末有帝王、閨秀、高僧之表。姜書廿六年出版，收錄人物自周代迄於民國五十三年底，凡一萬二千餘人。每人著錄資料與前書同，惟生卒年一項頗詳，記國號、帝號、年號、年數、干支、公元、民元前。亦以生年排列。書末有帝王及高僧表，附筆劃及四角號碼索引。臺北商務影印本，由楊本章增補人物至五十三年底止，增五八六人。民國四十八年，姜氏據其原書再予增訂，增加人物八千人，並改正原版誤謬，易書名爲歷代人物年里碑傳綜表，據此本影印本在臺有：1.姜寅淸撰，楊家駱增訂，改名歷代人物年里通譜，五十二年世界書局出版，此本略有增訂；2.六十五年華世出版社影印本。關於此書之補正尙有：1.歷代人物年里碑傳綜表獻疑——關於廣東人部份，刊藝林叢錄第一編；2.鄭騫撰宋人生卒考示例，華世出版社出版。

玖、年　　譜

　　年譜者，以人爲主，以年爲序之人物編年史也。非彙集衆人傳記之工具書，然因其詳錄某人生平事蹟，按年月編列，合乎工具書之體例。故爲重要之傳記參考工具書。我國出版之年譜頗多，輯爲叢書者有：1.中國歷代名人年譜彙編第一輯，廣文書局輯印，收錄一百家，以淸代爲主，兼及明

末；2.新編中國名人年譜集或；商務印書館編印，已出十數集，上起孔子，下迄近代。其他單行之年譜極多，如需查尋可用年譜總目。

△一、**歷代名人年譜總目**　王寶先編　民國54年　臺中市　東海大學圖書館　46,353面

△二、**中國歷代名人年譜總目**　王德毅編　民國68年臺北市　華世出版社　〔35〕,328,63面　（**檢索叢刊甲種第2**）

　　　　此二書爲較完備之年譜書目，前者收錄譜主一二〇八人，著者一九三四家，以譜主生年爲序。年譜後附書名、譜主姓名、字號、籍貫、生卒年月。書前有譜主姓名索引，以筆劃爲序。書末有譜主字號索引，查閱均極方便。後者係以前書爲基礎，補其缺漏、訂其誤謬。全書計分五卷，上古至五代爲第一卷，宋元爲第二卷，明爲第三卷，清朝以下爲第四、五卷，清道光三十年以後出生者爲第四五兩卷之斷限。所補年譜達五百以上，改正前書及新增版本者極多。共錄人物一三二五人。全書體例與前書相同。

　　　　民國三十年，李士濤編中國歷代名人年譜目錄、商務印書館出版、民國四十年，京都大學人文科學研究所編印的歷代名人年譜目錄，亦可資參考。

附　　註

① 王元，傳記學（臺北市：牧童出版社，民國66年），頁3

② 同上書，頁4

③ 永瑢等撰，四庫全書總目提要，國學基本叢書（臺北市：商務印書館，民國57年），第2冊，頁1295

④ 王有三，清代文集篇目分類索引（臺北市：國風出版社，民國54年），序頁1

⑤ 陳乃乾，別號索引，近代中國史料叢刊第88輯880冊（臺北縣永和：文海出版社，民國62年），序頁3

⑥ 見中文大辭典，第3冊頁276，「字」條。

⑦ 同上書，第1冊，頁1668，「別號」條。

⑧ 陳乃乾，室名索引，近代中國史料叢刊（臺北縣永和：文海出版社，民國59年），序頁2

第七章　地理參考資料

壹、地理參考資料的形式與重要性

　　地理參考資料與前述傳記參考資料的共同特色爲資料的分布廣泛，其與政治、經濟、社會、歷史、文學等各學科均有密切關聯。地理參考工具書，如地名辭典 (Gazetteer)、地名索引、地圖、沿革表、旅遊指南等，爲查尋地理資料的專門性工具書。地理總志、正史地誌、方志記載地理資料極豐富，查尋雖不如工具書便捷，惟仍是重要之地理參考文獻。至於各類型普通工具書，如書目、索引、辭典、類書、年鑑中亦函蓋地理資料，可作爲補助檢索之用。

　　地理問題有繁有簡。日常生活之中遭遇的問題，一般言之，較爲簡單，例如：某地之位置及所屬省份，鐵路及河川經過的地方，兩個城鎮間的距離，各地名勝古蹟和旅遊路線等等、學術研究方面，地理問題則較爲繁瑣，例如：其地之自然環境和人文狀況，古地名之現址，今址之歷史沿革，交通線的長度，湖泊的面積等等。不論繁簡，於一般參考工具書，往往不易獲知精確的答案，因此，需要查尋專門性之地

理參考資料。地理參考資料是圖書館藏書中必不可少的一部份。

　　沈寶環先生在西文參考書指南一書中認爲地理參考資料的用途在獲取一地之整個情況 (Complete Picture)，其範圍如下：

　　　　1. 自然地理 (Physical Geography)

　　　　2. 生態學 (Ecology)

　　　　3. 經濟地理 (Economic Geography)

　　　　4. 人文地理 (Human Geography)

　　　　5. 政治地理 (Political Geography)

　　　　6. 地方志 (Historical Development of the Area)

　　綜合言之，地理參考資料，係記一地之地理位置，沿革歷史，人文及自然環境爲其範圍。

貳、種　　類

William A. Katz 在 Introduction to Reference Work 一書中將地理參考資料區分爲三大類：

　　㈠地圖及地圖集：有英國語文之世界地圖集、國別地圖集、外國語文地圖集、專門科別的地圖及地圖集。

　　㈡地名辭典。

　　㈢旅遊指南

　　Frances Neel Cheney 之分類大致相同，增加「書

目和索引」乙類。

　　沈寶環先生在西文參考書指南中，別之爲十類：百科全書（地理資料占四分之一強），百科全書補篇、年鑑及曆書，普通字典、期刊雜誌、政府出版品、工商界及私人機構有關旅行的出版品、地圖集、地理字典、地理手冊、導遊書籍等。

　　本文就中文資料利用的方向與形式，區分如下：

　　一、地理參考工具書　以地理爲範圍，體例合乎工具書形態者。

　　㈠書目與索引：收藏地理圖書，期刊論文及書籍之索引。例如：王庸編的中國地理圖籍考、鄧衍林編的中國邊疆圖籍錄屬於地理書目；王庸及茅乃文編的中國地學論文索引則爲地理期刊索引。

　　㈡地名辭典：收採地名、按辭典之體例編排，以利檢索，裨便查閱地名位置、人文及自然狀況之工具書。劉君仁的中國地名大辭典，陸景宇的外國地名辭典屬此。地名之譯名，亦屬此類，例如國立編譯館編印的外國地名譯名是也。

　　㈢地圖及地圖集：土地之圖，將地球（或其他星球）之一部或全部，按一定比例縮繪之平面圖謂之地圖（Map）。成册之地圖，謂之地圖集（Atlas）。地圖之功用，在於可濟文字之窮，亦卽古人所謂「左圖右史」。以形式言，有單張地圖，地圖集及地球儀（Globe）；以時間言，有現勢圖

及歷史地圖二類；以內容言，有水文圖、地質圖、交通圖、政治圖、商業圖、氣象圖、物產圖、軍用輿圖等。常見者有四，㈠政治圖：是記載關於重要地方及政治疆域之地圖，㈡地文圖：記地球表面之上 (Above) 的地圖，㈢地形圖：記地球表面(on)之地圖，㈣地質圖：記地球表面之下(below)的地圖。

㈣沿革表：列表以地及年爲次，敍述一郡一邑之沿革變遷，古今名號，以明其歷史者，謂之沿革表。如清人陳芳績之歷代地理沿革表，段長基歷代疆域表等屬此。

㈤旅遊指南 (Travel Guides)：旅遊指南可補地名辭典之不足，通常僅記一個地區（城鎮、市、州、國），作爲旅遊者的指南。指引一地之名勝、歷史、旅遊路線、旅館、建築物、博物館等遊客需知。其與百科全書內所載地理資料之不同點，在於敍述極爲「實際」並特別強調三點：㈠數量多少 (How much)，㈡好壞如何 (How good)，㈢時間多少 (How long)。好的指南，多半經常修訂，以保持其新穎性。

二、地理參考文獻

㈠地理總志：以各地方志爲基礎編纂而成的全國性地理總志。最重要者爲元以來之「一統志」。人文及地理狀況兼而有之。通常按行政區劃編排，分述各地之建置、沿革、風俗、城池、學校、戶口、田賦、稅課、職官、山川、

古蹟、陵墓、寺觀、名臣、人物、列女、仙釋、土產等。檢閱較逐一查閱方志爲便。 如大明一統志、 太平寰宇記 、 嘉慶重修一統志等是也。

㈡正史地志： 史書敍述地理之沿革之記載也。歷代地理志韻編今釋凡例： 「二十三史有地志者、漢書、續漢書、晉書、宋書、南齊書、北魏書、隋書、新唐書、新五代史、宋史、遼史、 金史、 元史、 明史， 凡十四史」。以漢書爲例，卷第廿八爲地理志，首記天下十二州，次敍各郡國。以後諸史沿其例。

㈢方志： 方志之名， 始見周禮，蓋亦四方志、地方志之簡稱。李泰棻方志學： 「方志者地方之志也。蓋以區別國史也，依諸史例， 在中央者謂之史， 在地方者謂之志， 故志卽史，如某省志， 卽某省史，而某縣志， 亦卽某縣史也」。傅振倫中國方志學通論言及方志之性質有六： ㈠方志爲記述一域地理及史事之書，㈡方志在垂訓，多有褒而無貶，㈢方志記事周備， 爲國史約取之資， ㈣方志記事， 古今並載， 尤側重現在， 切乎實用， 爲地方行政之借鏡，㈤現存之人， 事例年例已符， 卽可入錄志書， 藝文亦不以作者之存亡爲限，㈥方志種類頗多， 煩省詳略不一， 體例各異。①

傅振倫謂古今方志， 有通記、有斷代，而通記最多。就其記事之範圍言， 又可別爲下列諸類：

一、一統志： 記天下輿地， 如宋之寰宇記、 元之一統志、 明之通志。

二、總志：二省或二省以上之志，如徐學謨之湖廣總志。

三、通志：一省之志。如明魏樸如之四川總志。

四、郡縣志：明清以來，府廳州縣，類皆有志。

五、合志：綜二縣或數縣之事於一書者。如安徽之泗虹合志。

六、鄉土志：昉於元之鎮志。如清董士寧之烏青鎮志、清徐達源之黎里志。

七、都邑志：都邑為政治、文化、經濟中心，唐時都邑書甚多。

八、雜志：如邊鎮志、衛志、所志、關志、場志、鹽井志等。

朱士嘉就歷代地理沿革之不同，區之為二十二類，曰：通志、都會志、路志、府志、道志、直隸廳志、廳志、直隸州志、州志、軍志、監志、衛志、守衛所志、宣慰司志、關志、縣志、設治局志、鎮志、鄉土志、鄉志、里志、村志。③

方志體例不盡相同，一般言之有：1.序、目錄、圖表；2.地理、3.風俗、形勝；4.戶口、物產；5.田賦；6.山川；7.寺觀；8.學校；9.兵防；10.古蹟、陵墓；11.宮室、公廨；12.職官、封爵、科舉；13.寓治；14.人物；15.祥異；16.雜錄、藝文等④。就內容言，謂之為一郡一地之百科全書，亦不為過。傅振倫論方志之功用有四，曰：載事周悉完備也、記事親切可信也、志材多平民化也、志材甚為珍貴也。

除了上述地理參考工具書及文獻外，一般的參考書，如辭典、書目、索引、類書、年鑑中載錄地理資料亦多，可資利用，例如古今圖書集成中有方輿彙編、記坤輿、職方、山川、邊裔；又有圖表、地圖、等項。年鑑中亦常有專篇記地理，或附地圖，以供參考。

叁、書目與索引

我國出版的地理學書目與索引，數量有限，較重要者有以下數種：

民國十八年：金陵大學農業圖書研究部編的金陵大學圖書館中文地理書目。

廿二年：王庸及茅乃文編的中文輿圖目錄及譚新嘉、李文裿等編之館藏方志目錄，均以國立北平圖書館館藏為限。

廿三年：鄭德坤編水經注引得，為專書之索引。

廿四年：朱士嘉編中國地方志綜錄，為方志之聯合目錄。

廿三年至廿五年：王庸、茅乃文有中國地學論文索引正續編。廿五年，另有王文萱編西北問題圖書目錄，全國經濟委員會水利處編中國水道地形圖索引。

廿八年：鄧衍林編中國邊疆圖籍錄，馬宗薌編甲骨地名通檢。

卅六年：王庸編中國地理圖籍考。

　　以上爲地學書目及索引之專著，至於專題性書目及索引，散見各期刊中，尤以禹貢半月刊及地學雜誌刊佈最多。

　　政府遷臺以來，地學書目方面較重要者僅有國立中央圖書館編輯之臺灣公藏方志聯合目錄。民國六十四年，王恢編的太平寰宇記索引，海外方面。民國四十二年，日人岩村忍及藤枝晃編有蒙古研究文獻目錄、五十一年，袁同禮與渡邊宏曾編有新疆研究文獻目錄。美國國會圖書館於民國卅一年曾編印國會圖書館藏中國方志目錄。

　　△一、**中國地理圖籍叢考**　　王庸編　民國67年　臺北市　成文出版社　180面　影印本　（書目類編第54號）
　　此書依據民國三十六年排印本影印。是編爲有關中國地圖地志文字之彙輯，均先後發表於雜誌上，爲王氏之舊作。全書分甲乙兩編，甲編三篇，均考錄圖籍，且皆爲明代之書。包括明代總輿圖彙考、明代北方邊防圖籍錄、明代海防圖籍錄三篇；乙編爲：中國地理學史訂補、中國歷史上地圖與軍政之關係，中國歷史上之土地疆域圖三篇；附錄爲明代倭寇史籍誌目（吳玉年撰）。全書所收各地理圖籍，大多附有提要及詳述文字。

　　△二、**中國邊疆圖籍錄**　　鄧衍林編　臺北市　文海出版社　2,329,64,37,4面　影印本　（近代中國史料叢刊續編第11輯，105號）

本書所指邊疆之範圍，實包括邊疆區域及各民族地區，凡有關邊疆史地資料及各民族之文獻記載，均予收探。著錄古今專著及輿圖幾五萬張，先依地區，再以作者時代先後爲序。又如西夏史料、契丹及遼代史料、金元史料、元代史料、明代邊疆史料、明倭寇史料等，皆爲治邊疆問題及中國民族史者所必需，特列專目，用備研考。各類之書，著錄存佚，藉備徵訪。各條依次著錄：書名卷數、編撰人姓名、版刻、附註。凡書之有傳本者，就編者訪查知見所及詳列版刻，先舉單行本、次及叢書本。罕見者均標明館藏，以便訪求。國立北平圖書館所藏者，以星號記之。所選輿圖僅以史地有關者爲限，府縣鎮市輿圖不錄。邊疆區域各地方志，僅擇其重要之省志，府縣地方志未登錄，可參閱朱士嘉編中國地方志綜錄。全書之末附有書名及著者四角號碼索引，頗便查閱。

△三、中國地學論文索引　　王庸、茅乃文同編　民國59年　臺北市　學生書局　2冊　影印本

本書正編民國廿三年出版，收雜誌自清光緒廿八年(1904)起至廿二年六月止，共一二三種（見書前一覽表），論文不限於純粹地理學，凡所述自然狀態及人文事實之有地域性質者，均予採入。分八大類：地誌及遊記、地文、民族、政治、交通、經濟、歷史、地理圖書等項目。每類下再細分子目。間採互見例，以利查閱。續編接續前編，廿五年

出版，收錄資料截至廿四年終。前編收錄論文約五千則,續編
收錄約四千則。關於地理教育及地理教材，因已有邵爽秋所
著教育論文索引可資參考、本書並未編入。兩編書末均附地
名索引及著者索引，均按筆畫排列。此索引之缺點在於各論
文大多未註明出版年月，及頁次起訖，惟因收錄資料極多，
仍有極高之參考價值。

肆、地名辭典

△一、**中國古今地名大辭典**　　臧勵龢等編　　民國55年
臺北市　商務印書館　1410,11,117,250,93面　影印本

△二、**中國地名大辭典**　　劉鈞仁編　民國56年　臺北
市　文海出版社　8,1118,232面　影印本

　　臧書初版發行於廿年五月，收集地名四萬餘，凡古今
地名，以及省府州縣郡邑、鄉鎮村落、山川道路、名城要
塞、鐵路商港之名，悉予收採，按地名筆劃爲序。每一地名
下，對該地古代名稱、沿革、疆界、特徵、今名多有敍述。
全書蒐羅頗全，遠非劉書可比。書末附四角號碼索引，查閱
方便。此書在臺曾有續編，由陳正祥撰述，增加臺灣地名，
每一地名仍依筆劃排列，附於書末，敍述各地方位、面積、
人口及交通等狀況。王庸評本書初版本之缺點有四：1.遺
漏；2.同地異名而複見；3.史家未考定之地名，編者爲之含
糊代斷；4.與考古學有關之地名，未加註明。雖有缺點如

此，惟其採錄豐富仍較其他辭典優越。日人青山定雄編的支那歷代地名要覽，列有今名，且較正確，可補此書之不足。

劉書十九年初版，國立北平研究院印行，文海本改題劉君任編。此書收錄地名二萬餘，地名按康熙字典部首排列。另附羅馬字音索引。每一地名列有反切及韻，其後有中國郵政總局編輯之羅馬拼音。缺點有二：1.省略省名、河流、山嶽；2.現代及六朝地名較少。

△三、中國歷代地名要覽　　（日）青山定雄編　民國62年　臺北市　樂天出版社　〔23〕，721，〔70〕面

本書原名支那歷代地名要覽，又名讀史方輿紀要索引支那歷代地名要覽，民國廿一年東京東方文化學院研究所印行，民國五十六年東京大安書局亦曾影印。為清顧祖禹讀史方輿紀要（四川桐華書屋刊本）之索引。收錄清以前之地名約三萬，每一地名下，註明現今所在地及在紀要之原卷數及所隸府州縣。排列以日本五十音順為序，書末附筆劃索引。本書之缺點有幾項：1.古今地名遺漏頗多，2.以方輿紀要所述為準，未加考訂，3.原書計分四部份，索引僅及三、四兩部份，4.誤一地為兩地。然而，此書所錄地名往往於前述二辭典中未見，故可相互稽考。

△四、臺灣地名辭典　　陳正祥編　民國49年　臺北市敷明產業地理研究所　349面　　（敷明產業地理研究所研究

報告105種）

收錄臺灣省行政區地名、地形地名，共六三六八條。行政區地名，包括縣、市、區、鄉、鎮各級地名，並記錄其人口面積等基本統計數字；地形地名，包括島嶼及主要的山嶺、河川、港灣、海峽、鼻、角、岩等。地名概依筆劃多寡排列。每一地名之後附註英文，並加解釋。陳氏於四十八年，曾編有臺灣地名手冊，收地名五千六百條，較此書簡略。

△五、外國地名辭典　　陸景宇編　民國55年　臺北市維新書局　〔12〕878,30,166面

本書收錄外國地名一萬五千餘條，按地名筆劃多寡爲序。中文譯名在前，次列原名及解釋。書前有中文索引，書末有英文索引。譯名有教育部統一名稱可據者，依部定名稱；教育部未公佈者，參照聯合國拼音法迻譯；其無可據者，依習用拼音法，斟酌定之。此書收錄外國地名譯稱最多，國立編譯館於四十六年曾編印外國地名譯名一書，收錄地名八五〇四條，較本書簡略。

△六、歷代地理志韻編今釋二十卷　　　（清）李兆洛撰民國57年　臺北市　商務印書館　1冊　影印本　（國學基本叢書348冊）　此書在臺另有四部備要本，萬有文庫第一集。

此書李兆洛及其門人六承如（虞九）等編。將歷代正

史地志十四部，皇朝輿地圖及大清一統志所載郡縣之名繫之以韻，更分別時代，條其異同，釋以清代所在之處。體例與地名辭典同，惟取材只限正史地志，其他史籍地誌之地名摒而不錄。又，所錄僅郡縣鎮堡之地名，山川陵谷未見收入，故難稱一完備之地名辭典。

伍、方　　志

「方志之名，始見周體『誦訓，掌道方志以詔觀事』。『外史掌四方之志』。又見水經注渠水篇：『以方志參差，遂令尋其源流』，『今泰山南武城縣有澹臺子羽冢，縣人也，未知孰是？因其方志所敘，就記纏絡焉』⑤。傅振倫中國方志學通論乙書論方志之名稱有：志、乘、檮杌、春秋、寶書、圖志、圖經、圖考、圖說、書、考、略、記等。其中以志爲名最爲常見⑥。

我國方志起源甚早。隋書經籍志著錄婁地記一卷，三國吳，顧啓期撰，爲見於載籍之最古者。惟書已佚，內容不可深考。洪亮吉云：「一方之志，始於越絕，後有常璩華陽國志」⑦。越絕書是記越復讎之書，四庫提要載記類，考其爲漢會稽袁康所作，同郡吳平所定。至於華陽國志乙書，則爲晉常璩（字道將）所作，爲以志爲名之始。初期的方志，大概脫胎於地理書，性質與地理書同。內容注重地理沿革、疆域、風俗、物產、財賦、戶口等事。現存的晉宋（劉宋）隋

唐間的州郡圖經，尚不出地理書的範圍。至宋代方志作者，始將人物藝文增入，由地理方面漸趨注重人文方面，方志的體例和內容爲之一變。唐、宋、元諸朝，方志代有編纂，惟數量不多，四庫提要所收者，不過數十種，明以後，增至七百多種，至清代一朝爲全盛時期，所修方志達四千六百餘種。宋代以前，方志均入地理，明焦竑國史經籍志始有方志之目，朱睦㮮萬卷堂藝文記史分十三，十一爲方州之志，方志始立專目。

　　△一、**中國地方志綜錄**　　朱士嘉編　民國64年　臺北市　新文豐出版社　2册　影印本

　　△二、**國會圖書館藏中國方志目錄**　　朱士嘉編　民國31年　華盛頓　美國國會圖書館　11,552,19面

　　△三、**日本主要圖書館研究所所藏中國地方志總合目錄**　　國立國會圖書館參考書誌部編　民國58年　東京　該館　5,350面

　　△四、**臺灣公藏方志聯合目錄**　　國立中央圖書館編　民國70年　臺北市　該館　286面

　　中國地方志綜錄爲迄今收藏最大的吾國方志聯合目錄，民國二十四年，商務印書館出版，係線裝石印本。乙部三册。此書爲全國三十五所公共圖書館及十五所私人所藏方志之彙目。其中八所爲美日圖書館所藏。全書著錄吾國現有方志五千八百三十二種，自宋熙寧起至民國二十二年止，凡歷八百餘載，賅括二十八行省及西藏蒙古兩地方。其散見於叢

書中亦一併收採。 按大清一統志之區劃編排， 每書著錄書名、卷數、主編纂者、編纂時代、版本、庋藏者、備考。民國四十七年有修訂本，增列方志一千五百八十一種，連原書，共七千四百一十三種，並訂誤千餘種。書末附書名筆劃索引。美國國會圖書館收藏中國方志亦多，達二千九百六十九種，以清修方志為多。體例大致與前書相同。中國地方志總合目錄收錄日本十四所主要圖書館研究所所藏吾國方志達二千九百種， 附有五十音順書名通檢。 臺灣公藏方志聯合目錄， 收錄在臺十一所圖書文獻機構所藏現存方志。自宋高宗紹興四年迄民國四十三年，包括三十五省，兩地方，十二院轄市， 凡三千餘種。附有筆劃索引。以上所述， 除第二種外，均為方志聯合目錄，查閱方便，惜均無提要。

目前，在臺影印出版之方志頗多，如: 臺北成文出版社影印出版之各省方志，學生書局影印之四川方志、在臺各省市同鄉會影印之各地方志、臺灣省文獻委員會編印之臺灣省通志等，均極有用，可與前述各目錄相輔為用。

陸、地圖及地圖集

王庸中國地理學史地圖史有言: 「中國地圖史約可分為三大時期。晉裴秀以前為上古期，此期地圖， 由原始狀態進步至裴秀而集古來製圖經驗之大成， 於是地圖之學， 遂有理論上之準繩。裴秀以後， 地圖與地志迭為進退， 方法上多因

襲而少新創，是爲中古時期，泊乎明末清初之際，一面有利
瑪竇坤輿圖之輸入， 一面有康熙間東來敎士之測繪中 國 地
圖，於是地圖之學，始爲之大變。至近今坊間流行之中國地
圖猶間接受清初測繪地圖之影響。是爲地圖史之近世期。中
古期間對於繪圖方法無大進步，而爲時甚長。吾人又可以其
主要之地圖製作家而更劃爲三分期：卽由裴秀至唐賈耽爲一
期，由賈耽至元代之朱思本爲一期，而自朱思本以迄清初，
則又爲一期。惟如此劃分，不過就地圖史上有顯著進步者言
之。若就一般狀況言，則此等進步，其影響未必普遍。例如
清初雖有近代科學測繪之地圖，而實際上自清代末葉以前，
一般官私地圖，依然實行古來傳統之繪法。其能據內府測繪
之圖而繪製者，僅有少數學者耳」⑧。

　　我國古輿圖，留傳後世者絕少，至今所見吾國最古之地
圖，惟西安碑林之華夷禹跡兩片石耳。古輿圖，大抵早已散
佚，玆參考王庸中國地理學史地圖史一書摘述吾國重要地圖
史事如下：

　　一、裴秀製圖：晉書裴秀傳載述裴秀「作禹貢地域圖十
八篇，奏之藏於祕府」。其製圖之體有六：

　　㈠分率：所以辨廣輪之度也。卽指今之比例縮尺。

　　㈡準望：所以正彼此之體也。就是方位，辨方正位。
某地在東西，某地在南北。

　　㈢道里：所以定所由之數也。就是要把圖上的道路註

明其實際里數。

㈣高下：就是在圖上註明各地地勢的高低起伏，與今之分層設色法，等高線法等雖有不同，但原則大體一致。

㈤方邪：圖上道路的斜、正要符合實際的情況。

㈥迂直：圖上道路的曲、直要符合實際的情況。

其法除地球經緯度，爲當時所不知者外，今日製圖之法，其原則與上述一致。

二、賈耽製圖：舊唐書賈耽傳載其所繪地圖進呈者，有關中、隴右、山南九州圖。又別撰別錄六卷、通錄四卷，記貞元以前地理事實。貞元十七年，又撰海內華夷圖及古今郡圖道縣四夷述四十卷。其以朱墨分註古今地名，爲裴秀所未及。日人內藤虎次郎以此爲後世沿革地圖用朱墨對照古今地理之濫觴。

三、方志圖及其他總圖：隋唐以降，另有一種地圖，與普通官府地圖來源不同，曰「方志圖」（或方域圖），如李淳風父子所撰方志圖。因鑒於郡國沿革名稱屢遷，欲依天象以求一永久標準，故有科學之意向存其中。此種地圖與道教及曆法家有關。其後，呂才、尚獻甫均有方域圖之作，皆出曆法占星家之手，與普通地圖之源於地方及職方官吏者，當屬另一系統。此外，如馬敬寔之諸道行程血脈圖一卷，爲全國道路總圖；江融之九州設險圖，爲全國軍事總圖；韋瑾之

域中郡國山川圖經，爲山川形勢之總圖。

四、宋代總輿圖：宋代職方，承隋唐舊制，各地方進諸州閏年圖及圖經，而圖經之編制，至宋代始大盛。圖經雖以記述爲主，然亦皆附地圖。玉海卷十四記宋眞宗至滋福殿觀圖，指示山川要害一事，可見是時，滋福殿所藏各地方輿圖甚爲詳備。其後所製總圖見於著錄者有：晏殊之十八路州軍圖，趙彥若之十八路圖，沈括之天下郡縣圖，薛季宣之九州圖志、王象之所繪輿地圖，光宗時，黃裳亦製有輿圖，並製渾天儀、天文圖等。稅安禮又有地理指掌圖之作，係沿革地理性質。沿革地圖，蓋以此爲最早。

五、宋邊裔圖：北宋疆域促小，昔日邊地，多淪爲異域。政府常有收復失地之意。是以宋代邊裔地圖衆多，而以契丹與幽燕一帶爲主。如太祖時曹翰之幽燕地圖，趙至忠之契丹地圖，沈括之使遼圖抄等。

六、朱思本輿地圖：明代以迄淸初，多爲朱氏勢力所統罩。其影響之大，較元以前之賈圖有過之而無不及。元代注重道教，朱氏常奉詔代祀名山河海，遊歷各地，乃有機會考覈地理，著有輿地圖二卷，刊石於上淸之三華院。原本今已不存，今可間接推見此圖者，惟賴明代羅拱先之廣輿圖二卷及其他轉輾改製之圖。廣輿圖乃因朱圖而增廣改製。朱氏由分圖而合爲總圖，羅氏又因其綜合之圖，而分繪之。朱氏注

意於方位分率之眞確，羅氏則着意記注地名之詳備，致力之
點各殊。 萬曆末， 有汪作舟據羅氏之圖而改製， 刊有廣輿
考。崇禎間陳祖綬又因羅圖改製爲皇明職方地圖三卷，內容
較羅圖稍勝。其後，吳學儼有地圖綜要，潘光祖有輿圖彙考
皆源於廣輿圖。

　　七、利瑪竇世界地圖： 我國之知地爲球形與經緯線之世
界地圖， 當在元初阿拉伯天文地理學輸入之時。元世祖至元
四年(一二六七)扎馬魯丁造西域儀象， 其中卽有地球儀， 明
萬曆八年義大利人利瑪竇(Matteo Ricci)東來宣敎， 初來，
卽以拉丁文著華國奇觀一文， 其中附有中國地圖， 則是先將
中國地圖譯製而宣揚西人。萬曆十二年在肇慶繪刊世界地圖，
名爲山海輿地圖、萬曆廿三年在南昌繪有世界圖誌， 萬曆卅
六年(一六〇八)間， 繪有山海輿地全圖， 輿地全圖， 坤輿萬
國全圖， 其中以坤輿萬國全圖， 爲諸圖之最善者。此後龐迪
我有海外輿圖二卷， 艾儒略職方外紀中有萬國全圖、南懷仁
有坤輿全圖， 皆不若利氏圖之風行。利氏對我國新地理知識
之貢獻有六： 1.測量經緯度， 2.地名之譯名， 3.新地理知識
之傳入， 4.五大洲之觀念， 5.地球說， 6.五帶之分劃（二
溫、二寒、一熱）。

　　八、清初測繪地圖： 我國地圖之重要根據， 首推清初聘
用西洋天主敎士之測量。康熙皇帝於四十七年敕命測製各省
全圖,四十七年進呈皇輿全圖,關內十五省及關外滿蒙各地皆
經測量成圖。其時經緯度之測定， 以太陽觀察， 月食觀察等

法，以北京爲中線，區之爲東經西經。道光間六承如有皇朝
輿地圖略，同治初胡林翼、嚴樹森有大清一統輿圖。晚清，
上海點石齋也石印出版了不少地圖。清初測繪之地圖，均藏
諸內府，僅少數士宦得見及之，間有改製，亦不甚通行。

　　九、現代中國地圖：清季創設有陸軍測量局，民國以後
改稱陸地測量局，隸於參謀本部，各省設分局。至十八年
止，完成的有：1.五萬分之一地形圖，江蘇、浙江、山西完
成，其餘各省成績，參差不齊，總計尚不足全國面積十分之
一，；2.十萬分之一地形約測圖，完成者占全國面積之半；
3.二萬五千分之一圖，完成小部份。地質調查所製繪之地圖
十分進步，名爲中華民國新地圖、中國分省新圖兩種，由丁
文江、翁文灝、曾世英等編繪，上海申報館出版，此圖首以
等高線及分層設色法表示地形。交通部郵政總局於廿五年編
印中華民國郵政輿圖亦頗重要。此外，瀛寰輿地學社、武昌
亞新地學社、商務、中華、世界書局等亦出版許多地圖，其
中以敎學地圖爲多。

　　政府遷臺以來，地圖的繪製與出版已十分進步而普
及。出版較重要者有：

　　一、聯合勤務總司令部測量署：
　　　㈠中華民國全圖　1幅，比例尺爲1:2,500,000
　　　㈡世界全圖　1幅，比例尺爲1:14,000,000

㈢中國輿圖百萬之一　　86幅（每幅 2 張）

㈣臺灣省圖二萬五千分一　　304幅

㈤臺灣省圖，五萬分一　　108種（每種 2 幅）

㈥臺灣省圖，二十五萬分一　　5 幅

㈦臺灣五萬分一及二十五萬分一圖地名詞典

㈧臺灣海峽形勢圖　　1 幅，比例尺爲1:500,000

㈨中華民國四百萬分之一地圖　一份二張

㈩臺灣五十萬分之一地形圖

(十一)臺灣省臺北市六十萬分之一觀光圖(中英文對照)

(十二)世界三千萬分之一全圖　　一份二張

後四種由臺北黎明文化事業公司出版。

二、國防研究院：

㈠世界地圖集　4 册

㈡中華民國地圖集　　5 册(另發行合訂本式 1 册)

㈢清代一統地圖　　206面

三、南華出版社：

㈠世界新地圖　　6 種

㈡中華民國地圖　　4 種

㈢臺灣省地圖　　11種

㈣市街圖　　15種

㈤臺灣省各縣地圖　　16種

㈥外國地圖　　10種

　　以上爲普通之地圖，各科專門輿圖、繪製出版的亦多，多半爲政府機構所測繪。例如：海軍測量局繪製的軍事輿圖、經濟部水資源統一規劃委員會繪製的水文圖，臺灣省農林航空測量隊測繪之國有林區林型圖、資源圖等。此外，個人繪製，民間出版者，亦有十餘種，多屬普通地圖，如：莫先熊的最新世界分國圖，中國區域地理圖；李鹿苹、黃新南的最新世界分國地圖、最新中國區域地圖；均由臺北文化圖書公司印行。歷史地圖方面，程光裕、徐聖謨有中國歷史地圖集；董作賓有中國歷史參考圖譜；蔣君章有中國歷史地圖。

　　外國出版之中國地圖，極爲精詳，重要的有：

　　一、Rand McNally Illustrated Atlas of China. New York, Rand McNally, 1972. 80p.

　　二、Hsieh, Chiao-min(謝覺民)：Atlas of China. by Chiao-min Hsieh, ed. by Christopher L. Salter. New York, McGraw-Hill, 1973. XV, 282p.

　　三、The Times Atlas of China. Editors & Contributors : P. J. M. Geelan, D. C. Twitchatt. N. Y., Times Newspapers Ltd., 1974 Xl, 〔171〕p.

　　美、英、德、法、蘇、日等國對於我國地圖之測繪亦不遺餘力，例如：美國陸軍製圖局（Army Map Service）英國的 Directorate of Military Survey, War office等。繪製吾國地圖頗多，詳見 Jack F. Williams 所寫的China

in Maps 1890-1960: A Selective &. Annotated Carto-
bibliography, 此書民國六十三年秋由密西根州立大學亞州
研究中心出版。

利用地圖，首應瞭解地圖構成之要件，有以下諸項:

一、經線與經度 (Meridian & Longitude)：地球上
假設通過南北極與赤道正交之圈線，名曰圈線 (Meridian
Circle)，有一極地至他極之半圈線，名曰經線，所以表示
東西之距離也。經度，爲地球上各地經線與起算經線相距之
度數，赤道圓周分爲三百六十度，以英國格林威治天文台爲
中線，在其西者爲西經，在其東者爲東經。

二、緯線與緯度 （Latitute）：地球上假設與赤道平
行之圈線，以示南北之距離，稱爲緯線，各地之緯線與赤道
相距之弧度，是爲緯度。自赤道起算，達於南北極，各九十
度在赤道北者曰北緯，以南稱爲南緯。

三、比例尺 (Scale)：或稱縮尺。繪製地圖，需照實
際長度縮小之，圖中每附一尺度，示圖與實際長度之比率者
曰比例尺。簡言之，比例尺就是圖上的距離與原來的水平距
離之比。其表示法有幾:

㈠文字註記法：係以文字說明地圖的比例。如「五萬分
之一」。

㈡分數法: 1.分數法，如$\frac{1}{5000}$; 2.斜分法，如1/5000; 3.比例法，如1:25000。

㈢圖示法: 是依比例尺的單位，印製一標準圖形式的直尺，利用此直尺，則地圖上各項距離，可依其數值，量得實際地面距離。

比例尺的分母越大，其比例尺越小。一百萬分之一的地圖，表示圖上一公分為實際距離十公里，十萬分之一的地圖，表示圖上一公分為實際距離一公里。

四、繪圖法（Projection）: 地球為球體，地圖為平面，要把球體上的形狀，繪到地圖上，則必需利用投影的方法，投影法有二類，一為透視投影法（方位投影法），一為展開圖法（圓柱投影法及圓錐投影法）。

五、等高線（Contour Lines）: 地面上高出海面的同等高度，若將其各點聯線，表示地形的高度者，稱之為等高線。等高線邊應註明等高距。有些地圖上有主曲線及間曲線兩種，前者用線鮮明，其等高距較大；後者用線較細，等高距較小。 可表現地形的起伏。 等高線必需繞成一環形閉合圈，如有不閉合，或與另線重叠，其地必為懸崖峭壁。等高線密集的地方，表示坡度陡。稀疏的地方表示坡度緩，相等間隔的地方，表示坡度平均。 等高線「Ｖ」形頂端表示低處。

六、影線（Hachures）：乃劃於等高線中間之流線。等高線相距愈近，此影線必愈多。現代地圖，以彩色濃淡代替影線。

七、通用符號（Conventional Signs）：老式地圖，其地面形狀均用略圖示之，以後改用符號代替。此種符號通常標示於地圖一隅，謂之圖例，以便查考。以一定符號表示者通常有下列各項：國界、省界、鐵路、公路、湖泊、河川、關隘、長城、運河、井泉、沙漠、市鎮、省會、山嶽、堤防、商埠等。

除上述各點之外，對於地圖邊註資料，如圖名、圖色、板框（註明長度）、製圖者、出版年、出版者、版本（石印本、木刻本、繪本、晒印本、攝影本等）、幅（冊）數等，也宜瞭解。

△一、**世界地圖集**　　張其昀主編　民國54至57年　台北市　國防研究院　4冊

△二、**中華民國地圖集**　　張其昀主編　民國48至51年台北市　國防研務院　5冊

世界地圖集，第一冊為東亞諸國，計地形圖二十二幅、人文圖二十一幅、插圖二十二幅；第二冊為亞洲與俄

國， 計有地圖二十五幅、 挿圖三十幅； 第三册爲非洲與歐
洲， 計有地圖三十七幅、附圖十七； 第四册爲美洲與澳洲，
計有地圖四十八幅、 挿圖四十幅。第五册爲太平洋極帶與世
界總圖， 未出版。 本圖集特重亞非兩洲， 以國別爲分幅單
位， 縮尺不一， 惟力求接近。各册書前後有該地區之全圖。
書前有參考圖書目錄及圖例， 書末有中英文地名索引。圖中
地名附有英文， 英文中譯參考國立編譯館出版之外國地名譯
名， Webster's Geographical Dictionary 等裁定之。此
圖集爲國內出版最精詳， 亦最重要者。中華民國地圖集之體
例大體與前同。第一册爲台灣省； 有地圖四十六幅； 第二册
爲中國大陸邊疆， 包括西藏、 新疆、 蒙古， 共有地圖二十六
幅； 第三册爲中國北部， 包括東北、 華北、 西北， 有圖三十
七幅； 第四册爲中國南部， 包括華中、 華南、 西南， 有圖三
十七幅； 第五册爲總圖， 包括政治區域、 地形、 氣候、 土壤
分佈、 自然植物分佈、 資源、 交通、 人口、 語言等大小圖共
二十三幅， 此册無索引。

　　△三、中華民國台灣區地圖集　　內政部地政司、聯勤
總部測量署編繪　民國70年 7 月　　台北市　　內政部　〔7〕,
59, 81面

　　此書分地圖及說明兩部份。書前有世界全圖（比例尺九
千萬分之一） 及我國全圖（比例尺一千三百萬分之一）。本
圖集包括總圖、台灣省各縣市及台北和高雄二直轄市行政區

圖、重要都市街道圖、各縣縣治市鎮圖及參考圖等五類，計四十四幅。除世界全圖用圓柱投影法外，概採正形投影法編繪，彩色精印。總圖十五幅，比例尺爲一百四十萬分之一，行政區域及重要地名，採中英文並列。譯名依照聯勤測量署六十年十二月編印之 Wade-Giles 羅馬注音法「地名漢字譯音表」修正本譯註。說明部份，依圖次撰述「概況」計三十六篇，書前有圖例，書末尚有台灣海峽圖（比例尺二百萬分之一）。此書無索引，查檢較不便利。

△四、**中國歷史地圖**　　（日）箭內亙編撰，（日）和田清增補，李毓澍編譯　　民國66年　台北市　九思出版社　圖26幅，解說32面　（九思叢書3）　另有民國62年三人行出版社影印本，66年文理出版社有修訂本

△五、**中國歷史地圖集**　　程光裕、徐聖謨合編撰　民國44年　台北市　中華文化出版事業委員會　2冊　（現代國民基本知識叢書第3輯）

△六、**中國歷史參考圖譜**　　董作賓主編　民國46年　台北市　藝文印書館　1冊

△七、**清代一統地圖**　　張其昀編　民國55年　台北市　國防研究院　206面

　　△八、**歷代輿地沿革圖**　　　（清）楊守敬編繪　民國64年　台北市　聯經出版事業公司　10册

　　△九、**中國歷史疆域古今對照圖說**　　樊開印編　民國68年　台北市　徐氏基金會　6,138面

　　以上均爲歷史地圖。中國歷史地圖一書是根據日人箭內亙博士之東洋讀史地圖第四度修訂本影印。其弟子和田清增補三圖亦予一併影印。圖內日文地名及戰前日人習用之地名，均經漢譯及改正。原圖之解說爲閱圖所必需參考之資料，亦一併逐譯，列於書後，全書凡圖二十六幅、附圖二十四，解說共三十二面。上起禹貢九州，下迄清末中國全圖，用彩色印製，頗爲精詳。

　　程書圖文分爲兩册，第一册爲地圖，凡七十六幅；第二册爲說明，凡分疆域、都會、水道、交通、戰役五篇，亦頗精詳，惟部份繪製擁擠、未分色，解說單行，查閱不易。董書，由遠古迄清，共有圖十二幅，每幅包括年代、世系、疆域圖、國勢概要、大事年表、社會生活等各種實物圖片五百幀。地圖部份不若上列各書詳細，惟解說文字頗爲簡明眩要。

　　清代一統地圖，實據乾隆二十五年(一七六〇)，印製的乾隆內府輿圖編印。全書有圖一百零三幅，原圖比例尺爲一百四十萬分之一，本圖改編爲二百萬分之一，採梯形投影。

圖幅範圍北至北冰洋，南抵印度洋，西至波羅的海、地中海與紅海。為最早的亞洲大陸全圖。可與清史、清代一統志相輔為用。

　　楊守敬為清代名學者，編有歷代輿地沿革險要圖三十四册，光緒三十二年校訂刊印。首卷為歷代輿地沿革總圖，次為歷代疆域分圖四十四種，上起春秋列國圖，下迄明地理志圖。除秦代外，均用同一比例尺，每册可拼成一幅。圖外有文字說明一代疆域區劃之分合。仿清代六嚴繪製之歷代地理沿革圖，用朱墨兩色印製。因比例尺大，其精密殆百倍於六氏圖。近十年來日本、歐美所繪我國沿革圖，無不據此圖及六氏圖製成，但均不若其精詳。范希曾氏推崇此書「考證詳審、洵稱鉅製」，在台影印本，採散葉裝訂，便於拼讀。喬衍琯氏評此書之用途有：1.研究沿革地理的重要資料，2.讀一般史書時參考，3.讀詩文時的參考，4.瞭解古代交通情況，5.研究軍事上戰略的地理。認為此圖，在目前，仍為無可取代的中國沿革圖集。喬氏編有索引一册，可資檢索。

　　樊書上起禹貢九州下迄民國，各代分說明文字、透明圖及疆域圖三部份，共有古今對照圖三十幅。此圖之特色為採用透明圖，可立即辨認古地之今名，極為方便。

　　△九、**西洋歷史地圖**　巴瑪 (Palmer, R. R.) 主編；王曾才編譯　民國66年　台北市　九思出版社　155面（九思叢書11）

　　本圖集係以美國史學家巴瑪所主編的Historical At-
las of the World 為藍本編成。該圖自一九六五年由美國
Rand McNally & Co.出版以來，甚受好評，至一九七六
年已刊印十六次之多。原圖集連目錄索引在內僅四〇頁。九
思影印本說明文字較詳細，並編有中英地名索引。全書共有
圖三十七幅。附錄有主要國家王室世系及政權更迭的表譜共
十四種，大致取材自 William L. Langer 主編的 An En-
cyclopedia of World History（一九六八年版）的附錄。
地名之翻譯，儘量採用教育部公布的「外國地名譯名」及馮
承鈞的「西域地名」二書。本書以彩色印製，圖文尚清晰，
惟圖內僅有英文，未註中文，需再查書末之中文索引，使用
稍感不便。

柒、沿革表

　　△一、**歷代地理沿革表四十七卷**　（清）陳芳績撰　民
國54年　台北市　商務印書館　2,968 面　影印本　（叢書
集成簡編）　另有62年鼎文書局影印本

　　△二、**歷代沿革表三卷**　　（清）段長基編　民國55年
台北市　中華書局　2 冊　影印本　（四部備要）　另有商
務國學基本叢書本

　　△三、**清代地理沿革表**　　趙泉澄撰　民國68年 3 月
台北市　文海出版社　〔14〕,204面　影印本

　　陳書分部表三卷、郡表十五卷、縣表廿九卷。部表以虞的十二州，郡表以秦的四十郡，縣表以漢的一四五〇縣爲綱，而取漢以下諸史地志爲目，旁參唐宋以來輿地及各省郡縣志經緯之。部表包括：舜之十二州牧、漢之十三部刺史、唐之十五道訪史、宋之十九路安撫史、元之行中書省、明之布政使司。郡表包括：秦漢之郡、隋唐之州、府、軍、元之路、明之府。每頁分十二欄，由前漢至明，依次列表，以明沿革。凡一郡一邑之置廢分併，遷徙升降，無不博考詳稽，縷析條分，統歸一始。段書如同前書，亦由漢至明，列表絞述。惟不如陳書細密。趙書專記有清一代二百六十餘年之地理沿革，極爲精詳。原曾分省發表於禹貢半月刊，民國卅年，由作者詳加修改，由上海開明書店出版。作者歷閱北大研究院、社會調查所、社會科學研究所、禹貢學會、故宮文獻館等處檔案纂輯此書。全書分十六個行政區，每一行政區，先以文詳述，再以表揭示，十分明晰。作表之法，以地爲經，以朝爲緯，以各種數目字、字母、符號、曲直線等爲佐。表中所列地名，以第一（省、順天奉天二府）、第二（府、直隸州廳、清季東三省各縣、西康委員）兩級地方單位爲限，其第三級地方單位（散州、散廳、各縣）之地名，備於文，不列入表，而將其變遷沿革，用數目字符號等，見之於表中。計有表十六，每一表均以朝代先後排列。書末有四角號碼索引，查閱方便。

捌、旅遊指南

　　旅遊指南（Guidebooks）係專爲旅遊者使用之書，　其指引資料，在地名辭典及地圖集中，通常不易獲取，此類圖書大部份按路程排列，亦有按國別、州別，乃至地區編排。對於各地名勝、古蹟、博物院、公共建築物、紀念物、公園、餐旅館等，載錄尤詳。對於立卽需用之參考資料（Ready-Reference Material），　如：每月溫度、該地歷史沿革等、最新城鎭地圖等亦予詳載。此種旅遊指南實爲名錄指南（Directory）之一種。

　　△一、**世界旅遊專輯**　　百科文化公司編　民國68年台北市　編者印行　574面

　　△二、**觀光旅遊指南**　　許耀文編　民國68年　台北市聯經出版事業公司　8,431面

　　△三、**香港、澳門、日本、韓國旅遊指南**　　三博文化出版社編　民國68年　台北市　該社　247面

　　△四、**優美台灣旅行手册**　優美旅行雜誌社編　民國67年台北市　該社　598面

　　△五、**工商人員出國旅行手册**　　中華民國對外貿易發展協會編　民國64年　台北市　該會　5,118面

　　△六、**國際觀光旅遊百科全書**　　國際觀光旅遊百科全書編輯委員會　民國68年　台北市　漢威文化事業公司　860面

　　△七、**世界之旅叢書**　　馮仁安主編　　民國68年　　台北
市　　德昌出版社　　20冊

　　△八、**台灣山岳旅遊手冊**　　交通部觀光局、台灣省林
務局合編　　民國67年　　台北市　　該局　　111面

　　△九、**渡假系列**　　戶外生活雜誌社編　　民國66至67年
台北市　　該社18冊

玖、地理總志

　　△一、**索引本嘉慶重修一統志五六〇卷**　　　（清）穆彰
阿等奉敕撰　　民國55年　　台北市　　商務印書館　　11冊　　影印
本　　另有民國56年藝文印書館影印本

　　　　本書為官撰之書，體例仍沿元明一統志。初刊於乾隆
九年，凡三百五十六卷，續刊於乾隆五十五年，凡四百二十
四卷，卽通稱的大清一統志。第三次修訂，斷於嘉慶二十五
年，成於道光二十二年，凡五百六十二卷（含目錄二卷）。
正文二百冊，此卽通稱的嘉慶一統志。內容包括：表、圖、
疆域、分野、建置、沿革、形勢、風俗、城池、學校、戶
口、田賦、稅課、職官、山川、古蹟、關隘、津梁、堤堰、
陵墓、祠廟、寺觀、名臣、人物、流寓、列女、仙釋、土
產等。以編次言，則京師、直隸，盛京以下為：浙江、江
蘇、安徽、山西、山東、河南、陝西、甘肅、江西、湖北、
湖南、四川、福建、廣東、廣西、雲南、貴州、新疆、蒙

古各藩部及朝貢各國。自京師以下，每省有統部，總敍一省大要；各府廳直隸州各有分卷，蒙古各藩部分卷，悉照各省體制。全書所錄地名及地理資料極多，尙包括人名，及制度名。商務印書館將全書所錄山川、古蹟、人物、圖表等悉依四角號碼編爲索引，頗便查閱。民國張元濟將一統志地理表輯出，二十四年，由上海商務印書館出版，名爲嘉慶一統志表二十卷，六十四年台北新文豐出版社曾影印徐午輯大清一統志表，共二册。

歷朝修纂之地理總誌有：

△二、**太平寰宇記二百卷**　　（宋）樂史撰　民國 52年　台北市　文海出版社　2册　據嘉慶八年重刊本影印，該社另有影宋本太平寰宇記補闕乙册，據清遵義黎氏影宋本影印，六十四年再出版王恢編太平寰宇記索引。叢書集成簡編亦收有太平寰宇記。

△三、**元豐九域志十卷**　　（宋）王存等奉旨刪定　民國51年　台北市　文海出版社　504面　據乾隆四十九年刊本影印。國學基本叢書亦有收錄

△四、**大明一統志**　　（明）李賢等奉敕撰　民國54年　台北市　文海出版社　影印本　10册　四庫全書珍本七集亦有收錄。

△五、**寰宇通志一百十九卷**　　（明）陳循等撰　民國50年　台北市　廣文書局　影印本　10册

唐人李吉甫曾撰元和郡縣志四十卷，爲官修地理書，

是現存最早之我國地理書，今本有殘佚。太平寰宇記爲北宋官修地理書，體例與元和郡縣志略同，惟蒐採範圍較廣，後世地理書涉及人文資料方面，由此書開端。迄今已有亡佚，今本缺七、八卷。元豐九域志爲北宋後期官修地理書，記載北宋版圖疆域、州縣廢置、風土物產、戶口增減以及名山大川等。元代岳璘有元一統志，四庫提要記載稱爲歷代官修地理書，最爲繁博者，但此本已佚，最近有趙萬里輯本十卷行世。明英宗敕李賢等仿元一統志修明一統志。惜乎成於衆手，錯誤頗多，爲歷代官修地理書中較差者。清人顧祖禹有讀史方輿紀要一百三十卷附輿圖要覽四卷，志在補訂明一統志的疏謬。

附　註

① 傅振倫，中國方志學通論，人人文庫 189（台北市：商務印書館，民國55年），頁9。

② 同上書，頁3。

③ 朱士嘉，「方志之名稱與種類」，禹貢半月刊第1卷2期（民國23年3月），頁28—30。

④ 沈鍊之，「方志體例和內容的演變」，地政月刊第3卷第10期（民國24年10月），頁1373—1376。

⑤ 同註③，頁26。

⑥ 同註①，頁1。

⑦ 同註①，頁57。

⑧ 王庸，中國地理學史，中國文化史叢書（台北市：商務印書館，民國63年），頁37—38。

第八章　年鑑年表曆譜

壹、年　　鑑

一、意　　義

辭海：「彙錄一年間各種大事及統計之屬，以便觀覽之書也」。王征編譯的圖書館學術語簡譯：「一年刊行一次，載錄時事資料之刊物，有兩種形式，一種係敍事體，一種係統計數字，內容有時局限於某一學科，如敎育年鑑然」①。

百科全書敍事甚詳，但缺乏最新的概況與趨勢。此種資料往往可於年鑑中獲得。年鑑之英文是 Yearbook，有時亦稱 Almanac 或 Annual。惟其間仍有區別。

一、年鑑 (Yearbook)：內容包括演變中的最新資料，簡明地予以敍述，有時包括統計資料。每年刊行一次，記載一年間的各種史實事件。

二、曆書 (Almanac)：原意爲年曆，以後演爲包括統計資料和事實 (Facts) 的綜合體，各類資料兼容並蓄，且往往溯及旣往，一般的 Yearbook 未必盡錄。

三、年刊 (Annual)：代表刊期。凡曆表、指南、報

告、議事錄、年表等一年刊行一次者均屬之。

二、種　　類

一、世界年鑑：包括世界各國、聯合國或國際組織之年鑑。

二、中國年鑑：以包括我國各省市等爲範圍而編纂的年鑑。

三、區域年鑑：以行政區域爲範圍而編纂的年鑑。

四、專題年鑑：爲各類科之年鑑。

五、百科全書之補篇：外國百科全書均有年鑑之編纂出版。因爲事物之演變與時推移。百科全書之編纂出版受時空限制，不及備載。故逐年編纂補篇，以保持資料之新穎性，並供日後修訂增補之需。大英、大美兩聞名之百科全書均有補篇年鑑行世。我國向乏百科全書問世，缺乏此類體裁之著作。

三、功　　用

年鑑載錄可靠實用而簡明之資料，實爲個人及家庭簡易參考用書，亦爲圖書館參考服務答覆讀者諮詢問題的有效工具。

年鑑纂輯之宗旨，美國圖書館學家凱斯（William A. Katz）敍之甚明，㈠提供最新資料（Recency），㈡提供簡明事實（Brief Facts），㈢提供事實發展之趨勢（Tre-

nds)，㈣兼作查尋之索引 (Informal Index)，㈤可作指
南與傳記之查尋(Directory & Biographical Information),
㈥可供瀏覽 (Browsing) ②。

　　總之，年鑑係以眩簡明確之法，供按圖索驥之助，可爲
瀏覽查索及借鑑之用。

四、體例與內容

　　年鑑按年刊行，惟其體例，均按分類或分章節敍述。與
條列式參考書不盡相同。年鑑之內容，在纂輯上有四項原
則，卽所謂務博、務要、務實、務變，博則易失其冗，必繩
之以要，使博而能約，庶可不流於濫。記事詳細、材料取
捨，應因時因地制宜。就其內容，沈寶環先生於其所著西文
參考書指南中，認爲不外下列各方面③ :

一、政治時局演變情況。

二、科學技術發展的報導。

三、傳記性資料。

四、各種統計數字，尤其與經濟有關的數字。

五、當年體育新聞及記錄。

六、若干新聞項目不可能在其他參考書中找出者。

七、藝術文化事業的傾向和動態。

八、該年大事表（往往依時間排列成爲大事日記）。

九、精選該年新聞照片。

五、我國年鑑的發展與特色

宋史藝文志卷五子部五行類載年鑑乙卷，與今日「年鑑」一辭巧合，惟原書已佚，無可考知其內容。西洋各國編印之年鑑頗多，用資龜鑑。日人因其一年刊行一次，譯作「年鑑」。

我國年鑑之作，係受西洋及日本之影響。

第一種中國年鑑，是英國倫敦 George Routledge & Sons於宣統三年創編的The China Year Book 1912，係由 North-China Daily News 的編輯H.T. Montague 及京津報 (Peking & Tientsin Times) 編輯 H. G. W. Woodheed主編。此年鑑一至五回在倫敦出版，一九一三年版，於書名頁另加中文書名「中華年書參考書」字樣，民國十年出版之一九二一至一九二二年版改在我國天津出版，書中之人名、地名、書報名均加中文。一九二三年版，中文書名改稱「中華年鑑參考書」，並由上海出版的The North-China Daily News & Herald, Ltd. 發行。此書目前國立中央圖書館臺灣分館蒐藏頗多，自創刊號至一九三九年版，完整無缺。編纂之初，因我國尚乏各項調查統計工作，故其資料一面引用下列西人著作，如: (1)A.H. Keane 及 Edward Stanford : Stanford's Compendium of Geography & Travel., (2) L. Richard's Comprehensive Geography of the Chinese Empire & Dependencies,, (3) H. B.

Morse 撰 The Frede & Administration of the Chinese
Empire 以及其所著 The International Relations of
the Chinese Empire.。一面獲得我國外務部、郵傳部、陸
軍部、農工商部及外國駐華公使之協助，方以得成。

　　另一較早的中國年鑑，是東京東亞同文會調查編纂部，
於大正元年（卽民國元年）出版的「支那年鑑」，由民國元
年至九年十一月，前後出版四回，十六年後再編輯「新編中
國年鑑」，各回均以日文撰述。

　　國人自編出版之年鑑當以民國二年神州編譯社編輯部出
版的「世界年鑑（一九一三）」爲最早，資料大致係編譯而
成，分十二類敍述，內容頗豐，全書達一三〇四面。民國三
年至廿五年，中華續行委辦會及中華全國基督教協會編有中
華基督教會年鑑，共出十三期，由上海廣學會發行。民國九
年外交部印行外交年鑑。十一年，上海銀行週報社發行銀行
年鑑。十一年至十九年出版的有：　小說年鑑、浙江電政年
鑑、奉天省財政統計年鑑、勞動年鑑、衞生年鑑、廣州市市
政府統計年鑑、中國國民黨年鑑、銓敍年鑑、貿務年鑑等。
二十年至三十年間出版量最多，重要的有：　英文中國年鑑
（The Chinese Year Book）、時事年刊、上海市年鑑、
平漢年鑑、隴海鐵路年鑑、中國文藝年鑑、圖書年鑑、南洋
年鑑、國民政府年鑑、鐵路年鑑、中國教育年鑑、財政年
鑑、全國銀行年鑑、中國外交年鑑、中國年鑑等，其中各省
及區域年鑑頗多。　三十一年至三十八年間出版者，重要的

有：申報年鑑、中華年鑑等。政府遷臺以還，各種年鑑相繼出版，重要的有：中華民國年鑑、匪情年報、華僑經濟年鑑、交通年鑑、合作年鑑、中國經濟年鑑、中華民國出版年鑑、香港年鑑等。

關於年鑑之書目，可參閱許淑美編中文年鑑輯目乙文④，收錄我國年鑑一百十一種（不含統計摘要、要覽等統計資料），其中普通年鑑達三十七種，專題年鑑達七十四種。專題年鑑中又以社會科學性居多，計六十三種。

綜觀我國年鑑，其特殊之情況有四：

一、創刊號（或稱第一回，或第一次），其資料大都追溯至民元。

二、出刊不正常，出版後，未能續刊，往往創刊號，即為停刊號。

三、經常附有曆譜、大事記、書目及索引等附錄。

四、本身無索引。

六、世界年鑑

世界年鑑內容包括一年內各國之首都、面積、人口、政府、國會、政黨、軍事、教育、財政、經濟等概況。民國二年，神州編譯社編印世界年鑑（一九一三年），二十年，張世安編世界年鑑（一九三一年），二十三年，李聖五與史國綱編國際政治經濟一覽，二十三年，王藝舟等編譯世界各國國勢年鑑，二十五年至二十六年，生活書店出版世界知識年

鑑。政府遷臺以來，於四十一年，中國新聞出版公司編有世界年報，可惜此種年鑑均未能增修續刊，故其功用，與時遞減。目前各圖書館大都直接利用國外出版的 The World Almanac、Information Please Almanac、Whitaker's Almanac 等較爲新穎實用。

七、中國年鑑

△一、**中國年鑑**（第一回）　　阮湘等編　民國60年
臺北市　中國出版社　影印本　2冊（2133面）

△二、**申報年鑑**　　申報年鑑社編　民國22至25年、33年　上海　申報館　民國55年9月臺北市中國文獻出版社曾影印24年度申報年鑑。

△三、**國民政府年鑑**（第一至三回）　　行政院編　民國32、33、35年　重慶　中心印書局（第一回）及中華書局（二、三回）

△四、**中華民國年鑑**　　中華民國年鑑社編　民國40年起　臺北市　正中書局

此均爲國人自編印行之中國年鑑。

阮湘之中國年鑑係十三年商務本，僅出一回，內分土地人口、政治軍事、財政金融、交通水利、農工商業等項，特重統計數字。申報年鑑前後出版五次，內分土地、曆象、人口、黨務、政制、行政、立法、司法、考試、監察、國際、財政、經濟、僑務、交通、水利、社會、教育、出版、

學術、宗教、都市、國內大事誌、世界等類。國民政府年鑑共出三回，刊佈政府施政概況、法令及統計學科等。政府遷臺以後，於四十年編印中華民國年鑑，年刊一次，迄未間斷。每年內容大致包括：經濟、復興基地、政黨、國民大會、政府組織及職掌、外交與僑務、國際、民政與邊政、國家經濟、教育與文化、民間活動、大陸概說等。每年均附有大事記，但無索引。此書另有英文版發行，名為 China Yearbook，內容與中文版相似，然增國際關係及人名錄二門，並有索引。

八、區域年鑑

年鑑有以地域爲範圍者，舉凡該地政教、農工商鑛、經濟社會及一切自然事物，靡不網羅周至，通常以一年爲期，修纂成書、以便省覽、鑑誡，亦可供修志之用。我國出版之此類年鑑，依行政區別，有下列幾類：

一、地區年鑑：如東北年鑑、南洋年鑑、東南亞年鑑、香港年鑑等。

二、省年鑑：我國出版的省年鑑頗多，江蘇、江西、湖南、廣東、廣西、臺灣、山西、安徽等各省均有年鑑出版。部份省份尚有省專題年鑑出版，如：河南教育年鑑、湖南省政治年鑑等。

三、縣市年鑑：如民國卅五年桐鄉縣政府印行之桐鄉年鑑、及民國五十一年出版在臺印行之臺北縣年鑑等。上海

市、高雄市、基隆市等均有市年鑑出版。

九、專題年鑑

專科年鑑數量頗多，已出版者約有八十餘種。圖書、出版、教育、宗教、衞生、體育、經濟、兒童、畜牧、纖維、工商、監務、國貨、勞動、交通、鐵道、合作、財政、金融、華僑、內政、銓敍、黨政、外交、司法、軍備、軍事、文藝等各類科均有其專門之年鑑，各有用途。茲舉要者如下，以明其體例與功用。

△一、**圖書年鑑**　楊家駱編　民國22年7月　南京中國辭典館　2册

此表分上下二册，上册爲中國圖書事業誌，包括四篇：中國圖書大辭典述略、圖書事業法令彙編、全國圖書館概況、全國新出版家一覽。下册爲新書總目提要、分十四類，各書大部分有解題。民國六十一年楊氏在臺予以影印改題「民國以來出版新書總目提要初編」。民國二十六年楊氏曾編印圖書年鑑二編一部三册。

△二、**中華民國圖書館年鑑**　國立中央圖書館編　民國70年　臺北市　該館　〔3〕451面

本書爲我國第一種圖書館年鑑。旨在記錄我國圖書館事業發展史實，並報導現況，作爲建國七十年的獻禮。內容有：中國圖書館事業的發展、臺灣地區圖書館事業現況、圖書館教育、圖書館學研究、圖書館團體、圖書館事業大事

記，共六章。書末有圖書館法令、圖書館標準附錄兩種。其中「臺灣地區圖書館事業現況」資料截至六十八年底止，另有單行本。其餘各章資料大致截至六十九年止。

△三、**中華民國出版年鑑**　中國出版公司編　民國65年　臺北市　該公司

此書與圖書年鑑相似。自民國六十五年創始，年出一輯，內容有：出版事業名錄、大事記、社團組織及章程、年度圖書目錄、唱片錄音帶目錄、出版法規等。此外，臺北市年鑑出版社，亦於同年創編「中華民國年鑑1975」乙書，較前書出版爲早，爲第一部出版年鑑，以六十三年出版圖書、期刊及出版社爲主要內容。另有張錦郎編「同治元年至民國六十二年出版事業大事記」、鄭恒雄編「全國圖書館名錄」及出版法規等附錄，內容詳實，惜未見續刊。

△四、**第一次中國教育年鑑**　教育部編　民國23年5月　上海　開明書店　〔24〕,〔848〕; 〔1324〕面　民國60年臺北傳記文學出版社影印乙部5冊

△五、**第二次中國教育年鑑**　教育年鑑編纂委員會編　民國37年　上海　商務印書館　〔29〕, 1643面

△六、**第三次中國教育年鑑**　教育部教育年鑑編纂委員會編　民國46年　臺北市　正中書局　2冊

△七、**第四次中國教育年鑑**　教育部教育年鑑編纂委員會編　民國65年　臺北市　正中書局　2冊 (1782面)

第一次教育年鑑取材自清末至同治元年（一八六二）

至民國二十二年十月，凡七十餘年。全書分五篇：教育總
述、教育法規、教育概況、教育統計、教育雜錄。以後各次
年鑑均續此而作，分篇較多，各次體例略同。

　　△八、中國文藝年鑑　　郭衣洞、彭品光等編　民國56
年　臺北市　平原出版社　5,6,430面

　　我國的文藝年鑑，出版數次，民國二十二至二十三
年、二十五及二十六年，分由中國文藝年鑑社、楊晉豪編
輯，三十八年以來，於五十五、五十六年出版二次。各次內
容體例，不盡相同。以五十五年出版爲例，內容有：(1)總
綱：簡述民國八年迄五十四年的文藝發展概況，(2)文藝社團
組織概況，(3)文藝活動大事記要，(4)重大文藝運動，(5)文藝
傳播工具概況，(6)重要作品目錄，(7)作家目錄，(8)馬來西亞
聯合邦及星加坡共和國華文文藝概況。

　　△九、匪情年鑑　　中共研究雜誌社匪情年報編輯委員
會編　民國56年　臺北市　該社

　　本年報，對外國發行題稱「中共年報」每年出版一
次，報導中共財經、軍事、黨務、宗教及人事動態。通常分
爲十編敍述。前七編爲綜合性質，內容爲：自然環境、情勢
總觀、重要文件介紹、大陸來鴻、人事、調查統計、大事記
等。後三篇，爲專題性質，視每年重大事件而定，各年報導
不同。此年報對中共報導極爲詳實。

貳、年　表

一、概　說

　　表者，錄其事而見之。事微而不著，須表明也。按年代之法列表，以明事者，謂之年表。辭海：「列表以年爲次，分隸史事於各年下，謂之年表，史記有十二諸侯年表，六國年表」。年表多提綱記事，故或稱大事年表。何多源中文參考書指南：「中國之有大事年表，始於史記，惟他史則闕，蓋後之史家，逐年大事載於本紀，不必列爲年表也…」⑤。史記卷十四有十二諸侯年表，記周共和元年（西元前八四一年）至周敬王四十三年（西元前四七七年）之十三國大事，以周室爲經，十三國史事爲緯。此表爲吾國有年表之始。

　　古者記事之法，其體有二。專記一事而具其始末者，尚書之體也；編年而通記一時之事者，春秋之體也。司馬遷作史記，變尚書春秋之體而後世爲史者皆師之，然其法實不外乎尚書春秋。本紀世家卽春秋通記時事之體，八書列傳卽尚書專記一事之體。所謂年表實則編年之變例耳。余鶴清史學方法：「現存的春秋，是魯的國史，現存的紀年，是魏國的國史，這兩者都是編年體，其實與年表無異」⑩。

　　年表，通常分欄記事，區之以時。以經緯線列表，逐年提綱紀事。有些年表，敍事不用表格，也屬於此類。惟像歷代編年體之實錄、通鑑，記事甚爲瑣碎詳盡，與大事年表性

質迥異。

　　年表中記年月日之法，　與曆譜相同，　惟不若曆譜之詳備。有僅記中曆者，亦有兼記西曆並列對照者。

　　淸人龔士烱及王之樞奉康熙敕令，編撰歷代紀事年表二百卷，上起帝堯，下迄元季，爲諸年表中之犖犖大者。元後之年表復有後人爲之續補。淸人齊召南又有歷代帝王年表十四卷，記四千餘年帝王大事。民元以來新編年表頗多，有通記各代者，如郭衣洞之中國歷史年表；有專記一代者，如郭廷以之太平天國史事日誌；有記專題史事者，如中國目錄學年表；有記一地者，如臺灣大事年表。此外，爲便利用起見，又有重印增補者，如增補歷代紀事年表、歷代帝王年表等。

二、通記各代之年表

　　△一、**增補歷代紀事年表**　　（淸）王之樞、辟園居士（劉體智）等撰　民國48年　臺北市　華國出版社　40冊影印本。

　　△二、**歷代帝王年表十四卷**　　（淸）齊召南編撰；（淸）阮福補　民國55年　臺北市　中華書局　408面（四部備要第109冊）

　　△三、**中國大事年表**　　陳慶麒撰　民國52年　臺北市商務印書館　345面　影印本

　　△四、**中國歷史年表**　　郭依洞撰　民國66年　臺北市

星光出版社　2冊

　　　　清王之樞歷代紀事年表一百卷，記事上起帝堯，下迄
元順帝，凡三七二五年，仿史記年表，通鑑目錄之例，編年
繫月，條列大事。劉體智續歷代記事年表十卷，起自明神宗
萬曆十一年至光緒三十四年。以上兩書合之尚缺明代及清宣
統一朝史事，華國出版社除合兩書外，再取段長基歷代統記
表中的明統記，以補明代之缺，再增輯宣統史事，成增補歷
代紀事年表，上起公元前二三五七年，下迄公元一九一一
年，凡四二六八年大事燦然備載。歷代帝王年表紀帝王大
事，上溯三皇五帝，下迄明太祖洪武年間大事。周以前但列
世次，秦以下以年記載，分十三表，依朝代及帝王先後為
序。民國二十三年，陳慶麒中國大事年表，載事起自黃帝元
年，至民國二十一年，歷四六二九年。時間雖長，條列大事
極簡要。四十七年，盧希文的中國五千年大事記與此類似，
四十二年，屠夷的中外歷代大事年表，中外史事並載。郭衣
洞中國歷史年表，以世紀為單元，分紀元前後二篇，由上古
時代記至二十世紀清宣統三年止，以耶穌紀年為紀年，將王
朝、國號、干支、年號，列在耶穌紀元之下，再記國內外大
事。

三、專記一代之年表

　　△五、**太平天國史事日誌**　　郭廷以編撰　民國52年
臺北　編者　2冊　影印本

△六、近代中國史事日誌　　郭廷以編撰　民國52年
臺北　中央研究院近代史研究所　2冊

此爲專記一代之斷代年表。前者於三十五年出版，記
太平天國一朝史實。後者記自淸道光九年（一八二九）至宣
統三年（一九一一）止。二書書首均有目錄標註史事子題；
附以年代，具有目錄及索引之功能。檢索尙稱方便，二書附
錄頗多，可與本文參稽。

△七、中華民國史事紀要　　中華民國史事紀要編輯委
員會編　民國60年——　臺北　中華民國史料中心

△八、中華民國大事記　　高蔭祖編　民國46年　臺北
市　世界社　704面

△九、開國五十年大事記　　周滌塵等編　民國51年4
月　臺北市　雲躍出版社　2冊

△十、民國大事日誌　　劉紹唐主編　民國62年　臺北
市　傳記文學出版社　2冊　（傳記文學叢刊28）

△十一、中華民國大事紀要　　高越天撰　民國60年
臺北　撰者　981面

△十二、中華民國史事日誌　　存萃學社編　民國67年
7月　香港　大東圖書公司

以上爲記民國大事之書。中華民國史事紀要爲記民國
史事最詳之編年史。自六十年創編以來，陸續出版。記載光
緒二十年（一八九四年）迄今之史實。分前、正兩篇。前篇
始自甲午（光緒二十年）國父創立興中會起至辛亥革命爆發

（一九一一）止；正篇自民元始。逐年逐月逐日記事。同一日之史事，除重大事件外，先記中央，次記地方。本書不按史事先後年代出版，編完某年後即先行排印出版，目前仍續編中。以上八至十二各書，記事均始自民元，逐年逐月逐日記事。香港存萃學社將商務印書館出版之東方雜誌各期所附「中國大事記」及「時事日誌」輯印成書名曰中華民國史事日誌，始於民元，終至三十年十一月十五日，按年月日條列大事甚詳，亦可參考。

四、專題及區域年表

　　年表有以學科及區域爲範圍者。記學科專題史事者頗多，如丁致聘的中國近七十年來教育記事、張錦郎及黃淵泉合編的中國近六十年來圖書館事業大事記等，此外舉凡出版、新聞、宗教、社會、財經、交通、軍事、文學、美術各類年表尚多，可資參考。記區域史事者，如周開慶之民國川事紀要、日人原房助之臺灣大事年表等是也。此外，亦有記機關大事者，如蘇精、周密同輯之國立中央圖書館大事記（刊於中央圖書館館刊新十二卷二期）。鄭恒雄編之中國圖書館學會二十五年大事日誌（刊中國圖書館學會會報第二十九期）。

叁、曆　譜
一、意　義

　　說文解字詁林:「曆，厤象也，从日厤聲，史記通用歷」⑦。書經堯典:「曆象日月星辰，敬授人時」⑧。大戴禮記:「聖人愼守日月之數，以察星辰之行，以序四時之順逆，謂之曆」。我國古代，人民耕作需與節氣配合，觀察天象，制定曆法，以爲農事之準則。

　　史記有曆書，漢書有律曆志，以後諸史皆有曆志。記曆之書謂之曆書。皇帝御用曆書稱爲王曆，印製精詳。清乾隆朝起，因避乾隆弘曆名，改稱「時憲書」。至於民間曆書，由欽天監頒發各省，再行印製發售。民用曆，封面用黃紙，紅絲線裝訂，正中印「欽天監欽遵御製數理精蘊印造時憲書，頒行天下」。兩邊夾雙龍，中蓋欽天監印，第一頁用朱印「國家忌辰」，第二頁印「都城順天府節氣時刻」。跟着才印各省節氣時刻，以下才是日曆，用紅黑二色印，最後一頁爲欽天監職銜名稱。

　　檢查年月日之書，又有「史日對照表」。鄭鶴聲近世中西史日對照表自序云:「我國史籍，多以甲子紀日，時序檢核、頗費精力。且曆數屢變，推算尤感困難。自晉杜預作春秋長曆，史日考訂，粗有端倪。至宋劉羲叟長曆（亦名劉氏輯術）出，漸趨精密。惟晉宋以來從事於玆者，殊不多觀，

下至清代，述作乃盛」⑨。其中最有系統且最便應用者，爲劉氏之長曆及清汪曰楨之歷代長術輯要十卷。

劉汪兩書對於史日之考證，有助國史之校訂。惟自明季以還，海運大通，中西史日之對照尤感重要。中西日曆對照表之創作，就所知者，以清光緒六年（一八八○）日本內務省地理局所編之三正綜覽爲最早，其書詳載中西回曆。光緒三十一年，我國瓊海關監督葛麟瑞輯有中西年曆合考，記自乾隆十五年（一七五一）至西元二千年止。民國以來，出版之年曆專書有：

十四年　陳垣編二十史朔閏表

十七年　陳垣編中西回史日曆

十八年　劉太白編五千年中國歷代世系表

廿二年　萬國鼎編中西對照歷代紀元圖表

　　　　史襄哉、夏雲奇編紀元通譜

廿五年　鄭鶴聲編近世中西史日對照表

廿九年　薛仲三，歐陽頤編兩千年中西曆對照表

四十九年　董作賓編中國年曆總譜

六十三年　董作賓編中國年曆簡譜

除了上述曆譜外，尚有專記一年之曆書，俗稱「黃曆」、「通書」、「民曆」、「農民曆」。內容除了記日之外，尚包括流年圖、卦運五行、廿八宿、時辰吉凶、食物相剋、堪輿等資料，饒有趣味。我國內政部，每年亦編印國民曆，供民眾參考。

二、曆法與曆譜

　　觀察天體運行之象，以正四時季節之法，謂之曆法。亦卽推算年、月、日幾個自然現象的週期，貫串其間的關係、制定時序的法則。世界各地之曆法不下十數種，有格勒哥里曆、馬雅曆、古埃及曆、衣索比亞曆、伊朗曆、巴比倫曆、猶太曆、印度曆、中國曆、越南曆、占婆曆等。古曆今已少用，此多種曆法，大別之，爲三種，卽：太陽曆、太陰曆及陰陽合曆。曆法既係依據曆法編製之年月日譜，故利用曆書，需瞭解曆法。玆就我國曆書所記曆法資料，簡述如下：

　　一、日：晝夜交替的週期爲一「日」。

　　二、月：月相變化的週期爲一「月」（舊稱朔策，現稱朔望月），漢書律曆志已載：「一月之日，二十九日八十一分日之四十三」[⑩]。現代測得數一月爲 29.530588 日，相差不到萬分之三。

　　三、年：說文云：「年，穀熟也，從禾，千聲」[⑪]。大約是由莊稼成熟的物候形成的，意味寒來暑往的週期。也就是地球繞太陽一周的時間。現稱「太陽年」。以朔望月爲單位的曆法是陰曆，以太陽年爲單位的曆法是陽曆。前者係以月繞地球一周爲一月，十二月爲一年；後者係以地球公轉一周爲一年。我國曆法爲陰陽合曆，以太陰月十二月爲一年，又置閏月，以求與太陽年相調合。

　　四、置閏：我國古曆，平年十二個月，六個大月各三

十天，六個小月各二十九天。全年共三五四天。而四季循環之週期爲365.25日，比塑望月的日數約多11.25日， 積三年相差一個月以上的時間，故三年需閏一個月。計十九年共需閏七個月。

五、四季：一年分春夏秋冬四季，古人按夏曆正月、二月、三月等十二個月依次又分孟、 仲、 季三個名稱， 如孟春、仲夏、季春、孟夏、仲夏、季夏等十二個月。

六、節氣：節氣反應四季、 氣溫、 降雨 、 物候等的變化。玉海：「五日爲一候，三候爲一氣，故一歲有二十四氣，每月二氣，在月首者爲節氣，在月中者爲中氣⑫。兹誌節氣如下⑬：

節氣中氣	節氣中氣
正　月：立春雨水	七　月：立秋處暑
二　月：驚蟄春分	八　月：白露秋分
三　月：清明穀雨	九　月：寒露霜降
四　月：立夏小滿	十　月：立冬小雪
五　月：芒種夏至	十一月：大雪冬至
六　月：小暑大暑	十二月：小寒大寒

七、記時日之法：現今不論日、月、年、星期均以阿拉伯數字， 或國字數字表示之。古代記時之法， 則有不同方法。

(一)記日：董作賓認爲用干支記日最早之記錄，見於古文尚書伊訓篇：「惟元祀，十有二月乙丑朔」。據其考證此

日為商代太甲的元年，相當西元前一七三八年，由此日起迄今，逐日以干支配對記之，不間斷、不錯誤、不重疊，為世界上惟一最長久的記日之法。為考據史實之鑰匙。此法以十干及十二支組合為六十個單位，稱六十甲子。其公式如下圖所示：

　　　　　十天干　　甲乙丙丁戊己庚辛壬癸

　　　　　十二地支　子丑寅卯辰巳午未申酉戌亥

　㈡記月：曆譜中通常以序數示之，如一月、二月、三月等。

　㈢記年：曆譜中常見之記年法有：

　　⑴按王公卽位年次記年：此為史家傳統所用方法，如：周平王元年、秦襄公八年等。以元、二、三等序數遞記，直至君王出位止。漢武帝時始用年號記元，如：建元元年，元光三年等，前後改元達十一次。更換年號則重新記元。

　　⑵干支記年法：始自東漢，六十甲子一復始。

　現代出版之曆書，多附歐西記時日之法，常見者有：

　一、儒略周日：此法相當於我國之干支記日。西元一五八二年，法國史家史加利澤（Josephns Justus Scaliger）用儒略曆上推至紀元前四七一三年，以紀元前四七一三年一月一日之正午為零日，二日正午為一日，逐日編號。以七九八○年為一週，稱「儒略周」。此法為西方學者計算史日之最長尺度。現今世界上，天文、曆算、史家，都採用它。董

作賓「中國年曆簡譜」亦錄此法。

二、格勒哥里曆（Gregorian Calendar）：為目前各國通行的太陽曆，公元一五八二年，羅馬教皇格勒哥里十三世，為修訂儒略凱撒（Julius Caesar）於公元前四十六年所作儒略曆之誤差而制定的年曆。故稱為「格勒哥里曆」。我國自民國肇始亦採此法。日常所稱「陽曆」、「國曆」即指此而言。此法之年長為地球繞太陽公轉一周之回歸年。分十二個月，每月從廿八至三十一日不等，其分月與月亮之盈虛無關。此曆法之置閏法在四百年中有九十七閏日，故四百年有一四六〇九七日（ $365 \times 400 + 97$ ）。每年平均年長為365.2425日。此後，約在西元一四〇〇年時，有一修道士名為里昂尼西亞士·艾克色加士（Diongsius Exiguus）主張基督徒對史事應以耶穌生日為準，在此以前稱基督紀元前若干年，或簡稱為B.C.，自此以後稱耶穌紀元，或簡稱為A.D.（Anro Domini）。

三、回曆（Muslim Calendar）：亦稱伊斯蘭曆，回教國家使用。以西元六二二年，回教創立者穆罕默德由麥加出奔前往麥地那的一年為紀元元年。此曆為純粹的陰曆。一年分十二個月，每一朔望月為29.53059日，年長354.36713日。較回歸年365.2422日約少11日。回曆單月三十日，雙月二十九日，不置閏月，故每年歲首無定，積三十二、三年即與中西曆差一年，積百年差三年。

三、曆譜舉要

△一、**中國年曆總譜**　　董作賓編撰　　民國49年　香港大學生出版社　　357,412面

△二、**中國年曆簡譜**　　董作賓編撰　　民國63年　臺北市　藝文印書館編　　325面

總譜分上下兩編。爲最詳備之曆譜。上編起自黃帝元年丁亥（西元前二六七四年），迄於西漢哀帝元壽二年庚申（西元前一年），共二六七四年。下編起自漢平帝元始元年（西元一年）至民國八十九年庚辰（西元二千年），全書共計四六七四年。

年世譜：自黃帝元年丁亥（西元前二六七四年）至商代盤庚十四年丙辰（西元前一三八五年），有世，有年，無曆，共一二九○年。每年列表記之，載錄：朝代、帝號、年數、干支、民元前紀元、西元前、儒略周年。無日月曆。

年曆譜：自盤庚十五年丁巳（西元前一三八四年）至民國八十九年止，有世、有年、有曆，共三三八四年。亦列表記之。除載錄年世譜各項資料外，另有「年曆譜」，右欄爲中曆日月欄，左欄爲西曆日月欄，可資對照。前者著錄天文月、太陰月、朔日干支、陽曆元旦、全年日數；後者載錄太陽月、日序、儒略周日。

書末有年號及帝號的筆劃索引、年號及帝號的譯音索引，按字母順序排列。另有附錄十九種。

　　　簡譜係依據總譜改編而成。取材盡量簡化。原表之英文註釋及譯音，附錄表均予以省略。使用較原書便捷。

　　　大陸雜誌十九卷二至八期，有董作賓撰「中國年曆總譜年世譜說明」，可資參考。

　　　△三、**二十史朔閏表**　陳垣編　民國47年　臺北市藝文印書館　246面

　　　△四、**近世中西史日對照表**　鄭鶴聲編　民國51年臺北市　商務印書館　〔16〕，880面

　　　△五、**兩千年中西曆對照表**　薛仲三、歐陽頤編　民國66年　臺北市　華世出版社　另有商務、學海、國民出版社等印本。

　　　陳表於民國十四年由北京大學國學研究所出版。自漢至清，各依其本曆著其朔閏。於漢平帝元始元年起加入西曆，唐武德五年起加入回曆。表中雖僅及朔閏，但可據以由中曆推算西曆，亦可由西曆推算中曆。

　　　鄭表於廿五年出版。起自明武宗正德十一年（一五一六），迄民國三十年，凡四二六年。每年記其陽曆、陰曆、星期、干支四項，節氣附於干支項內。各年並註是年干支及帝王年號、年次，查對中西史日，不需推算，隨手可拾，極為方便。

　　　薛書於二十九年，由商務出版。始自漢平帝元始元年，迄於民國八十九年，凡記二千年。每表分：陽曆年序、陰曆月序、陰曆日序、星期、干支等五欄。每序欄中，列有

國號、帝號、年數、年號、干支及陽曆年數。陰曆日序下分陰曆日數及陽曆日數。此表亦頗方便使用，惟各日之星期數及干支，需再計算，不若鄭表方便。

△六、中西回史日曆　　陳垣編　民國61年4月　臺北市　藝文印書館　面數龐雜

此書包括中西回三日曆，可互爲查對。亦可爲研究元史及中西交通史之用。本編以西曆爲衡，中曆回曆爲權，每葉分上下二層。上層爲西曆紀年、甲子紀年、兼中國歷代紀元。其阿拉伯數字在西曆四七六年以前者爲羅馬紀年，在六二二年以後者爲回曆紀年。由西曆元年列表記至民國八十九年止。

下層黑色阿拉伯數字爲西曆日序（筆劃較粗者爲月序，並代表其月之首日。右旁紅色數目字爲中曆月序，紅色阿拉伯數字爲回曆月序，並各示其朔日或首日在西曆之某日。書末有日曜表、甲子表及年號表。

附　註：

① 王征編譯，圖書館學術語簡釋（臺中：東海大學圖書館　民國48年），p. 84。

② William A. Katz. Introduction to Reference Work. New York: McGraw-Hill Book Co., 1974. Vol. I. p. 153.

③ 沈寶環編著，西文參考書指南（臺中：東海大學，民國55年），p.79-80。

④ 許淑美，「中文年鑑輯目」，出版家雜誌35期（民國64年）：p.8-12。

⑤ 何多源，中文參考書指南，影印本（臺北市：進學書局，民國59年），頁700。

⑥ 余鶴清，史學方法（臺北市：樂天出版社，民國64年），頁39。

⑦ 丁福保編、鼎文書局編輯部編，說文解字詁林正補合編，中國學術類編（臺北市：鼎文書局，民國66年），第6冊，頁122。

⑧ 斷句十三經經文，臺一版（臺北市：開明書店，民國44年），尚書，頁1。

⑨ 鄭鶴聲，近世中西史日對照表，臺一版（臺北市：臺灣商務印書館，民國51年），自序1。

⑩ 班固、漢書（臺北市：洪氏出版社，民國64年），第2冊，卷21，律曆志第一上，頁976。

⑪ 許慎撰、段玉裁註，斷句套印本說文解字注，四部善本新刊（臺北縣樹林：漢京文化事業公司，民國69年），頁329。

⑫ 王應麟，玉海（臺北市：華文書局，民國53年），卷9律曆，時令。

⑬ 為便記憶有歌訣如下：「春雨驚春清穀天；夏滿芒夏二暑連；秋暑露秋寒霜降；冬雪雪冬寒又寒」（見張則直撰「二十四節氣」一文，刊68年7月13日中央日報副刊）。

第九章　名錄（指南）手册（便覽）

壹、名　錄（指南）

一、定　義

名錄一辭，英文稱爲 Directory，中文譯作「名錄」、或「指南」、「指引」。個人或機構的名單，有系統地加以編排，通常採字順或分類序列，用以指示地址及有關資料，或供給通訊及連繫消息之書册，稱爲名錄。現代社會是充滿「機構」(Organization) 的時代，政府機構、民間團體、公司行號，林林總總。名錄卽著錄此種機構之名稱、地址、負責人、電話、沿革、組織、職員、經費、活動、出版品等。亦卽提供讀者有二方面之資料，一爲機構之組織及活動，二爲機構之成員及負責人。

二、種　類

美國圖書館學家凱斯（William A. Katz）把名錄指南區分爲五：㈠區域名錄（Local Directories），㈡政府機構名錄（Governmental Directories），㈢機關名錄

(Institutional) ㈣專業名錄 (Professional Directories)，
㈤商業貿易名錄 (Trade & Business Directories)。我
國出版之名錄亦多，迄今尚無專目出版，亦乏統計，不知確
實數量。惟就坊間出版狀況而言，主要的有下述三類:

　　一、機構名錄: 記載各公私機關團體、會社等之名稱、
地址、沿革、負責人、組織、活動、出版品等，以供聯繫參
考之用。例如國立中央圖書館編印之中華民國學術機構錄、
全國圖書館簡介，以及中華民國民衆團體活動中心編印之社
團手冊等是也。

　　二、工商名錄: 列有各行各業廠商之名稱、地址、負責
人、電話、電報號碼、資本額、產品等，以供工商企業界從
事商業貿易之用。

　　三、電話號碼簿: 羅列人物、機構、公司行號之電話號
碼、地址，爲現代社會普遍而必備之工具。有地區及專業性
兩類。前者如電信局逐年編印之臺北、臺中等區域性電話號
碼簿，後者如建築業專業電話號碼簿、全國公司電話簿等。
體例方面，分字順及分類兩大部份，包含個人及機關團體兩
類。

　　名錄往往附見於其他工具書內，如:

　　一、年鑑: 書末往往附有名錄。如中華民國出版年鑑每
期有出版社、通訊社、雜誌社、圖書館名錄。

　　二、傳記參考資料: 名錄的功用之一，卽在查尋機構負
責人及成員。在傳記參考資料中記載較詳，可資利用。

三、地理參考資料：旅遊指南實爲名錄之一種，地名辭典及地圖正確地指示地址方位，載錄城市、工業區、乃至博物館之資料，可與名錄相輔爲用。

四、百科全書：往往載有重要機構社團之組織概況與活動。

三、機構名錄

我國三十八年以前出版較重要之名錄有：莊文亞的全國文化機關一覽、許晚成的全國圖書館調查錄、楊家駱的全國機關公團名錄。政府遷臺以來，出版日多，茲舉要如次：

△一、**全國圖書館簡介**　劉崇仁主編　民國67年　臺北市　國立中央圖書館　16,315面

△二、**臺灣地區圖書館事業概況——中華民國圖書館年鑑調查錄**　國立中央圖書館編　民國69年12月　臺北市　該館　〔14〕,238面

全國圖書館簡介創編於民國六十四年，其時收錄單位達一九五所，包括公私立公共及大專院校圖書館、機關及專門圖書館。六十九年重編增爲二五五所，每所列有名稱、地址、電話、沿革、組織、建築設備、經費、藏書、分類編目、閱覽參考、推廣及發展計劃等項。中小學圖書館不在內。民國六十八年，國立中央圖書館籌編中華民國圖書館年鑑，其中關有專章調查國內圖書館概況，並於六十九年先行出版，內容包括前述各型圖書館外，亦包括中小學圖書館、

社會教育館。

　　遷臺以還，除此二書外，以下資料亦可用：㈠六十五年，行政院研考會編印全國圖書館資料單位名錄，爲小册子形式，旨在供各機關寄發刊物之用，收錄單位計四八五所，每所僅列名稱及地址。㈡六十五年，出版家雜誌社印行之中華民國出版年鑑，包括全國圖書館名錄，收錄二七八所。㈢中國出版公司發行的中華民國出版年鑑，自六十七年次起列有各級圖書館名錄。

　　△三、**中華民國學術機構錄** (Directory of the Cultural Organizations of the Republic of China) 國立中央圖書館交換處編　民國67年　臺北市　該館　〔4〕, 572面 5 版

　　本書創編於五十九年，爲英文本。每隔若干年修訂一次。本書收錄全國學術機構五六〇所，包括研究機構、圖書館、社教館、資料中心、大專院校、學會等。列有機關名稱、地址、電話、會員或機關人數、首長、組織、出版品等。

　　△四、**中華民國大學暨獨立學院簡介**　　國立教育資料館主編　民國62年　臺北市　大聖書局　820,〔50〕面

　　△四、**大學百系全書**　吳駿主編　民國68年　臺北縣永和　和合文化事業公司　480面

　　△六、**大專院校簡介**　高木盛編　民國65年　臺北市學毅出版社　376面

△六、公私立大學及獨立學院研究所概況　　教育部編

民國69年1月　臺北市　該部　14,670面

　　中華民國大學暨獨立學院簡介，介紹全國大學及獨立學院三十二所，包括軍警院校。每所介紹其簡史、現設所系科組名稱、概況、目的、設立日期、沿革、曾任及現任主任姓名、修業年限與應修學分、輔系、授予學位、師資陣容、課程及學分、畢業生人數及就業概況、圖書設備、入學資格等，極為詳盡。惟因書成於六十二年，迄今逾七年，資料略感陳舊。然而大部份仍可參考。同年，教育資料館尚編有專科學校簡介，亦可參考。

　　大學百系全書介紹二十五所大專院校之一九一系科，列有簡史、概況。

　　學毅出版社先後出版大專院校簡介、五年制專校簡介、研究所簡介之書，後二書題高牧成撰，是入學報考之指引。教育部編印之公私立大學及獨立學院研究所概況，列有三十所院校二一三所研究所，開設之博碩士班達二八四班，詳列各科教授及課程，書前並有研究所法令，內容豐富、資料新穎。教育部另編有公私立大學獨立學院暨專科學校一覽表，列表簡明扼要。此外，各大專院校概況出版頗多，亦足資參考。

四、工商名錄

　　政府遷臺以來，經濟建設進步，工商貿易發達，因此，

藉資聯繫之工商企業名錄應運而生。中國生產力中心、世界
華商貿易會、中華徵信所、中國工商服務中心，以及各地商
會陸續編印各種名錄。國內有些出版社亦有引進國外廠商名
錄，以供參考者，如國家出版社引進亞洲、非洲、拉丁美
洲、日本等二十七種進出口商名錄，便利國內聯繫查考。

△一、**中華民國工商名錄**　中國生產力中心編　民國
47年——　臺北市　該中心　雙年刊

△二、**臺灣企業名錄**（68年版）　中華徵信所　民國
68年　臺北市　該所　約2000面

△三、**中華民國臺閩地區公司名錄**（民國67—68年版）
中華民國臺閩地區公司名錄編委會編　　民國66年　臺北市
全民出版事業公司　5冊（8696面）

　　中國生產力中心每兩年出版工商名錄乙次，分中英兩
版，我國出版以此為最佳。全書分製造業、進出口業、服務
業及外國廠商在臺正式代理商名稱，共四篇。第一篇有產品
索引、廠商索引及廠商名錄。第二篇有貨品索引、進出口商
分類索引及名錄。第三篇包括廣告、銀行、航運、保險、報
關、律師、會計等各行各業。另有附錄等五篇，包括使領館
及駐外單位等名錄。英文版稱為 Taiwan Buyers' Guide.

　　臺灣企業名錄乙書，與前書包括內容相似，可相輔為
用。臺閩地區公司名錄收錄近十萬家公司行號，包括農工商
各行業，載錄公司名稱、負責人、核准日期、營業項目等，
另有筆劃、地區、行業三種索引。

貳、手　　册（便覽）

一　意　義

　　美國圖書館協會術語辭典（A. L. A. Glossary of Library Terms）對手冊（Handbook）的解釋爲：小型參考書，一種便覽（Manual）。把手冊認爲是一種便覽，二者爲同義語。

　　手冊與便覽通常內容精要、書式精巧、便於攜帶。爲供某一學科知識隨手參閱（Ready Reference）之用，着重於學科知識之全面瞭解而非獲取新穎深入之知識。手冊與便覽常被視爲同義字，然而，二者仍有區別。手冊是蒐集某一主題或學科有關的既成知識或資料，有系統地彙編一處，以供有關事實（Fact）性的查尋，便於學習。便覽是指從事某項工作的指南，用以回答「如何做」、「如何操作」的問題。手冊主要提供事實資料以供瞭解（For Knowing）。便覽則在教導如何做（For doing），是一種活動而非事實之彙編。查尋某一市鎮之人口數、法規之內容、人類第一架飛機的詳情等問題應查手冊；如何修護水龍頭？如何止血？如何集郵等問題則應查便覽。

二、種　類

　　美國圖書館學家 Louis Shores 認爲手冊、便覽有若

干類型，茲分述如下：

㈠手冊：

1.珍異型（Curiosities）：有關風俗、習慣、事件、迷信、科學、藝術等珍異之事實資料。報章專欄中常有之。如美國出版之 Notes and Queries. Famous First Facts.（J. N. Kane 編）、5000 New Answers to Questions（F. J. Haskins 編）等。我國出版的珍氏世界記錄大全、四季大典、珍聞趣異等屬此。

2.文史型（Literary and historical）：寓言（Allusion）、語錄（Quotation）、紀念節日、事件等爲參考諮詢之大宗之一，百科全書與年鑑載錄此類資料，然手冊較之尤爲有用。如英國牛津出版的三種 Oxford Companions 美國出版的 Peter's Quotations（Laurance J. Peter 編）、The American Book of Days（G. W. Douglas 編）、An Encyclopedia of World History、（W. L. Langer編），分別爲查考文史事實、引語、紀念節日、史實之手冊。我國出版的中國格言諺語四用大辭典（王宗傑等編）、中國文學掌故（張迅齊等編）、臺灣諺語詮編（周榮杰編撰）、中華民國紀念節日要覽（梁道群編）、紀念節日手冊（孫善甫、余毅合編）、廖漢臣的臺灣的年節等是也。

3.統計型（Statistical）：社會科學方面，尤其有關人口、財政、教育、工商學科之統計數字頗多，往往不易查尋。統計型之手冊，卽摘要彙編各類統計學科，以利查閱。

如美國政府出版之 Statistical Abstract of the United States, 列有人口、生命、犯罪、移民、教育、氣象等統計資料及三十七所統計交換機構。 遷臺以來省市出版統計要覽, 行政院主計室編印之中華民國統計手冊、省政府出版之教育統計手冊、農業統計手冊、民政統計手冊等。臺北市政府主計處編印之臺北市統計手冊。

　　4.文獻型（Documentary）: 重要的歷史文獻可在百科全書或年鑑中尋得, 但仍有極多有價值的文獻, 前述二種工具書未必有錄, 而需參考文獻型之手冊。例如美國出版的 Documents of American History。我國幼獅文化公司編印之西洋三千年教育文獻精華。

　　5.議事型（Parliamentary Law and Debates）: 指導會議之議事手冊, 如美國出版之 Rules of Order (H. M. Robert編) 、汪祖華等編之會議規範演例, 日人天羽大平著、吳瑞南譯的會議藝術等。

　　6.專題型: 蒐集各類科有關事實性資料彙爲一編者, 如政府、教育、歷史、地理、運動、科技等手冊。

　　㈡便覽:

　　1.食譜型（Cookbooks）: 參考書中經年銷路最佳者即爲食譜, 爲圖書館必備之圖書, 家庭亦極普遍。我國出版之食譜頗多。 如傅培梅之培梅食譜、 楊黃和英之中國食府等、出版家雜誌社出版之彩色版快樂家庭食譜全集。食譜記載各色食物之選擇、購買、作法、份量等。

2.家事型（ Home Maintenance）：食、衣、住為人生之三要。衣、住二項即為家事便覽之工作，如房屋整修、室內裝璜、編織、園藝、粉刷、疾病防治、水電修護等均為家事種類。家事型手冊即在敍述各種家事方法以供參考。如我國出版的有，中國電視週刊社的婦女手册、尹懷靑的幸福家庭手册等。

3.保健與急救型 (Heath and First Aid)：此類手冊提供新穎可靠之衞生醫療保健知識，包括急救知識、癌症、腫瘤、心臟病、過敏症、關節炎、不孕、耳鼻喉等疾病防治及兒童保育等。有些急救手冊尚包括意外、淹溺、中毒等緊急事件之處理。我國出版之保健物理手册（鄭振華主編）、翰林出版社編印之圖解三用兒童急救手册、沈思明的國民急救手册等屬此。

4.禮儀及書信型 (Etiqutte and Correspondence)：現代社會中有關社交禮儀及人際關係頻繁。本類型之工具，包括介紹、致意、交談、餐館、邀請、跳舞、訂婚、結婚、喪葬、書信、旅遊等各種禮節。如我國出版的國民生活手册、職業秘書手册、結婚手册等。

5.娛樂、工藝技術及嗜好型（ Recreation, Handicrafts & hobbies）：此為指導「如何」從事某項工作之便覽。如從事木工、陶業、模型製作、舞蹈、攝影、戶外遊戲、室內遊戲等。如金易編的實用美工手册、莊修田的攝影手册、陳豐麟的臺灣登山健行手册等、陳順東的家庭遊戲三

百種、國立臺灣師範大學圖書館編印之圖書館工作手冊、出版家文化事業公司的快樂童軍手冊等是也。

三、手冊便覽舉要

△一、珍氏世界記錄大全　　張志純、黃亨俊同譯　民國68年　臺北市　徐氏基金會　541面

△二、四季大典　四季出版公司編譯　民國65年　臺北市　四季出版公司　5冊

此屬珍異型之手冊。Guiness Book of Records 爲記載世界上奇聞奇事之著名作品。徐氏基金會據一七六六年十月第二十三版選譯，並參照一九七七年十月第二十四版修正。全書分爲: 人類、動物與植物、自然世界、宇宙與太空、科學世界、藝術與娛樂、世界建築、機械世界、企業世界、人文世界、人類之成就、運動遊戲消遣、最新記錄圖表，凡十三章。臚列世界之「最」。如最早之百科全書、最多產之作家、最高之樹等。臺北新光書店曾據一九六九年第十六版編譯出版，名爲「世界上的最」。時報文化公司及聯經公司亦曾據一九七四年第二十一版編譯出版，書名分別爲世界記錄大全、世界記錄百科全書。

四季大典一書計分五冊，內容分別爲：世界奇聞事典、歷史珍聞事異、科學趣味事典、百病自診事典、錯誤糾正事典。如政府立案的海盜部隊、大食帝國的興亡、三明治的由來、第一架飛機等，均屬珍聞秘典。

△三、**文學掌故**　　張迅齊、張忠江撰　民國66年10月
臺北縣永和　常春樹書坊　66,479面。

△四、**典故**　　張迅齊編譯　民國64年12月　臺北縣永
和　常春樹書坊　322面

文學掌故收錄歷史往事、舊事，大部份爲古典名言，出
自經傳或謠諺。每一詞語按筆畫寡多排列、下註其意義及出
處。典故一書有六篇，記歷史典故一二四件，如金蘭之交、
邯鄲之夢等。

△五、**中國歷代寓言選集**　　李奕定選輯　民國55年7
月　臺北市　商務印書館　4,315面　　（人人文庫）

△六、**中國寓言**　　洪邁先編譯　　民國66年5月　臺
北縣永和　常春樹書坊　250面

寓言類似基督經義中之比喻，旨在督責、勵慰、誨人
悟正、袪人憂煩。西方之幽默、東瀛之物語亦寓言之流也。
李書分先秦及秦之部、漢唐之部、宋明清之部，共錄寓言五
二一則。洪書分莊子、列子、戰國、韓非子、呂氏春秋及補
遺，凡六篇，如蝴蝶夢、大鵬與小鳥、曾參殺人、老馬識途
等。

△七、**世界遊戲全集一千種**　　高一樵等編撰　民國68
年10月　臺北市　武陵出版社　4册

此書根據英國遊戲協會原作編譯而成。一至四册分別
爲：學校遊戲手册、露營遊戲手册、室內遊戲手册、街道遊
戲手册，共收錄世界遊戲一千種。每種說明其名稱、年齡、

遊戲人數、遊戲目的功能、方法。

△**新編紀念節日手册**　孫鎭東編撰　民國69年２月
臺北縣中和　撰者印行　〔12〕,468面

　　本書分爲前言、特載、紀念節日、附錄四大部份。紀
念節日部份包括按期舉行紀念之節目，按月序記述各月之節
日，陰曆節日置於陽曆之末。參照六十七年三月內政部修正
通過之各項紀念日（或節日）紀念辦法分爲甲、乙兩類。另
有兩類，是辦法中未規定之各種紀念日。甲乙類各有八種紀
念、兩類達七十七種紀念節日。每種記其簡史、紀念辦法、
文獻、參考資料四項。附錄包括停止紀念之節日四五八種等
二類。六十一年，楊明暉亦編有中國紀念節日史話，大聖書
局出版。關於節令及民間習俗方面，如元宵、立春、春社、
清明、寒食等，齊治平著節令的故事乙書敍述頗詳。

第十章　統計資料

壹、簡　　史

我國的統計資料，發源甚早，或謂禹貢即為最古之土地統計，惟嚴格言之，禹貢中所能認為是統計資料者，僅禹貢內耕地畝數及其他少許材料而已。古時土地為帝王所有，需以冊籍記其畝數，遂有耕地統計，人民為君王之子民，為賦稅之來源，可覘兵力之強弱，故有戶籍統計。土地統計僅載課稅之地，戶籍統計僅限男丁。古籍所載除此兩類之外，其他之統計資料亦多與歲入有關者，徵之史乘，人民所輸貢賦有金銀、錢米、茶鹽、紙張、油漆、鐵煤、衣履等，非為全國總生產之統計。

　　會要、會典、類書以及清代之賦役全書、黃冊、戶部則例中已有不少統計資料。其中尚有可供利用之統計材料，例如有關飢饉、水旱、地震、日食、月食、彗星出現、太陽黑子等現象，可供研究之用。

　　我國近代之統計起於清咸豐九年（一八六〇），是年海關發行海關冊，載錄進口貨物數量、船隻噸數、貨幣進口

數、通商口岸及各省人口估計數、外僑人數、行號數等，實則爲貿易統計。海關册一度亦記載郵政統計資料。故此年，實爲我國統計事業之樞紐。在此以前未運用現代科學方法辦理統計工作，所得資料自然不可靠。

光緒三十二年（一九〇六）憲政編查館內設立統計局，爲我們正式設立最高之統計機關。兩年後，京內各部及大理院先後組成統計處，各省亦設立調查局，各司道府廳州縣均設立統計處，都受統計局之指導，宣統二年舉辦戶口調查，公布十八省之人口數爲三億九百六十七萬一千人。時因清廷所持政治偏見及官吏敷衍塞責，所獲結果，自不可靠。

民國成立後，中央政府各部先後設立統計專科，辦理調查統計事業。民國五年國務院內設置統計局，地方方面，也自民國二年起先後設立統計處或科股，辦理之統計工作日益增加，例如民國元年內務部舉辦人口清查，包括直隸蘇浙贛等十九省及京兆綏遠兩特別區；工商部舉辦工業清查，也在該年舉行。民國四年交通部創編國有鐵路統計，詳載營業里程、運客人數、貨運噸數等。

十六年四月，國民政府成立，各機關對於統計均頗注重，統計機構紛起。十七、十八年，內政部再舉辦戶口調查。其後立法院成立統計處，職權甚大，進行全國之調查統計工作，編印法律、政治、社會、經濟等各類統計書刊，出版統計日報及統計年鑑等刊物。由於統計機構日益增多，系統未明，工作重複，立法院於十九年召集聯席會議，決議成

立中央統計聯合會，統籌全國統計事業，並發起成立中國統計學社，以促進學術研究。旋於三屆四中全會決議設立主計處，實施超然主計制度，以後國民政府有主計處統計局，各部會有統計處，各省市亦有統計處（室），推動各類統計工作。二十一年及二十三年先後公布統計法及其施行細則，統計事業始有法律依據。

統計出版品方面，主計處統計局於二十四年及二十九年出版中華民國統計提要；實業部有實業統計月刊、實業部月刊、物價統計月刊；交通部有交通統計年鑑及日報；鐵道統計總報告；內政部有內政統計季刊、全國警政統計報告；教育部有全國各級教育統計；地方政府統計機關對於有關行政組織、司法、保甲、戶口、警政、禁煙、救濟、金融、貿易、交通、役政、氣象等之統計資料，大體均能蒐集整理編印公務統計，如福建省統計年鑑、閩政月刊、建設統計提要、廣西省統計年鑑、貴州統計年鑑等。統計工作大都由政府舉辦，因此統計出版品的形式以官書居多，所以利用統計資料，首應查尋官書書目。以下幾種為重要之官書書目：

△一、**國立中央圖書館館藏中華民國政府出版品目錄**
國立中央圖書館主編　民國68年6月　臺北市　國立編譯館中華叢書編審委員會　〔17〕,672,141面

△二、**中華民國臺灣區公藏中文人文社會科學官書聯合目錄**　國立中央圖書館編　民國59年　臺北市　編者印行〔6〕,374,7面

△三、行政機關出版品目錄　　行政院研究發展考核委員會編　民國67年　臺北市　該會　2冊

　　國立中央圖書館設有官書股庋藏我國官書最為繁富，五十九年編印之官書聯合目錄收錄國內七所主要圖書館之官書約四千種，三十八年以前全國各級機構出版品亦在內。六十八年出版之館藏目錄收錄官書起自民國三十八年終於六十五年十二月，各級民意機構、政府機構出版品著錄頗多。為迄今最大之官書目錄。研考會於六十七年編印行政機關出版品目錄，分定期及不定期部份各乙冊，其中統計資料頗多，可資參考。

貳、基本國勢調查

　　統計法第三條規定政府應辦理基本國勢調查之統計，並規定由主計機關辦理。第四及十條並規定其在中央由中央主計機關辦理，其在地方由地方主計機關辦理之。按其需要得設普查機構。其施行細則第七條規定：基本國勢調查，包括國家之人民、土地、資源及政治、社會、經濟、文化等之普查，至少每十年舉辦一次。政府為制定政策或考察施政成果，往往進行各種調查，將所獲成果分別彙集統計或編製報告書，以明事實真象，而作政策決定之參考。此項調查規模龐大，方法直接、資料採擇廣泛，故極有價值。我國已辦理之此項調查包括戶口、工商、農業、家計普查，以及臺灣省

民營商業調查、臺灣省攤販經濟調查、臺灣省民營林業及製材業經濟調查等。玆擇要敍述如次：

叁、戶口普查

戶口普查為國勢調查之要項，目的在以同一標準查記一特定時間內全區之靜態人口，以明瞭人口數量品質及組織狀況，提供經濟及各種政治設施之依據。我國於民國二十年即着手釐訂戶口普查方案。三十六年三月公布戶口普查法，以內政部為主管機關，預定三十九年舉辦全國普查，惜因內亂頻仍未能實現。臺灣省在日據時期，曾先後辦理七次普查，第一次為民前七年十月，第七次為二十年十月。一至六次均有普查統計報告編印，第七次未及整理，光復後，臺灣省政府曾於四十二年三月擇要刊佈。四十五年二月行政院公布中華民國臺閩地區戶口普查計劃綱要定同年九月十六日為普查標準日，進行首次人口普查，四十八年編印中華民國戶口普查報告三卷，計十冊，五十五年及五十九年分別進行第二、三次戶口普查並兼及住宅。分別完成臺閩地區戶口及住宅普查報告書，供施政之參考。

△中華民國五十九年臺閩地區戶口及住宅普查抽樣調查報告　行院政戶口普查處編　民國61年　臺北市　編者印行　6冊

全書四卷，第一卷為總說明及統計提要；第二卷為人

口之性別、年齡、籍別、婚姻狀況及教育程度；第三卷爲人
口之經濟特徵；第四卷爲住宅狀況。

肆、工商普查

　　工商業普查的目的是政府對於某地區在工商發展的過程
中，對於各類企業機構的業務狀況、組織型態、經營品類、
生產設備、從業員工人數，以及原料消耗、產品銷售等各項
狀況作全面檢查，加以整理統計分析，作爲工商施政之參
考。此種普查源於歐美，有生產、工廠、及綜合普查三類。

　　我國第一次工商普查於民國四十三年由臺灣省建設廳舉
辦，共調查省內工商業約達十三萬五千餘家，編有中華民國
四十三年臺灣省工商業普查初步報告，及中華民國四十三年
臺灣省工商業普查總報告。二至四次普查於五十年、五十五
年及六十年分別舉辦，嗣後均有普查報告出版，可供參考。

△中華民國六十年臺閩地區工商業普查報告　　行政院
臺閩地區工商普查委員會編　民國62年　臺北市　該會　8
冊

　　此爲第四次普查之報告書，前三次普查以臺灣省爲
限，此次擴及爲臺灣地區及金馬外島，分裝二五四表，內容
以中英文對照。第一冊爲綜合報告，二至七冊爲臺灣地區之
各業報告，每冊均包括各業概述、資料提要、主要項目資料
簡析及綜合分析與各業統計表，第八冊爲金馬地區報告。普

查會另編印專題研究報告，可與本書相輔爲用。

伍、農漁業普查

農漁業普查之目的在獲取統計資料，用以明瞭農漁業資源、經營概況、結構變動等情形，以及從業人口之質量及其生活概況，作爲衡量經濟發展，釐訂政策之參考。

農業方面，民國四十五年，臺灣省政府與中國農村復興委員會聯合舉辦農業選樣普查，隨機選取全省百分之五農家三七、六二九戶，分別調查農業人口、土地、勞力、農場等設置，農業生產用品、農產物收穫量及其所得、借貸及稅捐等八項。四十八年五月出版農業選樣普查報告書、農業選樣普查工作紀要兩種。四十九、五十四年分別舉辦二、三次普查，均印有報告書。

五十三年舉辦第一次漁業普查，五十五年出版中華民國五十三年臺灣省漁業普查報告，五冊。五十九年，農漁業合併普查，出版中華民國五十九年臺閩地區農業普查報告，凡二十五冊。

陸、家計調查

家計調查之目的在蒐集全區各類家庭收支有關基本資料，以爲估計民間消費、研究個人所得分配、釐訂社會政

策、編製物價指數、推行社會福利措施之參考。四十二年十月行政院擬定「消費者家計調查綱要」明定調查之目的爲：㈠明瞭都市中間階層生活實況、租稅負擔能力，及其生活水準之演變；㈡提供編製消費者物價指數，決定調查物品及權數之依據；㈢提供計算國民所得中關於個人所得及支出之基本資料；㈣提供有關經濟及社會問題決策之基本資料。四十三年舉辦第一次家計調查，於四十六年出版中華民國臺灣省薪資階級家計調查報告。此後陸續於四十八年、五十二年、五十三年、五十五年、五十七年進行多次調查，並編印報告。此項工作由行政院主計處或由臺灣省政府主計處負責辦理。

柒、綜合性統計

依據統計法及施行細則之規定，行政院主計處依據各級機關編造之統計報告彙編全國統計總報告。行政院主計處自民國二十年成立後即着手統計資料之蒐集，二十四年完成第一次全國統計總報告，迄三十六年止共完成七次。其中二十四至二十六年份之統計總報告在臺曾有學海出版社影印本，可資參考。

政府遷臺以來，此項工作仍由行政院主計處辦理，並擷取可公開之材料刊行中華民國統計提要。

綜合全國或一地區之各類統計資料，以利查考概覽者，

稱爲綜合性統計。其內容包括：土地、氣象、人口、勞動力、農村漁牧業、工礦商業、對外貿易、交通運輸、工資與物價、國民所得、金融、政府收支、國營事業、衛生、社會福利、教育文化及一般公務等項。

△一、**中華民國統計提要**　行政院主計處編　民國44年　臺北市　該處　年刊

△二、**臺灣省統計要覽**　臺灣省政府主計處編　民國35年10月　南投縣　該處　年刊

△三、**中華民國臺灣省統計提要**（1946—1967）　臺灣省政府主計處編　民國60年10月　南投　該處　10,986面

　　中華民國統計提要爲全國性綜合統計，創編於二十四年，以後續於二十九、三十四及三十六年發刊。四十四年在臺復刊，年出一次，內容用中英文對照。六十四年起發行英文本，名爲 Statistical Yearbook of the Republic of China. 各輯羅列各類統計甚詳，並爲官方之統計資料，爲徵引之重要依據。

　　臺灣省主計處鑒於臺北市於五十六年七月一日改制爲院轄市，欲瞭解臺省自光復以迄臺北市改制止，二十二年來各項施政統計資料，並與光復初期清理日據時期資料所編之臺灣省五十一年來統計提要相銜接，以便利用起見爰於五十九年十二月進行臺灣省統計提要之編纂。於六十年十月編印完成，共得統計表凡三百四十二件。內容包括：自然環境、人口、行政組織、農村漁牧、市鄉建設、交通事業、教育文

化等共二十七類。每類資料，自三十五年迄五十六年，逐年
羅列，統計資料十分豐富。

　　光復之初臺灣省行政長官公署編印臺灣省統計要覽，
年出一期，迄未間斷，報導臺省一般概況及施政成果。除了
中央及省外，目前省（院）轄市及十六縣均有統計要覽或提
要，報導行政區內之概況及成果。

捌、各類統計

　　除了上述綜合性統計資料外，各級政府機關因業務之需
要並供民眾瞭解，往往編有類科之統計報告或刊物。其內容
有內政、教育、財政、經濟、交通、衛生、人事、司法、考
選、僑務、銓敍等類。

　　一、內政統計：包括戶口、住宅、警政、營建、選舉、
職訓、勞工、貧戶、著作權等項。如內政部編印之內政統計
提要、中華民國職業訓練統計；臺灣省政府編印之臺灣省民
政統計、臺灣省社會事業統計等是也。

　　二、教育統計：載錄各級教育概況，包括學校數、教職
員人數、班級數、學生數、經費、升學率等項。教育部於四
十六年起逐年編有中華民國教育統計、省市教育廳局亦有教
育統計，可資參考。

　　三、財政統計：記載財政收支、稅收、稅源、公賣、公
庫、金融、公營事業、公產管理等。如：財政部編印之中華

民國財政統計年報、中華民國賦稅統計年報、中華民國進出口貿易統計月報等。

四、經濟統計：有關物價、證券、工業生產等之統計。如經濟部編印之中華民國臺灣工業生產統計月報、證券統計要覽等是也。

五、交通統計：記載有關鐵路、公路、航業、港務、郵政、電信、觀光、氣象、空運等概況及統計。如：交通部編印之中華民國交通統計要覽、中華民國交通統計月報；郵政總局的中華民國郵政統計要覽；觀光局的中華民國觀光統計年報。

六、人事統計：有關人事之組織系統、人事管理、任用概況、業務統計等之統計資料。如：臺灣省政府人事處編印之臺灣省人事統計提要，分析公務人員之數量、職業、性別、年齡、籍貫、教育程度、工作類別、年資、薪俸等。

七、考選統計：考選部每年印行中華民國考選統計，內容包括高等、普通、特種、分類職位、升等、銓定、雇員等類。分析其及格人數、類別、應考資格、性別、年齡等。

第十一章 法 規

壹 意 義

我國對於法律之名，稱謂頗多，用單名者有如法、律、憲、章、典、則、綱、紀等；用複名者如法律、法紀、法度、法科、法制、法程、勅法、律科、典律、科條等。其中最常用者為「法」或「律」。

法之本字為灋，說文，「刑也；平之如水，從水；廌，所以觸不直者去之，從廌去」①。法與刑皆為去不直之罪惡者，其本身自屬正直者之代表，故遞衍為含有正當或模範之意。

律，說文：「均布也，從彳，聿聲」②蓋所以笵天下之不一而歸於一也。即所謂標準或準則之意。

法與律原意不同，漢之國家法律稱為法律，以後之魏晉、唐朝各代則稱「律」。元代始改稱「條格」，清代則稱「律例」。近代之日本通行「法」及「法律」一辭，我國沿用之。

民國五十八年，我國公布之中央法規標準法中規定法

律得定名爲法、律、條例或通則，應經立法院通過、總統公
布，其廢止亦同。 各機關發布之命令， 得依其性質， 稱規
程、規則、細則、辦法、綱、要、標準或準則。命令之廢止，
由原發布機關爲之。本此，法規實包括經立法院通過者及各
機關發布之命令。

貳　法典編纂簡史

我國法制歷史悠久，法典代有編纂。主要之法律爲「禮」。
「法」實其附則而已。禮主而法助。有違禮者，以法罰之，
故「禮有所失，始入乎刑」。禮記有祭祀愼終之禮、冠昏燕
樂之禮、 五倫長幼之禮、 鄉飲酒禮、 社禮、 諸侯朝聘之禮
等。其後禮樂崩壞，商君乃廢禮崇法。故法家之學自戰國而
興， 至漢乃採撫秦法損益之、以爲律。

禮主法助之治， 以周代爲最， 周以前之法已不可考其
詳。所知者僅若干刑名耳。春秋之世，傳亦有法典，見於載
籍者有齊之管子七法、晉之刑書刑鼎、鄭之刑書竹刑等，然
其詳亦無可考。戰國時魏文侯師李悝作法經六篇曰盜、賊、
囚、捕、雜、具。惟據近人研究，非如所傳之實，而係後代
之思想產物。但在國家權力高張之春秋戰國時代，實不難想
像有類此法典存在。秦代標榜法治，極可能仿效春秋戰國之
刑法典而造律。 漢高祖入關與父老約法三章， 曰：殺人者
死、傷人及盜抵罪。餘悉除秦苛法，命蕭何、孫叔通等制定

法律，合計有六十篇，名爲漢律。漢律今已不存，惟在敦煌、居延出土之漢簡可略窺其貌。

唐代滙萃歷代律令精華，編定律書，分爲律、令、格、式四類。可稽者，律頒七次，令則十餘次。今所謂之唐律疏議，卽爲玄宗開元廿五年官修註釋書，而與律令同時訂頒。唐代尚有開元禮一五〇卷，影響後世禮典編纂至鉅。日人島田正郎謂：「中國法制史上將原典全部流傳至今之法典，其最古老者，亦推開元二十五年之律、律疏及開元二十年之禮」。

五代宋初之法典，以格、編勅爲其特色，其律令與唐代無甚區別。宋代法典傳於今者，爲宋太祖建隆四年重定之刑統三十卷，及南宋寧宗至嘉泰二年完成之慶元條法事類八十卷。遼承唐法、並融合契丹固有法，以制頒各種律令及禮書。惟此類法典、禮書均已亡佚。金朝仍受唐代律令之影響、今存者僅大金集禮。元代亦嘗試圖編纂類似唐代律令之組織法典，惟未頒行。僅編有性質上屬於格例類聚或處分斷例集之國朝聖政典章、元典章、通制條格、至元新格、至正條格等。其中元典章至今仍存，通制條格僅存一部份。此外，元有經世大典，爲開元朝典故制度之公文書，惜已散佚。元史刑法志取材自此書之臣事六篇，列有刑法一千條。元代重視條格，並無律令。

元代未完成之律令編纂至明代乃予實現，明太祖以大唐律令爲理想，採擇元代之法律經驗，於洪武元年頒行大明令，包括吏、戶、禮、兵、刑、工共一四五條。明律爲根本

法，不許改變，故另制頒定例及條例，以爲補充之細目法。
以條例言，有神宗萬曆年間頒布之續修問刑條例，三八五
條，世宗嘉靖年間之明條法事類集五十卷凡一二四五條。大
明令爲我國最末之「令」，此後之行政規定皆編成會典，爲
綜合性法典。

　　有清一代踏襲明法，未見有滿族固有法。清律可謂全部
承受明律，僅略作更張耳。清律亦爲根本法，遇情事變更則
附以條例。乾隆五年編成大清律例四十七卷。行政法典有大
清會典，計有康、雍、乾、嘉、光緒五種。各官署復將會典
於運用時衍生之新例疑義補足等，收集成冊，編爲則例（戶
部、禮部、工部、理藩院則例等）、省例（湖南、福建省例
等）、全書（學校、賦役、漕運全書等）。此等行政關係法
典數量極爲浩繁。

　　清末以還，歐美思潮東漸，導致吾國法制之變革。光緒
三十三年，沈家本、俞廉三、英瑞奉命爲修訂法律大臣，設
修訂法律館，招留學生分科治事。聘日人岡田朝太郎起草刑
法、松岡義正起草民法，志田鉀太郎起草商法。宣統元年，
刑法草案經法律館略加點綴會同法部奏上，翌年定名大清新
刑律。民法經法律館會同禮學館草擬，於宣統三年完成，定
名大清民律草案，惟未奏上，商法亦未完成。

　　民國成立，實行司法與行政分離，設各級法院。刑法以
大清新刑律，去其與國體抵觸者，改名爲中華民國暫行新刑
律。民法則用大清律例民事有效部份。十四年，列強合組法

權調查團來華調查法院及法律情形，以爲法定領事裁判權是否廢除之依據，爲應需要，乃將大清民律草案趕急修正。國民政府成立，立法院首將暫行新刑律改訂，並於十七年三月公布，名爲中華民國刑法。民法則於十八年至二十年，以第一二次民律草案爲底稿，參照各國民法，草成並頒佈之。自此我國法律已正式採行歐陸法，歸屬羅馬法系，我國近代法於焉產生。

　　關於我國法典編撰情形，可參考焦祖涵編中國歷代法典考釋乙書，民國六十七年撰者自刊。

叁　法規之利用

　　我國中央法規標準法規定，法律條文分條直書，冠以「第某條」字樣，並得分爲項、款、目。項不冠數字，低二字書寫。款冠以一、二、三等數字。目冠以㈠、㈡、㈢等數字，並加標點符號。內容繁富或條文較多者，得劃分爲第某條、第某章、第某節、第某款、第某目。法規應規定施行日期、或授權以命令規定施行日期。六十二年，行政院並頒佈「行政院暨所屬各機關法規印製統一規格」，明確規定我國法規之版本開數、印製用紙、墨色、排印方式、製訂、總目錄、索引、厚度等。

　　查尋法規、首應利用坊間印行之各種法規彙編。有綜合及專門性兩類。綜合性者大都以立法院通過之法律爲著錄範

圍，對行政機關之命令較少刊載；專門性者雖亦包括法律，但對行政命令著錄頗為完備。 法規彙編通常按內容分 類 編 排，各法規通常著錄歷次公布、修訂之日期。書前有總目次可查，有些亦附有索引，為尋檢之線索。為保持內容之新穎實用， 法規彙編應經常增訂。 若干法規彙編採用活頁式裝訂，卽在便於隨時補充新增資料。

最新的法規、法規彙編往往未及編錄，除可查閱報章雜誌外，「公報」為主要線索。我國中央地方政府及議會定期編有公報，刊佈各項法令 。如總統府、立法院、司法院、監察院、財政部、 經濟部、 教育部、 司法行政部、 臺灣省政府、臺灣省議會、衛生署、各縣市政府等公報出版頗多，刊載最新政令、公告、裁判、議決書等。尤其立法院公報、立法院公報新聞稿 (月刊) 立法專刊、刊載通過之各項法案十分詳盡。各種公報往往亦有索引可查。臺灣省政府公報每月並有「法規動態通報」著錄法規名稱、編號、異動區分 (訂定、修正、廢止) 及其公布機關、日期、字 (文) 號，可視為新訂法規之索引。

此外，年鑑亦常有法規可尋。如中華民國年鑑，於「總統」章的「公布法律」、「廢止法律」兩節裏，可知有那些法律公布、修正或廢止。另在「立法」章內有「重要法律之制定」專節，可知一年內所通過之法律及修正案。

古代法律、可參閱正史之記載，如漢書以迄清史稿大都有刑法志、禮樂志。歷代之類書有刑法部 (或詳刑典)、十

通有刑類。會要、會典亦有刑法。凡此均爲研究我國法律之資料。今存歷代法典，坊間有刊印者亦足可貴，如唐律疏議、宋刑統、大明律集解附例、尤以清代爲多，如大清法規大全、奏定學堂章程、大清律例會通新纂、約章分類輯要、欽定戶部則例、法律草案彙編等。

民國以來輯印之法規參考書，就類別言有憲法、行政司法，考試、監察等類。玆舉要說明如下：

△一、**世界各國憲法大全**　世界各國憲法大全編輯委員會編　民國67年２月　臺北市　國民大會憲政研討會　6冊

　　民國五十四年輯印第一冊，以後續有修訂，前後共六冊。前四冊分三篇敍述。前篇爲主要國家憲法述要，包括中、美、英、德、法、日本、瑞士、瑞典八國。正篇載錄各國憲法條文，凡一百二十五國，補編則就各憲法內容，如政治體制，專門名詞、及附屬法令等，加以分析、編列各種索引、統計表、比較表等。第五冊收錄修訂憲法九種、新頒憲法十一種，第六冊收錄修訂憲法十五篇、新頒憲法十四篇，及前此未收者三種，合共三十二種。第六冊書末有「增訂世界各國憲法年表」。

△二、**最新六法全書**　　陶百川編　民國65年　臺北市　三民書局　1998面　修訂版

　　本書含下列六法及有關法規：憲法、民法、民事訴訟法、刑法、刑事訴訟法、行政法規。行政法規包括內政、軍政、地政、財政、經濟、人事、律師、會計師、行政救濟等

法。書末有法規筆劃索引。

關於六法及法規彙編尚有下列幾種: (1)李志鵬編: 標準六法全書, (2)劉清景編簡明基本六法, (3)張知本編最新六法全書, (4)傅秉常編最新六法全書。

△三、**中華民國法律彙編**　　中華民國法律彙編審訂委員會編訂　民國69年3月　臺北市　第一屆立法院秘書處
4冊活頁本

民國四十七年五月立法院出版本書第一版。五十一年復刊續編, 五十七年五月出版二版 。本編為第三版, 收錄至六十九年一月廿二日止之法律資料。凡行憲前及行憲後經立法程序並經公布而現行有效者, 概予輯入, 共五百九十三種。比照憲法章次分為: 憲法及行憲程序法、國民大會、總統府、行政、立法、司法、考試、監察、地方制度、依據動員勘亂時期臨時條款制訂頒布之法規。又另列有關法規暨暫停適用及停止適用之法律各一類。共凡十二類。各類按下列原則排列: ㈠組織法、㈡通則、㈢各有關機關組織法所定之職掌、㈣中央法規標準法所定法、律、條例之先後、㈤制定之時間。

臺聯國風出版社於民國五十九年出版中華民國現行法規彙編, 除收錄「法律」外, 行政規章亦予列入。資料截至五十八年六月。六十年出版續編, 輯錄五十八年七月至五十九年底之資料, 附廢止法規目錄。此書亦可參考。此外, 葉酒昭編有最新實用中央法規彙編, 民國六十二年由彥明出版

社印行，共五册載錄亦詳。

附　　註

① 許慎撰、段玉裁注，斷句套印本說文解字注，四部善本新刊（臺北縣
　樹林：漢京文化事業公司，民國69年3月），頁474

② 同上書，頁78

③ 島田正郎撰、葉潛昭譯，東洋法史——中國法史篇（臺北市：鼎文書
　局，民國68年9月），頁22

參 考 書 目

壹 圖書部份

1. 新校本二十五史。 臺北市： 鼎文書局， 民國68年 9 月。 120册。

2. 文字學纂要。國學萃編。臺北市：正中書局，民國61年。 2,198面

3. 方師鐸著。傳統文學與類書的關係。臺中市：私立東海大學，民國60年 8 月。3,325面

4. 王元著。傳記學。牧童叢刊19。臺北市：牧童出版社。民國66年 2 月。〔7〕,151面

5. 王征編。圖書館學術語簡釋。臺北市：私立東海大學。民國48年。134面

6. 王省吾著。圖書館事業論。臺北市：華夏文化出版社，民國52年。2,242面

7. 王庸著。中國地理學史。中國文化史叢書。臺北市：商務印書館，民國63年。〔10〕,262面

8. 王雲五著。四角號碼檢字法。人人文庫 253。臺北市：商務印書館，民國57年12月。〔10〕,69,75,〔20〕面

9.王廣慶著。複音詞聲義闡徵。臺北市：商務印書館，民國
62年。20,420面

10.王爾敏著。史學方法。東華歷史叢書。臺北市：東華書
局，民國68年。9,338面

11.王樹楷著。四庫全書簡論。人人文庫。臺北市：商務印書
館，民國63年8月。〔12〕,70面

12.中華藝林叢錄。臺北市：成偉出版社，民國65年4月。10
冊。

13.永瑢等奉敕撰。四庫全書總目提要。臺一版。國學基本叢
書。臺北市：商務印書館，民國57年。6冊

14.加籐宗厚撰、李尙友譯。標題目錄要論。武昌：文華圖書
館專科學校，民國23年12月。

15.朱介凡著。中國諺語論。諺語叢刊第五種。臺北市：新興
書局，民國53年。

16.沈寶環編著。西文參考書指南。臺中市：私立東海大學，
民國55年。〔9〕,447面

17.李曰剛撰。國學概論。臺北市：白雲書屋，民國63年。
3,163面

18.杜松柏著。國學治學方法。臺北市：弘道文化事業公司，
民國69年4月。〔19〕,520面

19.李鍾履著。圖書館參考論。臺北市：德浩書局,民國63年。
2,194面

20.吳哲夫著。四庫全書薈要纂修考。臺北市：國立故宮博物

院，民國65年。2,214面

21.何多源編著。中文參考書指南。臺北市：進學書局，民國
59年4月。〔23〕,961面

22.余嘉錫著。目錄學發微。臺北市：華聯出版社，民國58年
4月。1,154面

23.余鶴清著。史學方法。臺北市：樂天出版社，民國64年。
149面

24.林尹。中國聲韻學通論。臺北市：世界書局，民國55年。
〔22〕,136面

25.昌彼得編輯。中國目錄學資料選輯。臺北市：文史哲出版
社，民國61年10月。654面。

26.昌彼得著。版本目錄學論叢。臺北市：學海出版社，民國
66年8月。2冊。

27.金靜庵著。中國史學史。修訂本。臺北市：國史研究室，
民國61年10月。〔12〕,332面。

28.洪煥椿著。怎樣利用圖書館。〔上海市〕：開明書店，民
國36年3月。〔5〕,216面。

29.洪業著。引得說。北平：燕京大學引得編纂處，民國21年。
1,69面。

30.胡楚生著。中國目錄學研究。臺北市：華正書局，民國69
年4月。〔4〕,294面。

31.柳宗浩著。書籍雜誌報紙處理法。上海市：長城書局．民
國24年2月。

32.姚名達著。中國目錄學史。臺北市：商務印書館，民國54年。〔17〕,428面

33.姚名達著。目錄學。人人文庫。臺北市：商務印書館，民國62年8月。〔19〕,244面

34.梁子涵編。中國歷代書目總錄。臺北市：中華文化出版事業委員會，民國42年3月。5,37,484面

35.唐蘭著。中國文字學。臺北市：文光圖書北司,民國60年。3,192面。

36.島田正郎撰、葉潛昭譯。東洋法史——中國法史篇。臺北市：鼎文書局，民國68年9月。〔8〕,172面

37.徐文珊編著。中國史學概論。臺北市：維新書局，民國56年。〔8〕,163面。

38.章學誠著。校讎通義。臺北市：廣文書局，民國56年11月。

39.梁啓超著。中國歷史研究法。人人文庫。臺北市：商務印書館，民國70年10月。〔5〕,191面。

40.梁啓超著。中國歷史研究法補編。人人文庫。臺北市：商務印書館，民國65年,〔7〕,254,2面。

41.郭伯恭著。四庫全書纂修考。人人文庫。臺北市：商務印書館，民國56年7月。〔6〕,295面。

42.郭伯恭著。宋四大書考。人人文庫。臺北市：商務印書館,民56國年9月。〔5〕,140面。

43.張錦郎編撰。中文參考用書指引。臺北市：文史哲出版社

民國68年4月。38,828面。

44.陸又言編著。中國七大典籍纂修考。臺北市：啓業書局，民國57年2月。〔4〕,132面。

45.陸軍總司令部譯。美軍高級地圖與空中照相判讀。〔臺北市〕：陸軍總司令部，民國42年3月。4,156,6面。

46.陳正祥撰。中國方志的地理學價值。香港：中文大學，民國54年。47面。

47.陳善捷編著。科學資料指引。臺北市：臺灣學生書局，民國68年。〔17〕,439面。

48.莊嚴出版社編。中華文化常識。臺北市：莊嚴出版社，民國66年5月。2,252面。

49.統計論叢。中國統計學社叢書之一。上海市：黎明書局，民國23年6月。〔3〕,248面。

50.楊家駱著。仰風樓文集初編。臺北市：楊門同學會，民國60年。〔10〕,1114面。

51.鄭天杰著。曆法叢談。新知叢書。臺北市：華岡出版社有限公司，民國66年4月。〔7〕,354面。

52.鄭恒雄編撰。中文參考資料。中國圖書館學會暑期圖書館工作人員研習會講授大綱，民國69年。17面。

53.鄭恒雄著。中文資料索引及索引法。臺北市：文史哲出版社，民國70年10月。〔14〕,112面。

54.鄭鶴聲、鄭鶴春著。中國文獻學概要。萬有文庫。臺北市：商務印書館，民國54年。2冊。

55. 蔣伯潛著。字與詞。世界青年叢書。臺北市：世界書局，民國64年。2冊。

56. 稻村徹元。索引の話。東京都：日本圖書館協會，民國67年1月。178面。

57. 劉家璧編訂。中國圖書館史資料集。香港：龍門書店，1974年。

58. 劉國鈞。圖書館學要旨。臺北市：中華書局，民國52年。〔4〕,162,〔12〕面。

59. 劉葉秋著。中國古代的字典。臺北市：麒麟書店，民國69年2月。3,149面。

60. 諶第軍、王莠青編著。地圖判讀。臺北市：政治作戰學校，民國65年。〔3〕,100面。

61. 錢存訓著。中國古代書史。香港：中文大學，民國64年。〔13〕,187,〔29〕面。

62. 錢存訓、鄭炯文撰。中國書目解題彙編(China: An Annotated Bibliography of Bibliographies. Boston: G. K. Hall &. Co., 1978. 17,604pp.)

63. 盧震京著。圖書學大辭典。臺一版。臺北市：商務印書館，民國60年。〔69〕,595,196,51面。

64. 錢亞新著。索引和索引法。上海市：商務印書館，民國19年。100面。

65. 蕭遙天撰。中國人名的研究。〔臺北市〕：臺菁出版社，〔民國70年〕。618,342,2面。

66.譚全編著。中國歷代重要典籍淺說。香港：商務印書館，
　　1978年7月。〔3〕,67面。

67. Cheney, Frances Neel. Fundamental Reference
　　Sources. Chicago; A. L. A., 1971. 10,318pp.

68. Katz, William A. Introduction to Reference Work.
　　New York: McGraw-Hill. Book Co., 1974. 2vols.

69. Shores, Louis. Basic Reference Sources. Chicago:
　　A. L. A., 1954. 9,378pp.

貳　期刊論文

1.于大成。「談類書」。出版家雜誌。50至51期（民國65年
　9月至10月）

2.王方宇。「草字的字典」。幼獅月刊。46卷4期（民國66
　年）：頁14—19。

3.王方宇。「電腦和索引」。中央日報副刊。民國60年2月
　2日，9版。

4.王岫。「我們還沒有夠水準的百科全書」。綜合月刊。70
　年10月號：頁72—82。

5.王以中。「地志與地圖」。禹貢半月刊。2卷2期（民國
　23年9月）：頁46—52。

6.王雲五。「檢字法與分類法」。岫廬八十自述（民國56年

8 月）：頁85─96。

7. 王樹楷。「四庫全書之重要目錄及索引書」。中央日報。
民國49年 6 月21日。

8. 王樹楷。「 書報索引和索引書舉要 」。臺灣教育輔導月
刊。 6 卷11期（民國45年11月）：頁11─15。

9. 內藤虎次郎著、吳晗譯。「地理學家朱思本」。國立北平
圖書館館刊。 7 卷 2 號（民國22年 3 、 4 月）：頁5225─
5236。

10. 朱士嘉。「方志之名稱與種類」。禹貢半月刊。 1 卷 2 期
（民國23年 3 月）：頁28─30。

11. 朱君毅。「中國之統計事業」。東方雜誌。38卷13號（民
國30年 7 月）：頁12─17。

12. 沈鍊之。「方志體例和內容的演變」。地政月刊。 3 卷10
期（民國24年10月）：頁1373─1376。

13. 杜呈祥。「傳記與傳記文學」。傳記文學。 1 卷 2 期（民
國51年 7 月）：頁 6 ─ 7 , 39。

14. 杜學知。「 漢學索引芻議 」。教育與文化（民國52年 6
月）：頁14─17。

15. 李良肱。「中國文字排檢方法之檢討」。中華教育界。復
刊 2 卷11期（民國37年11月）：頁51─54。

16. 李則綱。「中國氏姓的起源及其流變」。中山文化教育館
季刊。 1 卷 2 期（民國23年11月）：頁655─670。

17. 李家祺。「 傳記的敍述方法 」。東方雜誌。復刊 1 卷21

期（民國57年6月）： 63—65,93。

18.李家祺。「傳記歷史乎？文學乎？」。東方雜誌。復刊1
卷9期（民國57年3月）：頁66—67。

19.李銳清。「簡介幾本常見的字典辭書及其使用方法」。語
文雜誌。1979年1期（1979年6月）：頁34—40。

20.忍儂。「 中國地圖作製之研究 」。東方雜誌。14卷2號
（民國6年2月）：頁55—59。

21.吳文祺。「介紹朱丹九先生著辭通」。國立北平圖書館館
刊。7卷2號（民國22年3、4月）：頁5237—5249。

22.吳志順。「歷史地圖製法的討論」。禹貢半月刊。4卷1
期（民國24年9月）：頁123—125。

23.吳輯華。「略論歷代會要」。書目季刊。3卷3期（民國
58年3月）：頁3—14。

24.昌彼得。永樂大典述略。大陸雜誌。6卷7期（民國42年
4月）：頁18—20。

25.昌彼得，「祁承爜及其在圖書目錄學上的貢獻」。圖書館
學報。11期（民國60年6月）：頁145—158。

26.胡樹楫。「中國地圖之沿革」。東方雜誌。16卷1號（民
國8年1月）：頁183—185。

27.高平子。「論所謂世界曆」。大陸雜誌。2卷10期（民國
40年5月）：頁35—37。

28.馬起華。「人名錄的性質與功用」。中央日報文史。74期
（民國68年10月2日）。

29.袁鳳珠、廖邁傳。「方志在史學中的地位」。讀史劄記。
　5 期（民國60年）：頁25—29。

30.許雲樵。「歇後語」。中國學會三十週年紀念刊。頁 167
　—181。

31.黃大受。「也談農曆名稱與節氣」。中央日報副刊。民國
　63年2月11日。

32.黃玉齋。「方志與歷史」。臺北文物。 4 卷 1 期（民國44
　年 5 月）：頁11—36。

33.黃得時。「 歷代字書與常用字數 」。圖書館學報。 7 期
　（民國54年 7 月）：頁59—76。

34.黃鴻珠。「中西百科全書的比較研究」。教育資料科學月
　刊。 6 卷 2 至 7 卷 1 期（民國62年 9 月至63年 7 月）。

35.曹樹鈞。「中文字典分部查字法之新研究」。國立編譯館
　館刊。 1 卷 3 期（民國61年 6 月）：頁220—230。

36.張則直。「二十四節氣」。中央日報副刊。民國68年 7 月
　13日。

37.張義德。「中文檢字法漫談」。廣文月刊。 1 卷 8 、 9 合
　期（民國58年 7 月）：頁27—28。

38.張錦郎。「我國編製聯合目錄的回顧與前瞻」。國立中央
　圖書館館刊。新 5 卷 3 、 4 期（民國61年12月）：頁 1 —
　10。

39.陳夢家。「上古天文材料」。學原。 1 卷 6 期（民國年36
　月）：頁1088—99。

40.勞榦。「說類書」。新時代。1卷7期(民國50年7月)：頁27─28。

41.程光裕。「讀晉書裴秀傳」。史學彙刊。9期(民國67年10月)頁187─193。

42.喬衍琯。「索引漫談」。書目季刊。2卷4期(民國55年)：頁19─28。

43.楊春樓。「新聞分類索引編製方法與實施概述」。大華晚報。60年4月19日、26日及5月3日。

44.萬國鼎。「古今圖書集成考略」。圖書館學季刊。2卷2期(民國17年3月)：頁179─189。

45.萬國鼎。「漢字母筆排列法」。東方雜誌。23卷2期(民國15年1月)。

46.萬國鼎。「漢字排檢問題」。圖書館學季刊。3卷1、2期(民國18年6月)：頁109─122。

47.董作賓。「中國古曆與世界古曆」。大陸雜誌。2卷10期(民國40年5月)：頁28─35。

48.董作賓。「關於中國年曆總譜」。大陸雜誌。14卷4期(民國46年2月)：頁130─134。

49.鄭恒雄。「我國參考工具書編纂的回顧與前瞻」。教育資料科學。18卷1期(民國69年9月)：頁88─106。

50.鄭恒雄。「我國期刊工具書編纂的回顧檢討與展望」。中國圖書館學會會報。30期(民國67年12月):頁126─150。

51.鄭振鐸。「索引的利用與編纂」。困學集(民國36年1

月）：頁155—167。

52.蔣一前。「漢字排檢法沿革史略及近代七十七種新法表」。圖書館學季刊。7卷4期（民國22年12月），頁633。

53.蔣復璁。「古今圖書集成的前因後果」。文星。14卷5期（民國53年9月）：頁10—15。

54.蔡武。「漢學索引發展史簡編」。人與社會。1卷3期（民國62年8月）：頁63—71。

55.蔡學海。「會要史略」。新時代。12卷5期（民國61年5月）：頁34—37。

56.魯莨。「陳夢雷與古今圖書集成」。古今談。41期（民國57年7月）：頁7—8,27。

57.劉厚醇。「農曆、陰曆、陽曆」。中央日報副刊。民國68年7月17日及18日。

58.錢亞新。「中國索引論著彙編初稿」。文華圖書館專科學校季刊。9卷2期（民國26年）：頁249—287。

59.錢亞新。「略論章學誠對我國索引工作的貢獻」。圖書館。3期（民國51年3月）：頁107—111。

60.錢亞新。「從索引法去談談排字法和檢字法」。國書館學季刊。3卷1、2期（民國18年6月）：頁123—130。

61.錢亞新。「雜誌和索引」。文華圖書館學季刊。1卷2期（民國18年）；頁137—157。

62.錢穆。「提倡編纂古史地名索引」。禹貢半月刊。1卷8期（民國23年6月）：頁230—232。

63.薛國康。「臺灣省統計工作之回顧與未來展望」。主計月報。43卷5期（民國66年5月）：頁43—46。

64.羅曉峯。「索引法概要」。文華圖書館學季刊。2卷2期（民國19年）：頁157—183。

65.蘇振申。「元政書經世大典之研究」。華學月刊。99期（民國69年3月）：頁13—23。

66.蘇精。「淺談報紙參考與報紙索引」。國立中央圖書館館刊。新第9卷1期（民國65年6月）：頁10—19。

總　索　引

本索引包括全書內之書名、著者、標題，三者混合編排，按筆畫寡
多及筆順次序排列。

二　畫

｜（直）

ノ（撇）

六　畫

七　畫

八　畫

九　畫

十　　畫

十一畫

、（點）

㇒（撇）

十二畫

十三畫

十四畫

十五畫

十六畫

十七畫

外　文

國立中央圖書館出版品預行編目資料

中文參考資料／鄭恆雄著 · -- 初版，--
　　臺北市：臺灣學生，民71
　　　面；　公分.
　　參考書目：面　含索引
　　ISBN 957-15-0287-1（精裝）.-- ISBN 957-15-0288-x（平
裝）

　　1.參考書 — 目錄

015.5　　　　　　　　　　　　　　　　　　80003656

中 文 參 考 資 料 （全一冊）

著 作 者：鄭　　　恆　　　雄
出 版 者：臺　灣　學　生　書　局
發 行 人：丁　　　文　　　治
發 行 所：台　灣　學　生　書　局
　　　　　臺北市和平東路一段一九八號
　　　　　郵政劃撥帳號〇〇〇二四六六八號
　　　　　電　話：三　六　三　四　一　五　六
　　　　　ＦＡＸ：三　六　三　六　三　三　四
本書局登
記證字號：行政院新聞局局版臺業字第一一〇〇號
印 刷 所：常　新　印　刷　有　限　公　司
　　　　　地址：板橋市翠華街八巷一三號
　　　　　電話：九　五　二　四　二　一　九

　　　定價　精裝新臺幣四〇〇元
　　　　　　平裝新臺幣三二〇元
中 華 民 國 七 十 一 年 七 月 初 版
中 華 民 國 八 十 三 年 七 月 第 五 次 印 刷

01901　　版權所有 · 翻印必究
　　ISBN　957-15-0287-1（精裝）
　　ISBN　957-15-0288-x（平裝）

臺灣 **學生書局** 出版

圖書館學與資訊科學叢書

①中國圖書館事業論集　　　　　　　張　錦　郎　著
②圖書・圖書館・圖書館學　　　　　沈　寶　環　著
③圖書館學論叢　　　　　　　　　　王　振　鵠　著
④西文參考資料　　　　　　　　　　沈　寶　環　著
⑤圖書館學與圖書館事業　　　　　　沈　寶　環　編著
⑥國際重要圖書館的歷史和現況　　　黃　端　儀　著
⑦西洋圖書館史　　　　　　Elmer D. Johnson著
　　　　　　　　　　　　　　　　　尹　定　國　譯
⑧圖書館採訪學　　　　　　　　　　顧　　　敏　著
⑨國民中小學圖書館之經營　　　　　蘇　國　榮　著
⑩醫學參考資料選粹　　　　　　　　范　豪　英　著
⑪大學圖書館之經營理念　　　　　　楊　美　華　著
⑫中文圖書分類編目學　　　　　　　黃　淵　泉　著
⑬參考資訊服務　　　　　　　　　　胡　歐　蘭　著
⑭中文參考資料　　　　　　　　　　鄭　恆　雄　著
⑮期刊管理及利用　　　　　　　　　戴　國　瑜　著
⑯兒童圖書館理論／實務　　　　　　鄭　雪　玫　著
⑰現代圖書館系統綜論　　　　　　　黃　世　雄　著
⑱資訊時代的兒童圖書館　　　　　　鄭　雪　玫　著
⑲現代圖書館學探討　　　　　　　　顧　　　敏　著
⑳專門圖書館管理理論與實際　　　　莊　芳　榮　著
㉑圖書館推廣業務概論　　　　　　　許　璧　珍　著

圖書館學類圖書